Jenny Oliver

Bis morgen am Meer

Roman

Aus dem Englischen von
Simone Schroth

 **PENGUIN** VERLAG

Die englische Originalausgabe erschien 2018
unter dem Titel *The house we called home*
bei Harper Collins Publishers Ltd., London.

Penguin Verlagsgruppe Random House FSC® N001967

1. Auflage 2021
Copyright © 2018 der Originalausgabe by Jenny Oliver
Copyright © 2021 der deutschsprachigen Ausgabe by Penguin Verlag
in der Penguin Random House Verlagsgruppe GmbH,
Neumarkter Straße 28, 81673 München
Umschlaggestaltung: Favoritbuero
Umschlagmotiv: John Gollop; incamerastock/Alamy Stock Foto;
Anthony Elizabeth James;givaga/shutterstock;
JenniferPhotographyImaging/GettyImages
Redaktion: Anita Hirtreiter
Satz: Uhl + Massopust, Aalen
Druck und Bindung: GGP Media GmbH, Pößneck
Printed in Germany
ISBN 978-3-328-10559-6
www.penguin-verlag.de

Dieses Buch ist auch als E-Book erhältlich.

Für Emily

1. Kapitel

Sie stand am Klippenrand und sah auf die heranrollende Brandung hinab. Hinter ihr ragte das Haus in den Himmel auf. Fester, rauer Stein und Schiefer. Das Knallpink der Hortensien mit ihren riesigen Blüten. Die weißen Gartenmöbel, die einen neuen Anstrich brauchten. Dieses Bild, wie wenn man in die Sonne geschaut hatte und dann die Augen schloss. Es würde sich nicht von ihrer Netzhaut löschen lassen, und Lichtstrahlen tanzten in dem Dunkel hinter ihren Lidern.

Schleierwolken zogen über den Horizont, ein Windsurfer quälte sich in der Windstille vorwärts, während Stand-up-Paddler über das Wasser kreuzten, das in den schönsten Farben schillerte.

Moira ballte die Hände zu Fäusten. Ganz fest, sodass sie ihre Fingernägel in den Handtellern spüren konnte. Wenn sie gekonnt hätte, hätte sie Geräusche dabei gemacht, wie ein Kleinkind, das gerade einen Trotzanfall bekam. Wenn sie gekonnt hätte, hätte sie die Augen zugekniffen, mit dem Fuß aufgestampft und auf das Panorama, das nicht hätte herrlicher sein können, unter sich heruntergeschrien: »Graham Whitethorn, mit dir hat man verdammt noch mal immer nur Scherereien.«

Aber das ging nicht. Denn unter der Kapuze des Jungen neben ihr spähten besorgt dreinblickende Augen hervor, und Moira sah, dass er sich mit den weiten Ärmeln den Rotz unter der Nase weggewischt hatte.

Deswegen atmete sie stattdessen tief die belebende Luft ein und sagte: »Los, Sonny. Jetzt machen wir Frühstück, und dann rufen wir deine Mutter an. Sie muss doch erfahren, was sich dein dummer alter Großvater geleistet hat.«

Sie wandten sich dem Haus zu. Dem schönen Haus. Das Bild auf Moiras Netzhaut passte genau in den Umriss.

2. Kapitel

»Was meinst du damit, er ist verschwunden?«, fragte Stella stirnrunzelnd. Fast automatisch wandte sie sich dann mit einer Geste nach draußen an ihre siebenjährige Tochter: »Schau, Rosie – Stonehenge.«

»Verschwunden ...?«, wiederholte ihr Mann vom Fahrersitz aus.

Aus lauter Verunsicherung schnitt Stella eine Grimasse.

Rosie, die auf dem Rücksitz saß und ihre mit Glitzersteinchen besetzten Kopfhörer aufhatte, ließ jedes Interesse an Stonehenge vermissen. Stattdessen sah sie sich auf ihrem iPad YouTube-Videos an und brauchte in völliger Sorglosigkeit ihr 4G-Datenvolumen auf. Normalerweise hätte sich Stella mit einem Fingerschnipsen Rosies Aufmerksamkeit gesichert und noch einmal aus dem Fenster gedeutet, damit ihre Tochter auf keinen Fall den Anblick von Stonehenge verpasste, doch der Anruf ihrer Mutter war wichtiger als jede Sehenswürdigkeit. »Ich verstehe nicht, was du meinst, Mum«, sagte Stella. »Wie kann Dad verschwunden sein? Wo ist er?«

Jack runzelte die Stirn. Am Kreisel vor ihnen staute sich der Verkehr.

»Genau das wissen wir ja nicht, Liebes«, erwiderte ihre Mutter, und durch das Telefon klang ihre Stimme blechern.

Stella fühlte sich auf seltsame Weise, als hätte sie die

Situation nicht unter Kontrolle. Ihr kamen ganz plötzlich Gedanken, die sie nicht erwartet hatte. Sie und ihr Vater verstanden sich nicht gut und sprachen auch kaum miteinander. Schon seit Jahren war das so. Der Ärger der Vergangenheit hatte sich in Gewohnheit verwandelt – und je mehr Zeit verging, desto mehr verhärteten sich die Fronten. Doch als Stella hörte, was ihre Mutter ihr da berichtete, wurde ihr ganz mulmig zumute. Plötzlich hatte sie Angst, sie könnte zu weinen anfangen. Du lieber Gott, das wäre total peinlich. Und Jack wahrscheinlich so schockiert, dass er einen Unfall bauen würde.

»Wie lange ist er denn bereits verschwunden?«, wollte Stella wissen und wandte sich wieder dem Autofenster zu, wobei sie die Augen weit aufriss, um gar nicht erst Tränen aufkommen zu lassen.

»Seit gestern«, gab ihre Mutter zurück. »Aber ich bin nicht ganz sicher, wann genau er das Haus verlassen hat, weil wir im Supermarkt einkaufen waren.«

»Gestern?«, fragte Stella entsetzt zurück. »Warum hast du dann nicht schon längst angerufen?«

»Ach, ich wusste ja, dass ihr heute eine lange Autofahrt vor euch habt, und wollte euch nicht um den Schlaf bringen. Außerdem habe ich gedacht, ich warte ab, ob er nicht doch noch heimkommt, bevor sich alle womöglich unnötig Sorgen machen.«

Für Stellas Mutter war so ein Verhalten äußerst seltsam, schließlich war sie noch nie jemand gewesen, der klaglos alles hinnahm.

»Soll das heißen, du hast dir ganz allein Sorgen gemacht?«

Am anderen Ende der Leitung blieb es still.

»Mum, bist du in Ordnung?«

»Ja, Liebes, mir geht es gut«, antwortete ihre Mutter. Und sie klang auch, als ginge es ihr sehr gut. *Zu* gut. Fast wirkte sie betrunken. Stella hätte viel mehr Drama erwartet. Sicher mehr Schluchzen und Hilfsbedürftigkeit. Stattdessen fragte sie sich, ob sie im Hintergrund gerade den Wasserkocher hörte.

Stella runzelte die Stirn. »Hat das Ganze etwas mit Sonny zu tun? Ist Dad seinetwegen gegangen? Hat Sonny sich nicht gut benommen?«

»Davon kann überhaupt keine Rede sein. Dein Vater und Sonny haben sich sogar blendend verstanden. Ich habe Sonny auch erst heute Morgen gesagt, dass sein Großvater verschwunden ist – Teenager brauchen ihren Schlaf, nicht wahr?«

Stella kniff die Augen ganz fest zusammen. Die Vorstellung, dass ihr Sohn und ihr Vater ein Herz und eine Seele waren, war in diesem Moment zu viel für sie.

»Hast du denn versucht, ihn anzurufen?«, erkundigte sie sich dann.

»Ja. Und ich bin direkt auf der Mailbox gelandet. Er hat einen Zettel hinterlassen, auf dem steht, dass wir uns keine Sorgen machen sollen.«

Stella presste sich eine Hand an die Stirn. Sie war sehr, sehr müde. Da sie den Wochenend- und den Ferienverkehr Richtung Cornwall hatten vermeiden wollen, waren sie um fünf Uhr losgefahren. Aber sie hatten schon einmal anhalten müssen, weil sich Rosie in einen Starbucks-Becher übergeben musste: Heimlich hatte sie innerhalb von zwanzig Minuten alle Süßigkeiten heruntergeschlungen, die für die fünfstündige Fahrt vorgesehen gewesen waren. »Guck mal, Daddy – das Gummibärchen da ist sogar noch ganz«, hatte sie verkündet und dabei ziemlich entzückt geklungen. Die Verkehrsnachrichten aus dem Radio teilten ihnen mit, dass der aktuelle Stau durch einen umgefallenen Wohnwagen weiter oben auf der Fernstraße 303 entstanden war. »Was genau steht denn auf dem Zettel?«

»Nur, dass er für eine Weile weggeht.«

»Aber wohin?«

»Ehrlich gesagt habe ich nicht die leiseste Ahnung, Liebes.«

Mit der Reaktion ihrer Mutter stimmte wirklich etwas ganz und gar nicht.

»Mum, gibt es da irgendetwas, das du mir verschweigst?«, bohrte Stella nach und spähte dabei zu Jack hinüber, der alle möglichen Grimassen schnitt, weil er herauszufinden versuchte, was da genau gerade vor sich ging.

»Nein, Liebes, nichts.«

Stella nickte. Sie war misstrauisch. Das Gefühl der Verunsicherung, das sie überkommen hatte, gefiel ihr ganz und gar nicht. »Okay. Wir sind in etwa drei Stunden bei dir.«

»Fahrt nicht zu schnell«, mahnte ihre Mutter.

»Das Risiko besteht bei der derzeitigen Verkehrslage wohl eher nicht«, erwiderte Stella und fügte dem einen Abschiedsgruß hinzu.

Als sie das Gespräch beendet hatte, wollte Jack wissen: »Wo ist dein Vater denn?«

Kopfschüttelnd warf Stella das Telefon in ihre Handtasche. »Das weiß meine Mutter nicht.«

Jack gab ein ungläubiges Lachen von sich. »Das ist ja total absurd. Dein Vater haut bestimmt nicht einfach so ab, oder?«

Stella breitete hilflos die Hände aus. »Anscheinend doch.«

Jack sah aus, als wolle er noch etwas sagen, wurde aber durch das Auto hinter ihnen abgelenkt, das zum Überholen ansetzte, weil Jack nicht sofort weitergefahren war, um die entstandene Lücke zu füllen, als sich die Blechlawine um eine Autolänge nach vorn bewegte.

»Ich habe dir gleich gesagt, wir hätten die Autobahn nehmen sollen«, murmelte er.

Ungläubig schüttelte Stella den Kopf. Sie hatte die Fernstraße vorgeschlagen, und sie konnte einfach nicht glauben, dass sich Jack seine Bemerkung nicht verkniffen hatte, wo sie doch gerade völlig durch den Wind war, da ihr Vater verschwunden war.

Eine Weile fuhren sie schweigend weiter. Die Luft im Auto heizte sich auf, weil ihre schwache Klimaanlage es nicht schaffte, sich gegen die aufgehende Sonne durchzusetzen.

Stella und Jack hatten sich heute schon einmal gestritten, und zwar als Stella zugegeben hatte, dass der Gedanke daran, Sonny wiederzusehen, sie nervös machte.

Sie befanden sich auf dem Weg nach Cornwall, da sie ihren dreizehnjährigen Sohn abholen wollten. Stella hatte ihn für vierzehn Tage zu ihren Eltern geschickt, als sie sich keinen Rat mehr wusste.

Jack hatte geseufzt, und nach Stellas Empfinden hatte seine Antwort ziemlich herablassend geklungen: »Na ja, so weit hätte es gar nicht erst kommen dürfen! Wir hätten das Ganze zu Hause angehen müssen.«

»Das sagst du bereits die ganze Zeit, Jack, aber du warst doch gar nicht dabei. Du bist schließlich nie da, wenn er sich total unmöglich aufführt. Du kreuzt erst um halb acht auf, wenn er sowieso bald ins Bett muss.«

»Ich kreuze auf?«

Gerade wollte Stella das bestätigen, dieses Gespräch hatten sie allerdings schon tausendmal geführt. Während der letzten paar Wochen hatten sie praktisch kein anderes Thema gehabt. Unzählige Male hatte sie versucht, ihrem Mann zu verklickern, wie sehr es sie frustrierte, dass sie ihren dreizehnjährigen Sohn einfach nicht vom Smartphone wegbekam. Ständig musste sie überwachen, dass er auch ja seine Hausaufgaben machte, und gleichzeitig ihre eigenen Deadlines einhalten, die immer enger getakteter wurden, und dieser Stress nahm ständig zu. Bis zu dem Abend, als Sonny so schlimm geflucht hatte, hatte er sich vorgeblich seinem Physikprojekt gewidmet, dabei aber einfach nur sein Smartphone hinter seinem Pappmaschee-gebilde versteckt. Stella war wütend geworden und hatte ihm das Telefon aus der Hand gerissen, dann hatte sie das Spiel gelöscht, das er gerade spielte, und alle anderen gleich mit. Sie hatte das Passwort für ihr iTunes-Konto neu eingestellt, sodass er nichts mehr herunterladen konnte.

»Du Bitch!«, hatte Sonny seine Mutter angeschrien und danach sofort starr auf den Boden geschaut.

»Wie bitte?«

Schweigen.

»Du entschuldigst dich – auf der Stelle!«, hatte Stella

ihm befohlen, wobei sie die Hände in die Hüften gestemmt und die Augen weit aufgerissen hatte.

Schweigen.

Es war, als hätte jemand die Zeit angehalten.

»Entschuldige dich.«

Nichts.

Stella spürte, wie sich ihr Herzschlag beschleunigte. »Wenn du mich nicht um Verzeihung bittest, Sonny, und zwar, bevor ich bis drei gezählt habe, dann ...«

Diese Worte kamen fast automatisch aus ihrem Mund. Als wäre sie so müde und gestresst, dass sich ihr Gehirn an eine Zeit erinnert hatte, in der sie sicher sein konnte, immer die Kontrolle zu haben. An eine Zeit, in der ein kleiner Sonny übereifrig gewesen war, sich zu entschuldigen, wenn das bedeutete, dass er nicht bestraft werden würde.

Jetzt hatte Stella nicht die geringste Ahnung, was sie tun würde, wenn sie bis drei gezählt hatte. Sie hätte das Löschen der Apps als Druckmittel verwenden sollen, aber dafür war es nun zu spät, und ihr blieb nichts anderes übrig, als zu zählen. »Eins.«

Sonny hatte den Blick weiter auf den Boden geheftet.

Bitte entschuldige dich doch einfach.

»Zwei.«

Sonny spannte die Kiefermuskeln an.

Stella atmete durch die Nase ein. Kurz zog sie ein »Zweieinhalb« in Erwägung, wusste jedoch, dass sie damit nur um ihrer selbst willen das Ganze hinausgezögert hätte.

»Drei«, sagte sie.

Sonny sah auf, starrte ihr direkt in die Augen. Dann ver-

zogen sich seine Mundwinkel in einem ganz leichten verächtlichen Zucken, und sein Gesichtsausdruck schien zu
sagen: »Na, was machst du jetzt, Mum?«

Zum ersten Mal in ihrem Leben hatte Stella das drin-
gende Bedürfnis verspürt, ihm eine Ohrfeige zu verpassen.
Dazu war es nicht gekommen. Aber in diesem Augenblick
mochte sie ihren Sohn kein bisschen. Sie wusste beim besten Willen nicht, was sie mit ihm anfangen sollte. Deswegen hatte sie sich umgedreht und war mit erhobenen Händen gegangen, wobei sie gesagt hatte: »Weißt du was, das
hier ist mir einfach zu dumm.« Sie musste an ihre eigene
Kindheit zurückdenken. Sie stellte sich vor, was wohl geschehen wäre, wenn sie ihren Vater so angesehen hätte, wie
Sonny das gerade bei ihr getan hatte. Einfach unvorstell-
bar. Der Gedanke daran ließ sie innehalten und sich um-
drehen. Ihr Blick fiel auf Sonny, der immer noch selbstzufrieden auf den Teppich heruntergrinste. »Du kannst ja
nach Cornwall fahren. Ein paar Wochen bei Granny und
Grandpa tun dir bestimmt gut.« Ihr Vater jedenfalls hatte
sich früher nie irgendwas von Jugendlichen gefallen lassen.

Deswegen waren sie also jetzt vierzehn Tage später auf
dem Weg nach Cornwall, um Sonny abzuholen. Die Morgensonne schimmerte in der Luft wie Staub, und im Wagen
pulsierte die Anspannung geradezu.

Stella musterte von der Seite Jacks Profil. Er hatte den
Blick starr auf den langsam vorankriechenden Verkehr vor
sich gerichtet. Es gefiel ihr ganz und gar nicht, dass er sie
unterbrochen hatte, als sie erklärte, sie sei nervös wegen
des Wiedersehens mit Sonny, weil sie normalerweise mit
ihrem Mann alles besprach. Jack war derjenige, der da-

für sorgte, dass es ihr besser ging, und mit ihr gemeinsam überlegte, wie sie mit bestimmten Situationen umgehen sollte. Auf ihn konnte sie sich immer verlassen.

Normalerweise stritten sie sich wegen solcher Angelegenheiten nie, und Jack überließ Stella die Führung in Erziehungsfragen. Aber offensichtlich hatten sie beide im Moment so viel zu tun, waren durch ihre Arbeit abgelenkt, und ihre Kinder waren gerade besonders schwierig. Und wegen der Sommerferien hatte sich keine gute Gelegenheit ergeben, über alles ausführlich zu reden. Stella hatte gedacht, sie könnten das vielleicht während der fünfstündigen Fahrt nachholen, doch nun schien alles von dem plötzlichen mysteriösen Verschwinden ihres Vaters überschattet.

Stella starrte aus dem Fenster und wiederholte innerlich immer wieder den einen Satz: »Dad ist verschwunden.« Aber diese Information wollte ihr einfach nicht in den Kopf. Stella wollte nicht wahrhaben, was geschehen war, denn das hätte viel zu viele Fragen aufgeworfen.

Der Verkehr kam wieder in Gang.

Stella fühlte sich völlig aus dem Gleichgewicht gebracht. Sie zog ihr Handy hervor, um sich abzulenken, allerdings fiel ihr dann sofort wieder ein, dass sie noch auf eine E-Mail betreffs einer Deadline antworten sollte, doch dazu fehlte ihr im Moment die Energie. Sie starrte ihr Mobiltelefon an. Der Bildschirmschoner zeigte ein Foto von Sonny und Rosie, wie sie sich gerade Milchshakes mit einer dicken Sahnehaube samt Schokoflocken und Oreo-Keksen schmecken ließen. Das Bild war an Rosies Geburtstag aufgenommen worden, nach der Schule. Nach der Aufnahme hatte sich die Harmonie rasch verflüchtigt, weil

Sonny Rosies Gesicht angeblich unabsichtlich in die Sahne gedrückt hatte, aber es war nur selten möglich, ein Foto zu machen, auf dem beide in die Kamera lächelten. Stella schaltete ihr Smartphone aus und steckte es in die Tasche zurück. Es machte ihr Angst, dass sie nicht genau sagen konnte, ob sie ihren eigenen Sohn jetzt wiedersehen wollte oder nicht. Sie stellte sich die Szene vor – würde er überhaupt die Treppe herunterkommen, um sie zu begrüßen? Dann dachte sie an den leeren Platz auf dem Sofa, wo ihr Dad immer saß, und sie spürte, wie ihr ein wenig schwindlig wurde. Als wäre ihr Gehirn nicht dazu in der Lage, diesen ganzen Stress abzuspeichern. Sie presste sich die Handteller an die Schläfen.

»Alles in Ordnung?«, erkundigte sich Jack mit einem Seitenblick auf seine Frau.

»Ich weiß nicht.« Stella atmete einige Male tief ein, um sich zu beruhigen.

Jack runzelte die Stirn. Stella wusste sonst alles.

»Musst du dich übergeben?« Er klang leicht panisch. »Brauchst du einen Becher?«

Sie lachte unwillkürlich. »Nein, ich brauche keinen Becher.«

Im nächsten Moment schrie Rosie vom Rücksitz: »Ich muss mal.«

Das holte Stella in die Gegenwart zurück. Ihr kurzes Abdriften wurde von der dringenden Notwendigkeit gestoppt, ihren elterlichen Pflichten nachzukommen. »Schau, da vorne ist eine Tankstelle«, erklärte sie und wandte sich um, um Rosie zu beruhigen. Dann drehte sie sich wieder zu Jack hin. »Alles okay«, fügte sie hinzu, damit er nicht mehr so nervös und besorgt dreinschaute. »Völlig okay. Dad kann gar nicht weit weg sein. Wie du schon sagst, haut er bestimmt nicht einfach so ab, deswegen kann es auch gar nicht so schwer werden, ihn zu finden.« Als Jack auf den Raststättenparkplatz einbog, machte sie sich bereit, ihren Gurt zu lösen. »Wir finden ihn schon. Dann nehmen wir Sonny mit. Und fahren nach Hause. Es wird sich alles fügen.«

3. Kapitel

Die bevorstehende Ankunft ihrer Tochter machte Moira ganz nervös. In Stellas Gegenwart war sie das immer ein wenig, fühlte sich auf dem falschen Fuß erwischt und kam sich total übereifrig vor, nur weil sie sich Gedanken darüber machte, was sie alles zusammen unternehmen konnten. Wollten die Kinder zum Beispiel zur neuen großen Modelleisenbahn, denn dafür brauchte man Tickets, die bloß schwer zu bekommen waren, und ohne musste man Ewigkeiten anstehen? Wenn Stella darauf antwortete: »Mach dir keine Sorgen, das wird schon alles. Wir entscheiden uns einfach, wenn wir da sind«, spürte Moira, wie sich in ihrem Innersten alles bis zur völligen Anspannung zusammenzog – sollte sie nun Karten besorgen oder nicht? Wenn die vier dann ankamen, stürmten sie das Haus und das Chaos war perfekt. Sie aßen den Kühlschrank leer, verteilten Sand überall auf dem Teppich und öffneten innerhalb von Minuten mehr Weinflaschen als Moira und Graham in einem ganzen Monat. Sehr oft zog sich Moira zum Aufräumen in die Küche zurück, weil die geballte Energie der vier ganz einfach zu viel für sie war. Wie oft hatte sie sich an Weihnachten um den Abwasch gekümmert und währenddessen einer von Stellas Geschichten zugehört, die diese mit lauter und selbstsicherer Stimme vortrug. Dabei hatte sie sich insgeheim gewünscht, sie könnte auch nur annähernd so voller Energie wie ihre Tochter sein.

Jetzt, als Moira in der Küche stand, sich einen Tee kochte und bei jedem Geräusch in Richtung Auffahrt starrte, weil sie glaubte, es wären ihre Gäste, musste sie daran denken, wie die Erinnerung an die wenigen Urlaube mit Stella zu einer kurzen, lauten und verzerrten Momentaufnahme verschwommen waren.

Sie nahm eine ihrer Emma-Bridgewater-Teetassen vom Haken. Die Sammlung war über einige Jahre entstanden: Jeder schenkte ihr zum Geburtstag und zu Weihnachten eines der dekorativen Stücke, weil sie einmal beim Durchblättern einer Zeitschrift ein flüchtiges Interesse an der Marke bekundet hatte. Inzwischen besaß sie fast schon zu viel von dem Zeug, wusste aber einfach nicht, wie sie das ihren Angehörigen beibringen sollte. Als sie die Küche renovieren ließ, hatte sich Moira kurz überlegt, alles wegzupacken. Doch sie hätte die Fragen nicht ertragen, hatte sich die vorwurfsvollen Blicke der anderen vorgestellt, die besagten, dass sie die Geschenke wohl nicht mehr mochte – falls das überhaupt jemals der Fall gewesen war. Das konnte sie nicht mit Sicherheit sagen. Es war einfach zu dem geworden, was sie für die anderen darstellte: »Mum, dieses Porzellan magst du doch so gern.« Wenn sie sich in dieser Beziehung änderte, würde das zu mehr verletzten Gefühlen und Verwirrung führen, als sie verkraften konnte.

Der Wasserkocher klickte, da das Wasser heiß genug war. Sie goss sich die Tasse drei viertel voll, drückte ganz kurz einen Teebeutel hinein und fügte eine ordentliche

Ladung Milch hinzu – viel zu viel für Stellas Geschmack, das durfte Moira später nicht vergessen.

Draußen wurde es wärmer. Moira lehnte sich nach vorn und öffnete das Küchenfenster, wodurch sich das Zimmer mit dem betäubenden, ganz eigenen Aroma des Jasmins füllte, der sich aus einem großen Topf neben der Haustür an der Pergola emporrankte. Moira stand da und inhalierte den Duft. Die Hüfte hatte sie an ihre Anrichte mit dem schönen neuen zartrosa Marmor gelehnt – eine sehr teure Anschaffung, über die Graham missbilligend geäußert hatte, sie wolle einfach nur eine Veränderung. Doch Moira war ganz verliebt in ihre Anrichte. Der Duft des Jasmins wirkte betörend auf sie. Er ließ den Wunsch in ihr aufkeimen, sofort das ganze Porzellan zusammenzupacken und sich diese schicken handgemachten Tassen zu kaufen, die sie in einer Galerie im Ort gesehen hatte. Mit goldfarbenen Henkeln und Streifen in knalligem Türkis.

Die würde Graham unglaublich hässlich finden.

Und Stella würde sich über sie lustig machen.

Vielleicht aber auch nicht. Moira hielt inne. Vielleicht fände Stella eine Tasse mit goldenem Henkel sogar schön. In kleinen Schlucken trank Moira ihren Tee und dachte kurz darüber nach, ob sie ihre Tochter überhaupt noch kannte. Die Unterhaltung am Telefon, während der Stella vorgefühlt hatte, ob sie Sonny für zwei Wochen nehmen würde, war das erste Mal gewesen, dass Stella sie in den letzten Jahren um irgendetwas gebeten hatte. Für einen kurzen Moment hatte Moira Genugtuung empfunden und sich auch geschmeichelt gefühlt, Stella jedoch wohlweislich nicht gefragt, was denn vorgefallen sei. »Aber natürlich, Liebes. Wenn du willst, können wir uns in Exeter treffen, dann brauchst du nicht den ganzen Weg zu fahren. Ich habe gerade das Gästezimmer neu tapeziert – ein wunderschönes goldfarbenes Muster. Wusstest du, dass man jetzt bei TK Maxx Tapeten bekommt? Da kann Sonny schlafen. Dann hat er sein eigenes kleines Reich.« Vor lauter Nervosität hatte sie immer weitergeredet, weil sie nicht neugierig sein wollte.

Dabei brannte sie insgeheim darauf zu erfahren, was da vor sich ging. So etwas wie jetzt mit Sonny passierte der beherrschten, selbstbewussten Stella normalerweise nicht.

4. Kapitel

Stella stand in der Auffahrt. Sie war müde und verschwitzt. Das Haus ragte über ihr auf, grau und gebieterisch, und zu ihrem Erstaunen tröstete sie der vertraute Anblick. Normalerweise beachtete Stella es kaum, denn die Furcht vor dem bevorstehenden Aufenthalt lenkte sie davon ab, oder sie war zu beschäftigt damit, das Auto auszuladen, die Kinder zur Ordnung zu rufen, ihrer Mutter zuzuhören, wie diese von der Reise irgendeines Neffen aus London am Vortag berichtete – eine Fahrt, die ewig lange gedauert hatte, und war es nicht ein unglaubliches Glück, dass ihnen das nicht auch passiert war? Heute hingegen konnte sie sich an dem Ort, wo sie aufgewachsen war, gar nicht sattsehen: die großen Steinplatten, der weiße Jasmin, der förmlich über die Fenster tanzte, die knallrote Tür, die total fröhlich wirkte, eine Möwe, die krächzend auf dem Schornstein saß und dann Antwort von einer anderen bekam, die auf dem weitläufigen Rasen herumstolzierte. Das Mammutblatt konnte man zwischen dem Haus und der alten Garage gerade so erkennen. Die Garage sah heruntergekommener aus als jemals zuvor, aber sie stand noch, samt ihrem Wetterhahn, der klemmte und immer Richtung Süden zeigte. Dann gab es da noch den entzückenden kleinen Mandelbaum neben der Küche, die beiden vom Wind ganz zerrauften Palmen und die rostige Bank einige

Meter vom Klippenrand entfernt, von der aus man eine unverstellte Aussicht auf das Meer hatte.

Irgendwie machte dieser Blick die Tatsache, dass ihr Vater die Familie verlassen hatte, weniger vage. Die Aussicht verband das ganze Debakel mit der Realität, mit den ihr vertrauten Backsteinen, dem Mörtel. Als sich Stella jetzt wieder dem Haus zuwandte, erfüllte es sie mit Erleichterung, dass sich nicht alles verändert hatte.

Doch schließlich öffnete sich die Haustür, und Stella war einen kurzen Moment lang vom Anblick ihrer Mutter dort im Türrahmen verblüfft. Noch nie zuvor hatte sie sie eine Jeans tragen sehen, und schon gar kein hautenges Paar, an dessen einem Bein sich eine aufgestickte Efeuranke entlangwand. Auch die Haare hatte sie sich machen lassen, und irgendjemand musste ihr beigebracht haben, wie man teures Make-up richtig auftrug.

Ihre Mutter sah völlig verändert aus. Warum war das Stella nicht vor vierzehn Tagen aufgefallen, als sie Sonny bei ihren Eltern absetzte? Weil es damals in Strömen geregnet hatte, wurde ihr bewusst. Moira hatte ihren Regenmantel bis obenhin zugeknöpft, und Sonny hatte sich geweigert, ins Haus zu gehen, wo sie alle zusammen hätten Kaffee trinken können. Stattdessen war er davongestürmt und hatte sich auf dem Beifahrersitz von Moiras Volvo verkrochen.

Beim Anblick ihrer Mutter war sich Stella nicht ganz sicher, was sie jetzt tun, wie sie sie begrüßen sollte. Sie versuchte sich ins Gedächtnis zu rufen, was sie normalerweise sagte. Als ihr das jedoch nicht gelang, begriff sie, wie wenig sie sie normalerweise wahrnahm. Wie sehr ihre

Mutter einfach im Hintergrund verschwand, wie das Rauschen ihres Geplauders.

Letzten Endes war es Moira, die die Führung übernahm. Sie lief über den Kiesweg, drückte ihrer Tochter kurz den Arm und küsste sie dann auf die Wange. Sie duftete nach einem teuren, intensiven Parfum. Nicht mehr nach dem üblichen kurzen Sprühstoß von einem x-beliebigen Katalogprodukt. »Hallo, Liebes. Wie war denn die Fahrt?«

»Ach, eigentlich ganz okay«, erwiderte Stella. Nachdem sie ihre Mutter von oben bis unten gemustert hatte, fügte sie hinzu: »Toll siehst du aus! Ist die Jeans neu?«

Moira errötete leicht, als sie antwortete. »Na ja – du weißt schon. Die habe ich mir aus einer Laune heraus gekauft.«

»Gibt es denn etwas Neues von Dad?«, wollte Stella wissen.

Moira schüttelte den Kopf, sodass ihre flammend roten Highlights im Sonnenlicht tanzten. »Ich habe dir alles schon am Telefon gesagt.«

Stella war kurz davor, ihre Mutter zu fragen, warum sie denn gar nicht besorgt wirkte. Da entdeckte sie Sonny, der mit gesenktem Kopf im Schatten des Türrahmens herumhing. Sie schluckte. Er sah auf und schob sich den überlangen Pony von den Augen. Stella machte einige Schritte vorwärts, wobei sie die Sonnenbrille abnahm, um ihren Sohn besser sehen zu können. Sonny hatte die Augen zusammengekniffen und sah besorgt aus, seine Haut wirkte aschfahl.

Sie erreichte ihn. »Alles in Ordnung bei dir?«

Er nickte.

»Bist du sicher?«

Er nickte wieder.

In den vergangenen zwei Wochen hatte sie ihn vermisst, aber als sie jetzt voreinanderstanden, wusste Stella nicht genau, was sie tun sollte. Sich entschuldigen, weil sie ihn hergeschickt hatte? Eine Entschuldigung von ihm verlangen? Ihn umarmen oder stehen bleiben, wo sie war, da sie seine Ablehnung fürchtete? Aus einigen Jahren Erfahrung wusste sie, dass es sich hier um eine Situation handelte, in der man als Elternteil darüberstehen musste. Sie durfte sich nichts von ihrer Angst vor einer möglichen coolen Zurückweisung ihres Kindes anmerken lassen. Deswegen zwang sie sich dazu, einfach so zu tun, als machte es ihr nichts aus. Sie legte ihm einen Arm um die Schultern, zog seinen steifen Körper zu sich heran und küsste ihn auf die fettigen Haare. »Hallo, du Idiot.«

Er grunzte irgendetwas.

Aber er zog sich nicht zurück.

Stattdessen hob er die Hand und berührte sie am Arm. Drückte ihn kurz.

Dann machte er einen Schritt rückwärts.

Für Stella war das genug, jedenfalls für den Augenblick. »Warum bist du denn so blass?«, erkundigte sie sich.

»Ich mache mir Sorgen. Wegen Grandpa«, gab er zurück, als wäre es unglaublich dumm von ihr, diese Frage überhaupt zu stellen.

»Oh.« Sie war konsterniert über seine Reaktion. Stella ging ziemlich fest davon aus, dass das Einzige, was Sonny im vergangenen Jahr in irgendeiner Form berührt hatte, Rosies Missgeschick mit seinem iPhone gewesen war. Damals hatte das Display einen Sprung abbekommen.

Sie sah auf und stellte fest, dass Jack das Ganze mitverfolgte. Er hatte so viele Taschen wie möglich auf einmal aus dem Auto geschleppt und stand da wie ein Packesel. Als er bemerkte, dass sie ihn gesehen hatte, setzte er sich sofort in Bewegung und sagte: »Hilf mir doch mal, Sonny.«

Sonny nahm sich die größte Tasche, bekam sie allerdings kaum vom Boden.

Jack und Stella tauschten einen Blick, als würden sie sich fragen, wie es ihnen gelungen war, einen so verweichlichten Kerl großzuziehen. Dann küsste Jack Moira auf die Stirn, als er an ihr vorbeiging. Dabei sagte er: »Gut siehst du aus, Moira. Das mit Graham tut mir leid.«

»Hallo. Danke, mein Lieber. Ja, eine sehr unangenehme Sache. Wie geht es dir? Alles in Ordnung in der Arbeit?«

»Alles wie immer. Ich kann mich nicht beklagen«, gab Jack zurück, während er unter der Last des Gepäcks fast zusammenbrach.

»Gib mir doch ein paar von diesen Taschen.«

»Nein, nein.« Jack bewegte die Finger der Hand, die den Griff umklammerte, und ließ sich nicht helfen. »Ich schaffe das schon.«

»Er mag es, seine Belastung so konkret zu spüren«, witzelte Stella.

Ihr Mann fand ihre Bemerkung nicht ganz so lustig, wie sie gehofft hatte. Er hob nur die Augenbrauen und ging dann aufs Haus zu.

»Das war ein Witz«, murmelte Stella und ging wieder zum Auto, wo sie mit ihrer Mutter Rosie holen wollte. Diese saß immer noch angegurtet im Kindersitz, die Augen starr auf das Display ihres iPads gerichtet. Sie hatte noch nicht einmal mitbekommen, dass sie ihr Ziel erreicht hatten.

»Diese Geräte sind doch einfach ein Geschenk des Himmels, wenn man eine lange Reise vor sich hat«, kommentierte ihre Mutter mit einer Geste in Richtung iPad.

Stella nickte und dachte darüber nach, wie sehr sie sich als Kind eine ähnliche Ablenkung auf langen Autofahrten gewünscht hätte. Wie sie auf dem Rücksitz des rotbraunen Vauxhall Cavalier durch ganz Europa gegurkt waren und die Frage »Sind wir bald da?« verboten gewesen war.

Einmal hatte der Motor kurz vor Madrid überhitzt, die Klappe hatte sich verklemmt, ihr Vater hatte einen Wutanfall bekommen, und Stella hatte ihre verschwitzten Beine langsam von dem heißen Plastik ablösen und sich auf eine Grasnarbe am Straßenrand setzen müssen. Die Mittagshitze hatte unbarmherzig auf sie herabgestrahlt, aber Stella wollte einfach nur dem Zornesausbruch entkommen. Sie hatte sich einen Sonnenstich geholt, was ihren Vater total aufbrausen ließ, denn nun verspäteten sie sich noch mehr als ohnehin schon und verpassten den großen Teil eines Sportwettbewerbs, den er unbedingt hatte sehen wollen. In ihrer Kindheit ging es in den Ferien immer darum, wo gerade die Welt- oder die europäischen Meisterschaften im Schwimmen stattfanden, ganz abhängig davon, welche Sportler ihr Vater, ein ehemaliger olympischer Schwimmer und Trainer des britischen Teams, gerade betreute. Kein einziges Wochenende, kein einziger Urlaub verging, ohne dass das Schwimmen irgendwie eine Rolle gespielt hätte. »Wenn das Jahr 365 Tage hat, bedeutet das 365 Tage Training.« Deswegen begleiteten sie ihn, um überhaupt Zeit mit ihm verbringen zu können, obwohl er stets beschäftigt und die meiste Zeit über schlecht gelaunt war. Wenn sich seine Sportler beschwerten, sie hätten zu viel und zu hart trainieren müssen und wären müde, schaute er sie mit seinem berüchtigten spöttischen Blick unter halb geschlossenen Augenlidern hervor an und sagte: »Schlafen ist nicht drin.« Als Kind hatte Stella ständig mit dem Gedanken gespielt, das irgendwann einmal zu ihm zu sagen, wenn er sie abends ins Bett steckte. Bei der Vorstellung, das wirklich zu tun, spürte sie nach wie vor den Adrenalinstoß von damals. Aber wegen der Bestrafung, die unweigerlich gefolgt hätte, hätte sich eine solche befreiende freche Bemerkung nicht gelohnt.

Über ihnen verschwand jetzt die Nachmittagssonne hinter einer schmalen Wolkendecke am ansonsten blauen Himmel. Stella konnte das tiefe Summen der Bienen im Lavendel hören, ebenso wie einen Traktor, der dröhnend die Landstraße hinunterfuhr. Sie fragte sich, was wohl diese detaillierten Kindheitserinnerungen bei ihr ausgelöst hatte. Sie wollte sich doch möglichst wenig an diese Zeit erinnern. Sie hätte der Hitze im Auto zusammen mit dem Geruch der Süßigkeiten für die Fahrt die Schuld geben können, dem Gestank von schalem Erbrochenem, doch sie wusste, dass es ganz einfach an der Situation lag, daran, dass ihr Vater nicht da war. An seiner Abwesenheit, die Stella zum Innehalten zwang.

Sie fühlte sich unbehaglich deswegen. Eine Ablenkung durch unwillkommene Erinnerungen brauchte sie nun wirklich am allerwenigsten. »Rosie!«, rief sie, und zwar ein bisschen zu scharf.

Rosie schaute von ihrem iPad auf und wirkte fast überrascht, als sie feststellte, dass sie bei ihren Großeltern angekommen war. »Grandma!«, quietschte sie, löste den Gurt und warf sich quer über den Sitz in eine innige Umarmung mit Moira. Eine Sekunde lang beneidete Stella ihre Tochter um deren Fähigkeit, jede beliebige Situation so zu nehmen, wie sie war, sich völlig sorglos anderen Leuten in die Arme zu werfen und davon auszugehen, man würde ihre Umarmung erwidern. Sie beobachtete die beiden, wie sie sich langsam aufs Haus zubewegten. Rosie hatte ihre Hand in Moiras geschoben, während sie sagte: »Meine Barbie hat auch eine solche Jeans, Grandma.«

Als sie sah, wie Moira wieder errötete, musste Stella ein Lachen unterdrücken. Das Outfit ihrer Mutter faszinierte sie. Die schwarz-weiß gestreifte Bluse stammte ganz eindeutig immer noch von Marks & Spencer, doch es wirkte, als hätte sich ihre Mutter aus der üblichen in die Designerabteilung gewagt. Am Kragen befanden sich einige Rüschen, und die herabhängende Seide wirkte schwer und teuer. Dieses Oberteil war nicht von der Stange. Und dann das Haar: wie immer rot, aber irgendwie intensiver rot. Es strahlte förmlich. Stella schaute genauer hin, während sie ihrer Mutter und Rosie ins Haus folgte. Die Sonne ließ verschiedene Kupferschattierungen aufleuchten – das war keine billige Färbung, die man einfach so im Bad selbst machte. Es war schwer, sich vorzustellen, dass ihre Mutter für so etwas Lächerliches wie einen Haarschnitt und eine neue Farbe Geld ausgab. Stella hatte durchaus erlebt, dass sich ihre Mutter etwas gönnte, aber das war immer nur dann der Fall gewesen, wenn Moira den Anlass für angemessen hielt – ein schickes neues Kleid für die alljährliche Sommerparty, einen Saphirring zu einem runden Geburtstag. Hätte man sie auf der Straße angehalten und dazu befragt, hätte sich ihre Mutter stets im Recht gefühlt und eine plausible Begründung vorbringen können. Haarprodukte, Kleidung und Make-up hätten normalerweise zu den sparsam veranschlagten Anschaffungen gehört. Wenn man sich im Kaufhaus einen Lippenstift kaufte, erntete man dafür ein missbilligendes Schnalzen von Moira.

Und dabei ging es gar nicht ums Geld. Stellas Meinung nach suchte sich ihre Mutter einfach Dinge, die sie missbilligen konnte, bloß um etwas zu tun zu haben.

Stella sah, dass die Generalüberholung weit über die Garderobe ihrer Mutter hinausging. Ungläubig starrte sie auf das Erdgeschoss, in dem ein Wanddurchbruch vorgenommen worden war. Langsam fragte sie sich, ob es nicht eher darum ging, was sich *nicht* verändert hatte. »Wow!«, rief sie aus, während sie von ihrer Position aus den ganzen weiten Raum auf sich wirken ließ. Sie schaute dorthin, wo früher die Tür zur Küche gewesen war. »Ich wusste ja, dass du das machen lassen wolltest, aber ich glaube, es war mir nicht bewusst, dass es so aussehen würde.« Vor ihr lag das Wohnzimmer mit den Holzbalken an der Decke, die man nun gut sehen konnte. Und statt des Kamins gab es da einen modernen Holzofen. Die Wände, die früher in einem gediegenen Magenta und Grün gehalten waren, hatten einen ganz neuen Anstrich in elegantem warmem Mittelgrau bekommen. Durch die ganz aus Fensterglas bestehende Wand des ehemaligen Esszimmers strömte Sonnenlicht ins Haus, das nicht länger von schweren Samtvorhängen blockiert wurde. Jetzt hing da nur noch eine leichte weiße Musselingardine, und der Blick auf die See, die das Haus umgab, war unverstellt.

Moira runzelte die Stirn. »Ich habe dir doch aber Bilder geschickt?«

Stella nickte. »Ja, stimmt.« Hatte sie sich diese Fotos überhaupt angeschaut? Es war so einfach, Nachrichten ihrer Mutter zu ignorieren.

Stella senkte den Blick. Die »Hier drinnen bitte keinen Rotwein«–farbenen Teppiche waren verschwunden, was den Blick auf wunderschön geschliffene Bodenbretter freigab, über die sich ein riesiger Sisalteppich erstreckte. Und neben ihr hatte man den alten Kieferküchenschränken einen Shaker-Stil verpasst, außerdem gab es einige leicht aufdringlich glänzende Marmorflächen. Alles entsprach auf fast schmerzhafte Weise den Bildern im *Country Living*-Magazin. Wenn sich Stella nun ihren Vater vorstellte, wie er still in seiner Ecke saß und auf dem Fernsehbildschirm ohne Ton Snooker-Wettkämpfe verfolgte, wirkte das wirklich ein wenig veraltet.

»Sonny!«, quietschte Rosie, ließ die Hand ihrer Großmutter los und warf sich mit vollem Körpereinsatz auf ihren Bruder, der mitten im Wohnzimmer stand, den Kopf über sein Handy gebeugt. Die sackartigen Ärmel seines Kapuzenshirts hingen formlos herunter. Er fing den Stoß ab wie eines dieser Spielzeuge mit Kugelbasis, die einfach nicht umfallen. Als ihn Rosie fest umarmte, gelang es Sonny, seiner Schwester den Kopf mit der einen Hand zu tätscheln, die er nicht für sein iPhone brauchte.

Stella blieb im Flur stehen. Sie atmete laut aus, weil sie

ihm das verdammte Teil am liebsten aus der Hand gerissen hätte. *Umarme deine Schwester*, wollte sie schreien. Sonny fing ihren Blick auf, und Stella zog die Augenbrauen hoch, woraufhin er eine Grimasse schnitt. Es war, als hätte jemand die Wiederholungstaste gedrückt. Immer dasselbe. Er schaute weg, steckte das Telefon in die Hosentasche und umarmte seine Schwester, nur ganz kurz und auch nicht besonders begeistert.

Stella musste an ihre letzte *Stella mit dem Schandmaul*-Kolumne denken. Darin hatte sie geschrieben:

»Das Problem mit dem Muttersein ist, dass man manchmal nicht selbstlos sein *möchte*. Manchmal will man seinem Sohn einfach sagen, dass man ihn nicht besonders gut leiden kann. Aber sofort, wann immer einem dieser Gedanke kommt, meldet sich diese nervige innere Stimme, die sagt, das ist allein deine Schuld. Du hast dafür gesorgt, dass er sich so benimmt, du hast ihn verzogen und nicht durchgegriffen, du hättest ein solches Benehmen im Keim ersticken müssen. An diesem Punkt muss der gesunde Menschenverstand das Kommando übernehmen und einen daran erinnern, dass er ein Teenager ist und dass es wirklich sein Fehler ist, ja, seiner! Der gesunde Menschenverstand zeigt sich in vielen verschiedenen Gestalten. Und deswegen hat Gott nicht nur den Eisprung erfunden, sondern auch den Weißwein.«

Stella sah dabei zu, wie die kleine Rosie, völlig unbeeindruckt von Sonnys mangelnder Begeisterung, ihr seine Zuneigung zu zeigen, ihren Bruder am Sackärmel zerrte, als sie einen schwarz-weißen Border Collie entdeckte, der seinen Kopf hinter dem riesigen grauen Sofa hervorstreckte. »Frank Sinatra!«, schrie sie.

Stella konnte sich ein Lächeln nicht verkneifen. Sie fragte sich, ob Rosie überhaupt wusste, dass der Hund einen Namensvetter hatte. Die Fotos von dem neuen Haustier, die ihre Mutter ihr geschickt hatte, hatte sich Stella sogar angesehen, allerdings eher aus Unglauben, denn sie konnte sich einfach nicht vorstellen, dass man ihr als Kind einen Hund erlaubt hätte – sie erinnerte sich, wie sie beim Fernsehen als Kind auf einer alten Decke hatte sitzen müssen, damit sie keine Flecken aufs Sofa machte. Die schlichten Kissen waren Gästen vorbehalten. Alles war immer nur gedacht, um andere zu beeindrucken. Sogar im ganz privaten Rahmen hätte es sich ihre Mutter nach dem Abendessen nie einfach so auf dem Sofa bequem gemacht. Sie war stets in Habachtstellung, denn es hätte ja jemand vorbeischauen können. Nicht die winzigste Pause gönnte sie sich.

Stellas Eindruck nach hatte ihre Mutter diese »Herrin des Landsitzes«-Figur entworfen, die alles übernahm – eine Art Reaktion auf die Tatsache, dass ihr Vater eine Sportberühmtheit war. Neunmal hatte er olympisches Gold geholt und war als Sportler des Jahres nominiert worden. Mit ihrer Rolle wollte ihre Mutter kompensieren, dass er nie zu Hause war. Als wäre es genug gewesen, ihn in den Himmel zu loben, und somit auch in Ordnung, alles für ihn zu entschuldigen. Ihre Mutter wartete ununterbrochen voller Anspannung darauf, dass er irgendwann einmal nach Hause kam. Ständig putzte und polierte sie, räumte auf und rückte alles gerade, war immer nur in Bereitschaft. Was allerdings reine Zeitverschwendung war, denn er nahm nichts davon wahr, sondern interessierte sich lediglich für die Schwimmrekorde des Tages – die erschienen auf unzähligen Papierbogen, die das Chaos bloß noch vergrößerten.

Jetzt schaute Stella dabei zu, wie der Hund Sonny das Gesicht ableckte. Rosie kicherte. Ihrer Mutter gab es vor Eifersucht einen Stich, als sie feststellen musste, dass ein so entspanntes Verhalten in diesem Wohnzimmer überhaupt möglich war.

Stella ging zum Sofa hinüber, setzte sich auf die Lehne und kraulte kurz dem Hund den Rücken. Die ganze Zeit beobachtete sie Sonny, wandte keinen Moment den Blick von ihm ab, weil sie ja eine Weile getrennt gewesen waren. Sie erkannte seine Nase wieder, stellte fest, dass seine Augen immer noch funkelten, wenn er ganz selten einmal lachte. Es stimmte nicht, dass sie ihn nicht leiden konnte. Sie liebte ihn. Auch wenn es vielleicht ein nerviger Elternspruch war, aber sie würde ihr Leben für ihn geben. Es war einfach nur so, dass er sie noch in den Wahnsinn trieb. Dass sie sich unglaublich ärgerte, wenn er etwas tat, von dem sie wusste, dass ihm klar war, er hätte es besser lassen sollen. Dass es sie total frustrierte, wenn sie mit ansehen musste, wie er sein Potenzial durch Smartphone und Playstation zunichtemachte. Dass sie enttäuscht war, wenn er genau das provokante Benehmen an den Tag legte, das sie von ihm erwartete. Und er schien stets ganz genau zu wissen, wie er sie noch weiter reizen konnte, wie ein schmerzhaft juckender Mückenstich. Eine halbe Minute lang schien Ruhe einzukehren, dann ging alles von vorne los: dieser Juckreiz, immer wieder dieser Juckreiz.

Genau wie jetzt auch wieder. Er ließ nicht zu, dass der Hund seiner Schwester das Gesicht leckte. Dabei war es gar nicht so, dass Stella das nicht richtig fand – im Gegenteil, so eine Hundezunge war einfach bloß eklig. Aber Rosie wollte unbedingt von dem Tier abgeschlabbert werden, und Sonny beanspruchte den ganzen Spaß für sich.

»Sonny, lass Frank Sinatra auch mal bei Rosie ran!« Na also. Einer der ersten vollständigen Sätze, die sie seit ihrer Ankunft an ihren Sohn gerichtet hatte. Und nicht nur einer der dümmsten, die sie jemals von sich gegeben hatte. Darüber hinaus hatte sie sich ganz genau an ihre üblichen Kommunikationsregeln gehalten, indem sie ihm immer wieder sagte, er solle etwas anders machen.

Jack kam die Treppe hinunter, und seine hochgezogenen Augenbrauen galten Stella, als könnte er gar nicht glauben, dass es wirklich schon wieder zu Streitigkeiten kam. Er setzte sich auf die andere Seite des Hundes. Dann lehnte er sich seitwärts, boxte Sonny leicht in die Schulter und fragte leise: »Alles klar, Junge?«

Mit einem Nicken sah Sonny zu ihm auf. »Ja.«

Fast hätte Stella die Augen verdreht. Was sie da gerade gesehen hatte, stellte einen Teil des Problems dar: Für Jack und Sonny war alles so einfach, weil Jack es sich leisten konnte, den Weg des geringsten Widerstandes zu gehen. Er war der gute Bulle. Diese Rolle hatte er sich zu einem ganz frühen Zeitpunkt mühelos gesichert. Und das machte Stella zum bösen Bullen. Lange Zeit hatte sie das auch akzeptiert – als die Kinder noch klein genug waren, dass man sie mit einer Umarmung immer rumkriegte. Jetzt aber, mit Sonny, bedeutete das eine ganz neue Rolle, als wäre man aus der Polizeiakademie in die reale Welt befördert worden – die Stöße waren schmerzhaft, und sie hörten nie auf.

Wie Sonny und Rosie überschüttete Jack den Hund mit Zuneigungsbekundungen. »Du bist ein Feiner, ein ganz Feiner bist du! – Wer nennt denn einen Hund Frank Sinatra?«, wollte er dann wissen und kraulte das Tier ausgiebig hinter den Ohren.

»Das war Mitch«, erklärte Sonny und zeigte seinem Vater einen Trick, den der Hund mit seinen Vorderpfoten vorführen konnte. Einfach fantastisch, dachte Stella. Die drei wirkten zusammen wie die perfekte Familie.

»Wer ist denn Mitch?«, erkundigte sich Jack.

»Grandmas Freund«, erklärte Sonny. »Ein Hippie.«

Es schepperte, als Moira die Kühlschranktür zuknallte.

Jack sah auf und begegnete Stellas Blick. Fragend hob er die Augenbrauen, denn die Sache faszinierte ihn. Stella reagierte darauf mit einer Grimasse.

»Wollt ihr Tee?«, fragte Moira ganz sachlich. Sie stellte ihre gepunkteten Tassen auf den Tisch und lenkte geschickt von diesem Mitch ab.

Aus dem Chor der Zustimmung stach nur eine atemlose Bitte um Kakao von Rosie heraus. Danach quietschte das Mädchen begeistert, als der Hund ihr das ganze Gesicht ableckte. »Können wir auch einen Hund haben?«, bat sie lachend.

»Das erlaubt Mum nicht«, erwiderte Sonny, ohne überhaupt aufzusehen. Zusammen mit seinem Vater verpasste er Frank Sinatra eine ordentliche Ladung Bauchkraulen.

Stella seufzte. Jack sagte gar nichts. Er hatte sich immer einen Hund gewünscht, und Stella hatte jedes Mal aufs Neue Nein gesagt. Hunde stanken, fand sie, und etwas Schlimmeres als das Entsorgen riesiger Hundehaufen konnte sie sich überhaupt nicht vorstellen. Aus der Frage, warum die Familie keinen Hund hatte, war »Das erlaubt Mum nicht« geworden. Als wäre die Anschaffung eines Hundes ein Grundrecht, das sie ihnen genommen hatte. Sie *hatte* es ihnen genommen. Aber schließlich war es auch niemals ein Grundrecht gewesen. Na also, sie beherrschte den Part des bösen Bullen.

Während sie sich dafür hasste, sich wie ein Außenseiter zu fühlen, erhob sich Stella vom Sofa und half Moira mit dem Tee. »Und du bist wirklich sicher, dass hier alles in Ordnung ist?«, erkundigte sie sich dabei.

»Ja, alles bestens«, bestätigte Moira und drückte einige Knöpfe auf der Mikrowelle, um die Milch für Rosies Kakao aufzuwärmen. Dann hielt sie kurz inne und seufzte. »Aber ehrlich gesagt bin ich stinksauer – was glaubt er eigentlich, was er sich da erlaubt, einfach auf Tour zu gehen, ohne irgendjemandem Bescheid zu sagen? Den Zettel da hat er auf dem Tisch liegen lassen«, fügte sie hinzu und nickte in Richtung Essbereich, während sie eine ordentliche Portion gefüllter Kekse auf einen Teller schaufelte. Stella fragte sich, welch große Tragödie wohl eintreten müsste, damit es akzeptabel gewesen wäre, die Kekse direkt aus der Packung zu essen.

Moira steuerte den Esstisch an, wobei sie ein Tablett mit den Tassen und dem dazugehörigen Milchkännchen vor sich hertrug. Der Teller mit den Keksen balancierte auf riskante Weise obendrauf. Mit einer Geste bedeutete sie ihrer Tochter, ihr mit der Teekanne zu folgen. »Die neue Einrichtung gefällt dir also?«, erkundigte sie sich.

»Aber ja! Alles wirkt sehr hübsch, sehr luftig und leicht«, gab Stella zurück. Sie fragte sich immer noch, warum ihre Mutter über das Verschwinden ihres Vaters nicht viel mehr außer sich war. Sie hoffte, ihre Mutter wolle sich einfach nur nichts anmerken lassen und die Tapfere spielen, ansonsten wäre es einfach zu tragisch gewesen – dass er sich aus dem Staub machen konnte und ihr die neue Einrichtung wichtiger erschien, als ihn wiederzufinden. Ihr Vater war tief gestürzt.

Der Esstisch gehörte zu den wenigen Einrichtungselementen, die sich nicht verändert hatten. Allerdings war das dunkle lackierte Holz abgeschmirgelt worden, um dem Ganzen eine Art Treibholzeffekt zu verleihen. Stella fragte sich, wer das wohl erledigt und ob derjenige wohl die ganzen Kritzeleien gefunden hatte, die sie fabrizierte, während sie eigentlich Hausaufgaben hätte machen sollen. Trotzige Teenager-Graffiti, die sie mit dem Kugelschreiber in die Unterseite des Tisches rammte, während sie ihr Vater wegen schlechter Schwimmzeiten getadelt hatte. Oder wenn er wortlos eine Grafik mit ihrem Herzschlag und den dazugehörigen Berechnungen auf dem Tisch hatte liegen lassen, mit einer schwachen Bleistiftmarkierung ihrer nachlassenden Anstrengungen.

Sie stellte die Teekanne auf den Tisch und nahm den

Zettel mit der Nachricht ihres Vaters in die Hand, den dieser mit einer großen weißen Vase auf dem Tisch fixiert hatte — erstaunlicherweise handelte es sich nicht um ein Stück aus dem geliebten Emma-Bridgewater-Service ihrer Mutter. In der Vase standen frische Blumen aus dem Garten. Stella ertappte sich bei der Überlegung, ob der Strauß wohl vor oder nach dem Verschwinden ihres Vaters zusammengestellt worden war.

»Bin eine Zeit lang weg. Kein Grund zur Beunruhigung. Graham/Vater/Großvater.«

Wie merkwürdig, dass er mit drei Namen unterschrieben hatte. Stella sah zu Sonny hinüber, musste daran denken, dass er vor lauter Sorge ganz blass war, und wunderte sich darüber, dass zwischen Großvater und Enkel plötzlich eine so enge Beziehung entstanden war. Ihr kam ein leiser Verdacht, und sofort wollte sie Sonny vor all dem Interesse beschützen, das ihr Vater möglicherweise an den Schwimmfähigkeiten seines Enkels entwickelt hatte. Gleichzeitig war sie jedoch auch eifersüchtig, da sie sich einander offensichtlich so angenähert hatten. Stella schaute weg, hinüber zu dem Hund, der sich den Sitzplatz ihres Vaters gesichert hatte, und versuchte sich an das letzte Gespräch mit Graham zu erinnern. An eines, bei dem er nicht nur zum Dank für den Pullover genickt hatte, den er von ihr zu Weihnachten bekam, mit dem Geschenkgutschein in der einen und dem schlichten grauen Sweatshirt in der anderen Hand. »Prima, ja. Danke.« Zählte das als Gespräch?

Ihre Mutter goss jetzt allen Tee ein.

Stella ging zum Fenster, weil sie ein wenig Abstand brauchte. Vor ihr da draußen erstreckte sich das Strandpanorama, wenn sie den Streifen gemähten Rasens und die Gartenmöbel hinter sich ließ. Das Wasser war genauso blau wie der Himmel, das Sonnenlicht sprühte wie Wunderkerzen von den Wellen, die sich donnernd am Strand brachen. Bei ihren Besuchen hier schaute sie kaum von diesem Fenster aus hinaus. Jedenfalls nicht für lange, höchstens, um kurz die Wetterlage zu überprüfen. Früher hatte sie stundenlang aufs Meer hinausgeblickt, vor allem im Winter, gebannt vom Anblick der gigantischen Wellen, des harschen, fast aggressiv wirkenden Schaums auf dem eiskalten Wasser. Während sie nun hinausstarrte, mit dem Lärm der Kinder und dem lauten Bellen des Hundes im Ohr, konnte Stella auf einmal das Brennen der Luft während ihrer morgendlichen Sechs-Uhr-Schwimmrunden in ihren Lungen spüren. Die Erinnerung war von einer solchen Schärfe, dass Stella eine Hand an die Brust führte.

Als sie auf ihre Finger herabblickte, erwartete sie fast, schrumpelige Stellen zu sehen, das Salz in den Augen brennen zu spüren. Es fühlte sich an, als würde sie verrückt. Das Klopfen ihres Herzens in ihren Ohren war so stark wie das Dröhnen der Wellen. Als ströme der Stress in seltsamen, lange vergessenen Flashbacks aus ihr heraus.

Jack stellte sich neben sie, in der Hand hielt er den Zettel ihres Vaters. »Was glaubst du denn, wohin ist er gegangen?«, fragte er seine Frau.

Stella schluckte. Sie konnte einfach nicht fassen, dass Jack, ohne groß darüber nachzudenken, zu ihr herübergeschlendert kam und glauben konnte, es wäre alles in Ordnung. Dass ihr schlimmer Zustand nicht von ihrem Körper ausgestrahlt wurde wie mit wild flackernden Discolichtern.

Sie riskierte einen Blick zu ihm hinüber. Er wartete ab, wirkte auf lässige Weise neugierig. Sie wandte dem Seepanorama den Rücken zu, um wieder zur Normalität zurückfinden zu können. »Ich habe keine Ahnung«, antwortete sie, »aber hier ist ganz eindeutig etwas nicht in Ordnung.« Sie nickte in Richtung ihrer Mutter, die gerade Schokolade an die Kinder verteilte, und fügte hinzu: »Und es würde mich ganz und gar nicht überraschen, wenn dieser Mitch etwas damit zu tun hat.«

Jack wandte sich ebenfalls um und ließ die Szene auf sich wirken. »Glaubst du, er steckt auch hinter dieser Jeans?«

Stella lachte. Der Witz löste in ihr eine Art Erleichterung aus.

Jack legte ihr den Arm um die Schulter. »Wir finden ihn schon«, meinte er, und dabei klang seine Stimme fest und sicher.

Stella antwortete nicht. Das konnte sie nicht. In ihr stieg dasselbe Gefühl auf, das sie bereits im Auto überkommen hatte – dass ihr alles zu viel war, als müsste sie plötzlich in Tränen ausbrechen, und das durfte sie nicht zulassen. Vor allem nicht in Gegenwart ihrer Mutter. Und genauso wenig in der von Sonny. Und worüber hätte sie auch weinen sollen? Doch nicht über das Verschwinden eines Mannes, der sie regelrecht verstoßen hatte? Sie war ganz einfach müde.

In der Küche piepte ein Telefon. Ihre Mutter ging und las die Nachricht. »Der Zug deiner Schwester kommt etwa um sechs Uhr an, schreibt sie.«

»Ach, du meine Güte.« Mit weit aufgerissenen Augen schaute Stella hoch, völlig überrascht. »Amy hatte ich ganz vergessen.«

Jack runzelte die Stirn, als könnte er gar nicht fassen, wo seine Frau nur mit ihren Gedanken war. »Wie konntest du denn Amy vergessen?«

5. Kapitel

»Nein, ich finde es einfach nicht.« Zum zigsten Mal durchwühlte Amy ihre Tasche. »Es ist nicht da. Aber ich habe ein Ticket gekauft. Ehrlich, ich schwöre es. Ich kann es nur …« Sie wurde immer leiser, bis sie schließlich verstummte, suchte weiter und weiter in ihrer Tasche zwischen ihren Haarprodukten, dem Ladekabel für ihr Telefon und ihrem Teddybären herum. Letzteren schob sie hastig ganz tief nach unten.

Sie spürte, dass Gus sie genau musterte.

Der Kontrolleur beugte sich bedrohlich über ihren Sitzplatz. »Es tut mir leid, Madam, wenn Sie kein gültiges Ticket vorzeigen können, müssen Sie Strafe bezahlen.«

»Nein, das geht einfach nicht.« Amy schüttelte den Kopf. Dabei schlugen ihr die blonden Haarsträhnen wild an die Wangen. Sie schob sich die kurzen Haare hinter die Ohren, denn sie hatte sich immer noch nicht daran gewöhnt. Warum im Fernsehen stets gezeigt wurde, wie jemand mit einem völlig anderen Haircut ein neues Leben begann, blieb ihr ein Rätsel. Eine einzige Quälerei war das – man musste lernen, wie man das Ganze stylte und glättete, damit es nach etwas aussah. Sie hasste ihre neue Frisur.

Sie beugte sich vor, um weiterzusuchen, und ihr Haar bewegte sich mit. Mit einer Hand hielt sie es zurück. »Wirklich, Sie können mich nicht noch mal zahlen lassen.

Mein Vater wird vermisst«, erklärte sie und schob ein paar Unterhosen zur Seite.

Sie meinte zu hören, wie Gus verächtlich schnaufte, und warf ihm einen bösen Blick zu, aber er sah sie nur mit erstaunter Miene an.

»Hilfst du mir vielleicht mal?«, zischte sie ihn an.

Er schüttelte den Kopf. »Was soll ich denn machen?«

»Was weiß ich? Du könntest mit dem Mann sprechen.«

»Das mit dem Reden scheinst du doch ganz gut selbst hinzukriegen. Er sagt, du musst Strafe zahlen.«

»Aber ich *habe* ein Ticket gekauft.« Sie sank in ihren Sitz zurück. »Ganz im Ernst, das habe ich getan. Ich könnte mich in mein Bankkonto einloggen und es Ihnen auf dem Smartphone zeigen.«

»Tut mir leid, Madam, ich bin jetzt schon großzügig. Letzten Monat wurde das Ganze noch viel strenger gehandhabt – da hätten Sie mit mir zusammen am nächsten Bahnhof den Zug verlassen müssen.«

Amy fuhr sich mit beiden Händen durch die Haare.

»Nun bezahl doch einfach«, forderte Gus sie auf. In der einen Hand hielt er seinen winzigen Espressoplastikbecher, in der anderen irgendein merkwürdiges Comicbuch.

»Nein.« Plötzlich fühlte sich Amy, als würde sie jeden Moment in Tränen ausbrechen. Gus schaute sie durch die Gläser seiner großen schwarzen Brille absolut überheblich an, als könnte er einfach nicht begreifen, warum irgendjemand auf die Idee kommen könnte, nicht einfach zu tun, was dieser Mann da sagte. »Nein.« Sie sah zu dem Fahrkartenkontrolleur auf, der sie mit einer gewissen Güte musterte. Auf seiner Glatze spiegelte sich das Neonlicht.

»Bitte«, sagte sie wieder. »Bitte, ich habe wirklich eine Fahrkarte gekauft. Dieser ganze Tag ist ein einziger Albtraum für mich. Ich fahre nach Hause, weil mein Vater vermisst wird. Im Moment kann ich nicht klar denken. Ich bin völlig durch den Wind«, erklärte Amy mit einem Seufzer und schob sich das nervige kurze Haar aus dem Gesicht. »Ich bin nämlich schwanger. Und außerdem«, fuhr sie seufzend fort, »na ja, so genau brauchen Sie das auch wieder nicht zu wissen, aber glauben Sie mir, ideal ist die Situation nicht, und ich *habe* ein Ticket gekauft, ich schwöre Ihnen, ich habe eins gekauft, und ich weiß noch, dass Ihr Kollege am Schalter aussah wie der Weihnachtsmann, und ein Bonbon hat er mir auch geschenkt.« Sie griff sich in die Jackentasche, während ihr die Tränen in die Augen traten. »Sehen Sie, hier ist es«, sagte sie und hielt dem Kontrolleur die Werther's-Original-Folie hin. »Ich habe das Papier noch.« Sie nickte bekräftigend, um ihrem Gegenüber eine Antwort zu entlocken. Gleichzeitig nahm sie wahr, wie die Passagiere in der Nähe unruhig in ihren Sitzen herumrutschten, da sie versuchten, gleichzeitig zuzuhören und das nicht zu tun, was Unbehagen in ihnen auslöste.

»Sehen Sie?«, wiederholte Amy und wedelte ihm mit dem winzigen Stück Goldfolie vor der Nase herum. »Fast hätte ich es weggeworfen, aber das habe ich dann doch nicht getan, weil ich es so nett von ihm fand, mir ein Bonbon zu schenken.« Sie führte beide Hände an die Augen, um die ersten Tränen wegzuwischen. »Verstehen Sie?«, fragte sie wieder mit kläglicher Stimme. Sie nickte ihm zu, wischte sich das Gesicht ab und versuchte währenddessen, in ihrer Jackentasche ein Taschentuch zu finden.

Der Kontrolleur schien einen Moment lang nachzudenken, dann fasste er sich in die eigene Jackentasche und zog ein frisches Tempo hervor. »Das war dann wohl Geoff«, meinte er. »Der Weihnachtsmann mit den Bonbons.«

Amy putzte sich die Nase. »Ja«, stimmte sie ihm zu. »Ja, das war Geoff.« Sie hatte keinerlei Erinnerung daran, wie der Mann geheißen hatte.

»Gut«, verkündete der Kontrolleur und tippte irgendetwas in die Maschine ein, die er um den Hals trug. Mit den Worten »Aber das ist eine einmalige Ausnahme« überreichte er ihr ein Ersatzticket.

Amy führte eine Hand an die Brust. »Ach, danke, vielen, vielen Dank.«

Er nickte. »Ich hoffe, Sie finden Ihren Vater.«

Amy nickte.

»Und dass mit dem Baby alles gut läuft.«

Erneut nickte sie, wischte sich die Augen und umklammerte mit einer Hand die neue Fahrkarte.

Der Kontrolleur wandte sich dem Gang zu und verschwand.

»Verdammt noch mal«, kommentierte Gus und ließ sich in den Sitz zurückfallen, wobei er völlig verblüfft den Kopf schüttelte. »Das war einfach unglaublich.«

»Was denn?«, fragte Amy und putzte sich noch einmal die Nase.

»Dass du damit durchgekommen bist.«

»Ich weiß überhaupt nicht, wovon du sprichst.«

»Das weißt du ganz genau. Mit dieser ›Ich armes kleines Mädchen‹-Nummer. Einfach unglaublich. Wie alt bist du noch mal?«

Verletzt sah ihn Amy an. »Das fragt man eine Frau nicht.«

»Aber ein kleines Mädchen kann man das fragen.« Gus zog die Augenbrauen hoch.

»Warum bist du so gemein?«

»Warum bist *du* so, wie du bist?«, fragte er zurück und deutete mit der Hand auf das Taschentuch, das Ticket und Amys vom Weinen rot geflecktes Gesicht. »Normale Leute bezahlen einfach die Strafe, wenn es ihre Schuld ist, dass sie ihre Fahrkarte verloren haben. Überleg mal, was du dem armen Kerl zugemutet hast.«

»Er war nett zu mir«, zischte Amy, weil sie sich angegriffen fühlte.

»Stimmt, und zum Dank dafür hast du ihn in diese total peinliche Situation gebracht.«

»Habe ich nicht.«

»Du glaubst also nicht, dass ihm deine Szene da schrecklich peinlich war? Als du ihm unter Tränen deine ganze Lebensgeschichte erzählt hast?«

»Ich möchte jetzt nicht mehr mit dir darüber sprechen.«

»Ach, so ist das also.« Gus schnaubte verächtlich und lachte dabei. »Das ist also deine Antwort. Eine sehr reife Antwort. Einfach wunderbar, da begeistert es mich gleich noch mehr, dass du die Mutter meines Kindes sein wirst.«

Amy schnappte nach Luft. »Was fällt dir ein?«

Gus atmete tief aus. »Was *mir* einfällt?« Er schüttelte den Kopf, wandte sich dann dem Fenster zu, um hinauszuschauen, und schloss eine Sekunde länger als nötig die Augen.

Amys spürte, wie sie eine Welle des heftigen Widerwillens durchflutete. Sie hätte ihm gern etwas Böses angetan – seinen Kaffee umgestoßen oder ihn in den Arm gekniffen. Stattdessen saß sie da und kochte innerlich, versuchte ihr Haar im Zaum zu halten und hinter den Ohren zu fixieren. Gus trank schlürfend von seinem Espresso und vertiefte sich völlig entspannt wieder in seinen Comic.

»Ich lese zumindest keine Bilderbücher«, sagte Amy bissig, bereute ihren Kommentar jedoch sofort, weil ihr direkt klar wurde, dass sie sich gerade noch viel mehr zum Narren gemacht hatte.

Langsam wandte Gus den Kopf, als müsste er sich zwingen, überhaupt mit ihr zu sprechen. »Meinst du damit etwa diese Graphic Novel, die gerade den Eisner Award bekommen hat?« Er verdrehte die Augen. »Bleib du nur schön bei deinen Frauenzeitschriften, Amy.«

»An meinen Frauenzeitschriften ist nichts verkehrt.« Am liebsten hätte ihn Amy eigenhändig erwürgt. »Die behandeln ganz viele wichtige Themen.«

Gus schnitt eine Grimasse. »Dann ist da wohl bald der Pulitzerpreis fällig.«

»Davon kannst du ausgehen. Mindestens«, gab Amy zurück, wobei ihre Stimme weinerlich und kindisch klang.

»Wirklich sehr erwachsen. Wie gerade eben schon. Du Mutter meines Kindes, ich bin begeistert.«

»Ich hasse dich.«

»Das beruht auf Gegenseitigkeit, das kann ich dir versichern.«

6. Kapitel

Schon als das Taxi vor dem Haus hielt, fühlte sich Amy besser: der wie leichter Rauch aus einem Schornstein über den Himmel schwebende violette Sonnenuntergang, das Glitzern der solarbetriebenen kleinen Glühbirnen im Mandelbaum, die man im frühen Abendlicht gerade so wahrnehmen konnte, und die wunderschönen pinken Blüten des Hortensienbusches. Der Kies unter ihren Füßen knirschte auf ebenso beruhigende Weise wie schon ihr ganzes Leben lang. Zumindest, wenn sie das Geräusch von Gus' Füßen neben sich ausblendete. Während sie den Schlüssel ins Schloss steckte, sah sie bereits den gemütlichen dunklen Flur vor sich; sie konnte das Abendessen riechen, das in der Küche vor sich hin brutzelte, das Flackern des Fernsehers wahrnehmen, und sicher brannte im Wohnzimmer ein Kaminfeuer.

Nur war jetzt Sommer, also nicht die Jahreszeit für Kaminfeuer. Und sie hatte vergessen, dass ihre Mutter das gesamte Erdgeschoss einem Totalumbau unterzogen hatte. Bei Amys letztem Aufenthalt hatte es dort ausgesehen wie auf einer riesigen Baustelle. Als sie nun die Tür öffnete, stellte sie fest, dass alles hell und weiträumig geworden war, ohne Wände. Sie schluckte. Alle im Wohnzimmer sahen auf, schauten sie an. Sie konnte nicht länger im Flur kurz durchatmen oder den Kopf durch die Tür stecken und ihre Mutter zu sich heranwinken.

»Oh, hallo«, sagte Amy und war sich dabei nur zu sehr der Tatsache bewusst, dass Gus direkt neben ihr stand und alle sie anstarrten. »Habt ihr Dad gefunden?«

Moira stand auf. »Nein, Liebes, noch nicht. Wir sind gerade dabei, einen Plan zu machen.«

Amy nickte. Sie merkte, dass sie plötzlich den Tränen nahe war, und am liebsten hätte sie sie sich ihrer Mutter in die Arme geworfen und wäre wegen allem in lautes Schluchzen ausgebrochen, aber weil sie sich vor Gus keine Blöße geben wollte und wusste, dass er bereits auf sie herabschaute, blieb sie stehen, wo sie war.

»Hi.« Gus hob die Hand zum Gruß.

»Hallo«, sagte Stella von ihrem Platz am Tisch aus. Sie sah sich die ganze Szene fasziniert an. Mit ihrem ärmellosen weiten schwarzen Shirt, den schlichten Goldohrringen, der engen Jeans und den bloßen Füßen wirkte sie völlig cool und entspannt. Amy sah, wie sie Jack durch den Raum einen Blick zuwarf, der daraufhin die Augenbrauen hochzog. Diese wortlose Kommunikation bedeutete: »Wer zum Teufel ist das denn?«

»Das ist Gus. Mein …« Unwillkürlich hielt Amy inne, denn das Wort »Freund« blieb ihr im Hals stecken.

»Ich bin ein Freund von Amy«, erklärte Gus, und das klang auf so lächerliche Weise unnatürlich, dass Amy am liebsten das Gesicht in den Händen verborgen hätte, da sie unter ihrem hastig aufgebesserten Make-up rot anlief. Stella verkniff sich ganz unübersehbar eine Grimasse.

»Hallo, Liebes. Hallo, Gus, wie schön, Sie kennenzulernen. Sicher seid ihr beide völlig erschöpft von der Reise, diese ganze Hockerei im Zug zieht sich ja immer ewig hin.

Kommt herein, setzt euch doch, was möchtet ihr trinken?«
Moira erhob sich und überspielte damit jede Unsicherheit
darüber, diesen Fremden im Haus zu haben. Sie durch-
querte den Raum, um die beiden zu begrüßen.

Gus warf seine Reisetasche am Fuß der Treppe hin und
nahm das Bier, das Jack für ihn eingoss, als hätte er noch
nie im Leben etwas nötiger gebraucht. Während Moira
Amy küsste und umarmte, flüsterte sie ihr ins Ohr: »Teilt
ihr euch ein Zimmer?«

»Auf gar keinen Fall«, zischte Amy sofort.

»Kein Problem«, erwiderte ihre Mutter. Dann wandte
sie sich an Stella: »Sonny und Rosie macht es bestimmt
nichts aus, im selben Zimmer zu schlafen, oder?«

»Kommt gar nicht infrage!«, protestierte Sonny stöhnend.

Stella nickte. »Das geht natürlich in Ordnung.«

Rosie kicherte nur.

Amy setzte sich Stella gegenüber, schaute ihr jedoch
nicht einmal in die Augen, als ihre Schwester ihr unter dem
Tisch ans Schienbein trat.

»Ein Bier, Amy?«, erkundigte sich Jack.

»Nein, für mich bloß ein Wasser. Ich habe riesigen
Durst«, gab sie zurück.

Nach einigen Belanglosigkeiten über das warme Wetter,
die Länge der Zugfahrt und alle möglichen Ereignisse seit
dem letzten Treffen – wie schlimm war es doch, dass erst
jemand verschwinden musste, damit sie alle die Reise auf
sich nahmen – räusperte sich Jack und fragte: »Also gut,
legen wir jetzt los und erstellen einen Plan?«

Stella nickte. Jack nahm sich den Notizblock, der vor

ihm lag, schaute zu Amy hoch und berichtete, was vor ihrer Ankunft besprochen worden war. »Wir haben uns überlegt, es wäre vielleicht eine gute Idee, mal aufzuschreiben, wo Graham normalerweise so hingeht. Wo er sich am häufigsten aufhält. Dann klappern wir diese Orte morgen ab und sprechen mit den Leuten. Vielleicht hat er ja irgendjemandem erzählt, wohin er wollte, und womöglich finden wir heraus, in welcher Stimmung er war. Solche Sachen. Okay?«

Amy nickte. »Habt ihr schon seine Freunde angerufen?«

»Ein paar«, antwortete Moira.

»Warum denn nicht alle?« Amy runzelte die Stirn.

»Ich hatte zu tun.« Moira rutschte auf ihrem Stuhl herum. Verblüfft sah Amy ihre Schwester an, die nur leicht mit einer Schulter zuckte, um anzudeuten, dass sie begriff, was immer ihre Schwester auch dachte, und mit ihr einer Meinung war – doch wer konnte ahnen, wovon ihre Mutter gerade besessen war?

Gus schaute sich das Ganze an.

Amy fragte: »Mum, du hast doch wohl versucht, Dad anzurufen, oder?«

»Natürlich habe ich versucht, ihn anzurufen. Und ich habe ihm eine Nachricht geschickt, um ihn zu fragen, wo er steckt.«

»*Eine* Nachricht? Ich habe ihn vom Zug aus dreiundzwanzig Mal angerufen«, erklärte Amy.

»Das hier ist kein Wettbewerb, Liebes«, murmelte Moira und wandte sich ab, um offensichtlich beleidigt ihr Weinglas wieder vollzuschenken.

»Okay!« Jack hob beide Hände und versuchte erneut,

rational vorzugehen. »Wir sprechen mit seinen Freunden, wir finden heraus, was er so getrieben hat und ob irgendjemandem etwas aufgefallen ist, irgendetwas Ungewöhnliches. So gehen wir vor. Moira, hast du schon euer Bankkonto überprüft?«

»Ich weiß gar nicht, wann ich das alles hätte erledigen sollen.« Moira schüttelte den Kopf.

Stella beugte sich vor. »Es macht dir doch niemand einen Vorwurf, Mum. Jack fragt schließlich bloß.«

»Ich weiß.« Moira verschränkte die Arme vor der Brust und fügte dann durch ihre zusammengepressten Lippen hinzu: »Ich kann ja morgen bei der Bank vorbeischauen.«

»Und wenn du einfach online nachsiehst, Mum?«, schlug Stella vor.

»Nein, das kann ich nicht.« Moira errötete. »Ich weiß nicht, wie das geht. Darum hat sich Graham immer gekümmert.«

Jack meinte: »Das kriegen wir schon zusammen hin. Hast du die Passwörter?«

Moira zögerte.

Amy mischte sich ein. »Mach dir nichts draus, Mum, ich vergesse meine auch die ganze Zeit. Darum habe ich sie auch alle in meinem Smartphone.« Sie sah, dass Gus den Kopf schüttelte, weil das etwas so Dummes war. Sie schnitt eine Grimasse in seine Richtung und bereute das sofort, da sie mitbekam, dass Stella sie beide beobachtete.

Moira wurde immer nervöser. Sie strich sich die Seidenbluse glatt und sagte: »Ich weiß, ich sollte die Passwörter kennen. Ich hatte einfach keine Zeit, mich darum zu kümmern. Irgendwo habe ich einen Zettel in der Küche, glaube ich. Wartet mal, ich sehe mal nach.« Sie erhob sich und durchwühlte eine Box mit Blümchenmuster auf der Küchentheke.

Jack schrieb »Kontobewegungen« als ersten Punkt auf seine Liste.

Amy beugte sich vor und fragte: »Sollten wir nicht die ganzen Krankenhäuser anrufen? Die Küstenwache und solche Stellen? Wir müssen doch sicher sein können, dass er nicht verletzt ist.«

»Amy, er hat uns eine Nachricht hinterlassen«, erwiderte Stella spöttisch. »Ich glaube nicht, dass er verletzt ist.«

»Was, wenn ihn jemand dazu gezwungen hat, diese Nachricht zu schreiben?«, gab Amy zurück und zog in einer trotzigen Geste in Richtung ihrer Schwester die Augenbrauen hoch.

Stella schnaubte verächtlich. »Wie bei einer Geiselnahme? Ich bitte dich.«

Amy ließ sich nicht so leicht von ihrer Theorie abbringen. »Seht mich doch nicht so an – vielleicht hat ihn ja jemand entführt. Das ist gar nicht so abwegig. Ich finde, wir sollten das auf die Liste setzen.«

»Ist das dein Ernst?« Stella schüttelte den Kopf. »Wir sind doch keine Schauspieler in einer Krimiserie, Amy! Das hier ist Cornwall.«

Gus grunzte in sein Bier. Stella sah auf und verbuchte positiv, dass er ihre Bemerkung witzig fand. Dann lehnte sie sich mit ihrem Wein zurück und pustete sich in einer selbstgefälligen Geste die Ponyfransen aus den Augen.

Amy schnaufte.

»Hier sind sie. Die Passwörter. Ich wusste doch, ich habe

sie irgendwo«, rief Moira aus der Küche, dann kam sie herein und wedelte mit einem Zettel, der ganz mit Nummern bedeckt war.

Amy zog sich den dünnen Pullover über den Kopf; die Auseinandersetzung mit ihrer Schwester hatte sie ins Schwitzen gebracht.

»Dieses T-Shirt habe ich auch!«, rief die kleine Rosie und zeigte begeistert auf Amys Primark-Top, auf dem sich ein Muster mit verschiedenen Emojis befand. »Mum, genau das da habe ich doch auch?«

Amy sah Stella beim Trinken nicken. »Stimmt, du hast das auch, Rosie«, bestätigte sie, als wäre es das Natürlichste von der Welt, dass Amy und eine Siebenjährige den Sinn für Mode teilten.

»Wir sind wie Zwillinge«, jubelte Rosie, ging zu Amy und legte ihr ihren kleinen dünnen Arm um die Schultern. Anschließend schaute sie ihrer Tante genauer ins Gesicht und verkündete: »Dein Make-up gefällt mir. Du siehst sehr hübsch aus. Genauso wie Zoella. Du weißt schon, die Bloggerin.« Amy spürte, wie Verlegenheit und Stolz in ihr um die Oberhand kämpften. Sie wusste, dass es sich hier um ein Kompliment handelte. Früher hätte sie Rosie einfach in die Arme genommen und die Bewunderung ihrer Nichte genossen. Jetzt jedoch saß Gus am anderen Ende des Tisches und schnitt Grimassen. Und irgendetwas in ihr wollte, dass Stella sie nicht als ganz so kindisch wahrnahm. Vielleicht lag es ja daran, dass Amy wusste, sie würde irgendwann allen Anwesenden von dem Baby erzählen müssen. Und dann hätte sie die mitleidigen Blicke und das betont mitfühlende »Oh Amy«, das dann unweigerlich folgen wurde, nicht ertragen. Doch am allermeisten fürchtete sie sich davor, dass sie alle überhaupt nicht überrascht sein würden, weil ihr etwas so Dummes passiert war. Sie hatte sogar darüber nachgedacht, die Neuigkeit einfach über WhatsApp zu verkünden: »Es war ein One-Night-Stand! Könnt ihr euch das vorstellen? Und als ich Gus davon erzählt habe, hat er nur gesagt, du willst es ja wohl nicht behalten?«

Aber diese Vorstellung war nicht komisch.

Sie war Furcht einflößend.

Amy hätte kaum sagen können, ob sie sie jetzt Furcht einflößender fand oder ein paar Stunden zuvor, als sie irgendwo im Norden Londons vor Gus' Wohnungstür gestanden und ihm die Neuigkeit verkündet hatte. Sie hatte sich nur daran erinnern können, wo er wohnte, weil sich sein Apartment über einem Nando's-Restaurant befand. Er hatte das Gesicht schmerzhaft verzogen, als er ihre Worte hörte. Der Ausdruck darin ließ erahnen, dass das wahrscheinlich das Schrecklichste war, was er in seinem ganzen Leben gehört hatte. Sie hatte schon damit gerechnet, dass er es nicht gerade gut aufnehmen würde, aber das hier überstieg ihre Befürchtungen. Sie war davon ausgegangen, er würde sie hereinbitten, ihr eine Tasse Tee anbieten und fragen, wie er helfen könne. Stattdessen ließ er sie im Flur stehen, schaute sie mit einer Mischung aus Panik und Ekel an und fragte: »Brauchst du Geld? Wie viel kostet denn so eine Abtreibung?«

»Ich werde es nicht wegmachen lassen.« Gerade als sie diese Worte förmlich ausspuckte, klingelte ihr Smartphone. »Oh, hallo, Mum!«

Ihre bereits zitternde Unterlippe hatte noch viel mehr gezittert, als ihre Mutter ihr erklärte, dass ihr Dad verschwunden war. Währenddessen tigerte Gus in dem winzigen, stickigen Flur auf und ab, rang die Hände, als wollte er die Unterhaltung rasch abwickeln, sodass sie zu den wichtigeren Punkten auf der Tagesordnung übergehen könnten.

»Ich muss los«, sagte sie zu Gus, sobald sie das Gespräch beendet hatte.

»Das glaubst du ja wohl selbst nicht. Wir haben schließlich ein paar Dinge zu besprechen.«

»Ich muss aber nach Hause.«

»Dann komme ich mit.«

»Zu Hause ist in Cornwall.«

»Dann komme ich *nicht* mit.«

»Gut.« Amy war aus dem dunklen, schmuddeligen kleinen Flur hinaus auf die Hauptstraße gestürmt, hatte die warme Luft und die Autoabgase mit tiefen Atemzügen eingesogen. Sie beschloss, Gus niemals wiederzusehen. Gut, dass sie ihn los war. Wenn er versuchen sollte, sie zu kontaktieren, würde sie ihn in sämtlichen Dating-Apps und sozialen Medien blocken.

»Warte!«

Sie blieb stehen. Drehte sich um. Zu ihrem großen Unbehagen sah sie Gus in seinen albernen knallgrünen Shorts und dem alten Levi's-Shirt auf sich zujoggen. »Was ist denn?«, zischte sie.

»Ich komme mit.«

»Nein.«

»Doch!«, gab er zurück. Jetzt sah sie, dass er sich eine Tasche über die Schulter geworfen hatte. Er kniff die Augen zusammen. »Du kannst doch nicht einfach auftauchen, mir mitteilen, dass du schwanger bist, und dann wieder abhauen.«

»Und ob ich das kann.«

»Und was, wenn du einfach beschließt, nie wieder zurückzukommen? Ich weiß doch überhaupt nicht, wo du wohnst. Wie sollte ich dich denn dann finden?«

Amy schüttelte ihr Haar, stemmte die Hände in die Hüften und stand einfach nur da. »Ich *komme* zurück«, verkündete sie mit einem hochmütigen Ausdruck im Gesicht, und innerlich ignorierte sie schlicht und einfach die Tatsache, dass sie Gus für immer und ewig hatte aus dem Weg gehen wollen.

»Ich traue dir nicht.«

»Das ist ja reizend von dir.«

Ungläubig lachte Gus auf. »Als wir miteinander ausgegangen sind, hast du mir eine falsche Nummer gegeben.«

Amy hielt kurz inne und meinte dann mit einer gewissen Genugtuung: »Du hast mich angerufen? So was!«

»Nein«, schnaubte Gus. »Ich weiß bloß zufällig, wie viele Zahlen eine Telefonnummer hat. Du hingegen weißt das ganz offensichtlich nicht.«

Wutentbrannt fuhr Amy herum und stapfte dann davon. Zu ihrer großen Verärgerung folgte er ihr in einigen Schritten Abstand, immer weiter. Egal, wie oft sie stehen blieb und ihn dazu zu bewegen versuchte, doch wieder nach Hause zu gehen. In der U-Bahn saß er ihr gegenüber. Als sie ihre Sachen packte, hockte er ganz gemütlich an ihrem Küchentisch. Dann lief er in der drückenden Hitze neben ihr her, nahm wie sie die Hammersmith & City Line nach Paddington. »Bitte geh einfach«, sagte sie, als der Zug einfuhr. »Bitte, ja?«

»Vergiss es.«

»Du willst das Baby doch nicht mal.«

»Stimmt, ich will das Baby nicht. Aber ich will auch nicht, dass du das Baby bekommst und ich nichts davon weiß.«

Amy kniff die Augen ganz fest zusammen. »Du verwirrst mich total.«

»Dann sollten wir vielleicht erst mal nicht weiterreden.«

Als sie nun alle zusammen am Tisch saßen, schielte Amy unauffällig zu Gus hinüber, musste jedoch sofort voller Unmut wieder wegschauen. Er verdarb ihr den ganzen Aufenthalt hier. Sein Anblick war ein absoluter Kontrast zu ihrem bisherigen Leben: Er überschattete die Parallelwelt, in der sie ins Haus gestürmt wäre, um so laut wie möglich zu verkünden, dass sie schwanger war, in der ein breit grinsender, fantastisch aussehender Ehemann an ihrer Seite triumphierend ihre ineinander verflochtenen Hände in die Luft gehalten hätte. Diese Parallelwelt existierte allerdings schon lange nicht mehr.

Amy musste schlucken, weil sie bei dem Gedanken daran ganz traurig wurde. Einen Moment lang die Augen zumachen und an eine ganz komplizierte Multiplikationstabelle denken – das hatte ihr der Therapeut geraten, den sie für ihre Trauerarbeit konsultiert hatte, und ihre mathematischen Fähigkeiten hatten sich dadurch auch sehr verbessert. Als sie die Augen wieder öffnete, sah sie, dass sie den Blick auf ihr T-Shirt gerichtet hatte, auf die drei kleinen Affen-Emojis – mit den Pfoten vor Augen, Ohren und Mund. Amy wusste, wie sie sich fühlten.

Moira hatte ihr Laptop hervorgeholt und wartete darauf, dass es ächzend zum Leben erwachte. Neben ihr beobachtete Gus mit weit aufgerissenen Augen, wie schwer sich der langsame alte Apparat tat. Als die Webseite der Bank endlich geladen war, hatte Moira ganz offensichtlich nicht die leiseste Ahnung, was sie jetzt tun sollte.

»Soll ich das mal machen?«, bot Gus an, der sich einfach nicht zurückhalten konnte. Da er diese ganze Langsamkeit einfach nicht ertrug, zog er den Laptop zu sich heran.

»Ach ja, Gus, mein Lieber, sehr gern«, reagierte Moira erleichtert.

Amy schnitt eine Grimasse. Sie wollte nicht, dass Gus überhaupt etwas sagte. Wenn er schon hier sein musste, wollte sie, dass er einfach nur stumm dasaß. Sie sah zu, wie er die Passwörter eingab. Unter dem Tisch trat Stella Amy wieder gegen das Schienbein. Sie versuchte eindeutig, die Aufmerksamkeit ihrer Schwester zu erhaschen, während Gus und Moira von der Webseite abgelenkt waren. Aber Amy schaute stur weg.

Draußen vor dem Fenster hatte sich die Sonne mit rosa- und orangefarbenem Strahlen am Horizont ausgebreitet, ein richtiges Freudenfeuer entzündet, das das Zimmer in ein Bernsteinlicht tauchte.

Oh, warum war ihr Dad bloß nicht hier? Amy wünschte sich so sehr, er säße dort auf dem Sofa. Dann hätte sie sich neben ihn kuscheln, die Füße unter das Kissen am anderen Ende stecken können, er hätte den Arm um sie gelegt und sich bei einer Tasse Tee die Snooker-Meisterschaften angeschaut, während sie sich mit Kopfhörern ihre Lieblingsvideos auf YouTube ansah. Sie hatte darum gebetet, er wäre wieder zu Hause, wenn Gus und sie hier ankämen. Und vielleicht hätte er sich dann zu seiner ganzen Größe aufgerichtet und wäre wieder der energische, Furcht einflößende Held, als den sie ihn als kleines Mädchen gesehen hatte, und nicht länger der Rentner mit Wollstrickjacke und Pantoffeln. Er hätte Gus beiseitegenommen, das Scheckbuch herausgezogen und gesagt: »Also, junger Mann, wie viel muss ich Ihnen zahlen, damit Sie für immer aus dem Leben meiner Tochter verschwinden?«

Ein lautes Schnappen nach Luft von Moira durchbrach Amys angenehme Fantasie.

Sie schaute zu ihrer Mutter hinüber.

Diese hatte sich ganz dicht vor den Bildschirm gebeugt, wo Gus auf eine Kontoabbuchung deutete.

»Tausend Pfund?«, rief Moira empört. »Wozu in drei Teufels Namen braucht er denn tausend Pfund?«

Gus räusperte sich und war ganz offensichtlich ein wenig verunsichert, ob es sich hier um eine rhetorische Frage handelte oder ob wirklich eine Antwort von ihm erwartet wurde. »Das … Das hat er wahrscheinlich getan, um später nicht noch mehr abheben zu müssen, denn dann könnte Ihnen die Bank sagen, wo er zu diesem Zeitpunkt war.«

»Oh.« Moira lehnte sich in ihrem Stuhl zurück, wirkte aber nur wenig besänftigt. »Ja, das klingt plausibel.« Sie verschränkte Arme und Beine und fügte in säuerlichem Ton hinzu: »Ich wusste gar nicht, dass Graham so vorausschauend denken kann.«

»Mum!« Amys Stimme klang ein bisschen schärfer als beabsichtigt, doch sie fand einfach, dass ihre Mutter sich viel zu kalt verhielt, was das Verschwinden ihres Mannes betraf. »Warum machst du dir eigentlich keine größeren Sorgen? Er wird vermisst. Dad wird *vermisst*!«, rief sie und sah sich vorwurfsvoll am ganzen Tisch um. Sie hatte viel mehr Drama erwartet: Polizeibeamte im Haus, Suchmeldungen an Laternenpfählen und eine Schlagzeile mit einem Foto ihres Vaters in der Lokalzeitung.

»Ja, und er hat tausend Pfund von unserem Geld!«, gab Moira zurück. »Ich mache mir ja Sorgen, Amy«, fügte sie hinzu, jedoch eher, weil das von ihr erwartet wurde, als weil sie es wirklich so empfunden hätte. »Aber dein Vater ist ein erwachsener Mann, und er hat genug Geld und ein Telefon bei sich, falls er Hilfe braucht.« Dann hielt Moira inne, als wäre ihr plötzlich etwas eingefallen. »Sein Handy. Das hat er doch viel häufiger benutzt als früher, oder, Sonny? Du hast ihm diese ganzen neumodischen Sachen mit diesem Instabook beigebracht.«

»Instagram«, murmelte Sonny.

Alle wandten sich Sonny zu, der lässig am Tisch hockte und auf das Display seines Smartphones schaute.

»Der Junge kann ja sprechen!«, rief Amy.

Sonny sah auf, und als sein Blick Amys begegnete, zwinkerte sie ihm zu. Er errötete und lächelte halb unter seinem wilden Haarschopf hervor.

Amy fand Sonny einfach großartig. Er stylte sich wie der schmuddelige Teil von One Direction, und das machte ihn mit seiner immer gekränkt wirkenden Art sogar noch liebenswerter. Und seine Mutter konnte er einfach um den Finger wickeln. Amy musste an letzte Weihnachten denken, an Heiligabend, als dieses Haus im Erdgeschoss noch über mehrere Zimmer verfügte, in denen überall Girlanden und Glitzerschmuck hingen. Am Kamin hatte ein riesiger Weihnachtsbaum gestanden, mit roten Schleifen und goldenen Kugeln, und im Kamin hatte ein Feuer gebrannt. Die schweren Vorhänge sperrten den Nieselregen aus, der eigentlich Schnee hätte sein sollen. Die Wellen brachen sich donnernd am Strand. Amy hatte Stella dabei geholfen, alle Geschenke für die Kinder einzupacken, und beide waren sie von dem Aldi-Prosecco, von dem ihre Mutter in aller Eile riesige Ladungen gekauft hatte, ein bisschen beschwipst gewesen. Die *Daily Mail* hatte den Prosecco zum besten Getränk des Jahres gekürt. »Ich war noch nie beim Aldi. Da ist es ganz anders als in anderen Geschäften.«

Kurz vorher hatte Sonny Ärger bekommen, weil er seine kleine Schwester gedrängt hatte, sie solle erklären, warum ihrer Ansicht nach einige Freunde in der Schule mehr Weihnachtsgeschenke bekamen als sie – und dann bekam Rosie auch noch vor allem solche, die ihr nicht gefielen. Lag es daran, dass der Weihnachtsmann Rosies Schulfreunde lieber mochte als sie?

»Er geht einem einfach furchtbar auf die Nerven«, hatte Stella erklärt, während sie mit einer Schere Geschenkband kräuselte. »Ich habe zu ihm gesagt, das Mädchen ist sechs Jahre jünger als du! Sei doch nicht so gemein zu ihr!«

»Wenn ich so darüber nachdenke, hast du früher auch solche Sachen zu mir gesagt«, erwiderte Amy.

»Habe ich nicht!« Empört und zugleich lachend schnappte Stella nach Luft.

»Hast du wohl. Du hast mir erzählt, Jackie von nebenan hätte beobachtet, wie ihr Dad die Pastete und den Sherry für den Weihnachtsmann aufgegessen und ausgetrunken hätte, und ihre Karte an den Weihnachtsmann unterschrieben.«

Stella schnaufte in ihr Proseccoglas.

Amy zog die Augenbrauen hoch. »Na? Fällt es dir jetzt wieder ein? Du warst kein bisschen besser als Sonny.«

»Ach Quatsch«, sagte Stella. »Du liebe Güte, ich hätte mir noch nie auch nur die Hälfte von dem erlauben können, was er so bringt. Dad hätte mich erwürgt.«

Dem konnte Amy nicht widersprechen. Wenn die Analogie stimmte, hatte sie selbst damals den Part der kleinen Rosie gehabt. Völlig sorglos war sie durchs Leben getanzt. Unzufrieden hatte sie bloß gemacht, dass sie während der ersten vierzehn Jahre ihres Lebens für ihren Vater fast unsichtbar gewesen war. Aber das war nur zu sehr durch die Tatsache ausgeglichen worden, dass ihre Mutter sie vergöttert hatte. Und ihr Vater war ganz schön Furcht einflößend gewesen, deswegen hatte es sich auch wie ein Segen angefühlt, nicht von ihm wahrgenommen zu werden. Doch dann war Stella ausgezogen – ihr Vater hatte fast jede Spur von ihr getilgt – und Amy hatte beide Eltern für sich gehabt. Ihr Vater wirkte total niedergeschlagen und war für seine jüngere Tochter nun viel zugänglicher.

Als Amy jetzt zu dem missmutigen kleinen Sonny hinüberschaute, tat er ihr fast ein wenig leid, denn alle hatten ihre Blicke auf ihn gerichtet, weil sie herausfinden wollten, woher das plötzliche Interesse seines Großvaters an Instagram kam.

»Ich dachte, er hasst sein Handy?«, fragte Stella.

Sonny zuckte die Schultern. Als er begriff, dass das nicht reichen würde, meinte er: »Instagram fand er richtig cool.«

»Warum hast du das nicht gleich gesagt?«, wollte seine Mutter wissen.

»Weil du mich nicht gefragt hast.« Sonny funkelte sie wütend an.

»Instagram?« Amy beugte sich vor, wollte von dem Streit zwischen Mutter und Sohn ablenken. Sie musste lächeln, da das das erste Positive war, das sie seit seinem Verschwinden über ihren Vater gehört hatte. »Hat er denn irgendwann mal was gepostet?«

Sonny schüttelte den Kopf. »Nein, nie. Aber er ist allen gefolgt.«

Alle um den Tisch holten ihre Handys heraus.

»Mir auch?«, fragte Rosie.

Ihr Bruder nickte. »Er ist Neptune013.«

»Ich hatte mich schon gefragt, wer das wohl ist«, kommentierte Jack. Er hatte ungefähr fünfzehn Instagram-Follower und postete fast nie irgendetwas. »Ich dachte einfach, da hätte sich jemand geirrt.«

Alle scrollten durch die Liste mit ihren Followern, und für Amy war es insgeheim eine Genugtuung, dass das bei ihr am längsten dauerte. »Ja, da ist er«, sagte sie endlich und klickte auf den Avatar mit Wellen am Strand. »Keine Follower.« Sie sah auf. »Irgendwie total traurig.«

»Ich folge ihm jetzt«, verkündete Rosie.

»Ich auch«, sagte Jack.

»So wie ich«, sagte auch Stella.

Amy nickte und drückte auf Follow.

»Und ich auch«, erklärte Gus, und beim Klang seiner Stimme verspürte Amy eine gewisse Überraschung, weil er überhaupt noch mit am Tisch saß. Sie wollte ihm befehlen, das sofort rückgängig zu machen. Ihm erklären, dass er nicht das Recht hatte, ihrem Vater zu folgen. Doch sie sagte nichts, sondern schaute nur ganz kurz auf ihre Timeline, bevor sie das Smartphone wieder auf den Tisch legte.

Sonny wirkte ziemlich zufrieden. »Das wird ihm gefallen.«

Amy warf ihm einen Blick zu. »Meinst du?«

»Kann sein«, gab Sonny zurück. Nun klang er ein bisschen weniger überzeugt. Gerade wollte er sich wieder seinem Handy zuwenden, als er murmelte: »Der Fischteich sollte auch mit drauf. Auf die Liste.«

»Der Fischteich?«, fragte Stella.

Moira schüttelte den Kopf. »Er war bereits seit Jahren nicht mehr beim Angeln.«

»Mit mir schon.« Sonny zuckte die Schultern. »Letzte Woche«, fügte er hinzu, ehe er sich den Pony vors Gesicht fallen ließ und den Blick wieder seinem Display zuwandte.

Amy wurde bewusst, dass Stella und sie Sonny beobachteten. Beide hatten begriffen: Da hatte sich eine Beziehung entwickelt, eine Beziehung, über die sie nichts wussten. Amy fragte sich, wie sich das wohl für Stella anfühlte – Sonny und ihr Vater.

»Schön, also gut«, meinte Jack und fügte seiner Liste »Instagram« hinzu. »Okay, was hat er sonst noch so gemacht?«

Alle wandten den Blick zum Sofa.

Jack formulierte seine Frage um. »Wohin ist er gegangen, wenn er das Haus verlassen hat?« So lief das bei ihnen im Büro nicht, dachte Amy. Sie erinnerte sich daran, dass Jack an Weihnachten erzählt hatte, sie hätten in seiner Firma fünfminütige Meetings im Stehen eingeführt. Amys

Ansicht nach hatte das schrecklich geklungen. Sie fand, der beste Aspekt in einem Meeting wären der Schwatz am Anfang und die Croissants, die es umsonst gab.

Stella fragte: »Manchmal geht er auf ein Bier ins Coach and Horses, oder, Mum?«

Alle wandten sich Moira zu, die sich an ihrem Weinglas festhielt, weil sie die ganze Aufmerksamkeit mit Unbehagen erfüllte.

»Ja. Ja – ich glaube schon.« Sie nickte, diesmal mit größerer Entschiedenheit. »Du hast recht, freitags tut er das.« Das klang, als würde es stimmen.

Amy fragte sich, was in den Monaten nach ihrem Auszug zwischen ihren Eltern vorgefallen war. Es schien, als wäre ihre Mutter überhaupt nicht sicher, was ihr Vater so getrieben hatte. Und was für eine Jeans trug sie da eigentlich?

»Okay, was sonst noch?«, wollte Jack wissen.

Moira zermarterte sich ganz offensichtlich das Hirn, und schließlich sagte sie: »Manchmal hat er sich mit der Frau an der Kasse im Supermarkt unterhalten, im Londis. Ich kann mir ihren Namen nie merken.« An Moiras Gesichtsausdruck war abzulesen, dass sie sich gerade an einen Strohhalm klammerte, und um sich die Peinlichkeit zu ersparen, wechselte sie rasch das Thema und fragte: »Möchte jemand noch etwas trinken? Ich habe auch ein paar Chips, wenn jemand schon ein bisschen Hunger hat.«

Amy zupfte an ihrem Emoji-T-Shirt herum, aus Verlegenheit wegen des Lebens, das ihr Vater geführt hatte. Aus Verlegenheit darüber, was Gus über ihn erfuhr. Sie wollte aufstehen und die Fotoalben aus dem Bücherregal holen oder Gus in die Toilette im ersten Stock zerren, wo die ganzen Trophäen aufbewahrt wurden. »Schau, das war er«, wollte sie sagen. »Das war er in seiner besten Zeit. Ein Star. Die Leute haben ihn überall um Autogramme gebeten.«

Gus schien diese ganze Verlegenheit jedoch überhaupt nicht wahrzunehmen, oder er war sehr gut darin, das zu verbergen. Er erwiderte: »Zu einem zweiten Bier sage ich nicht Nein.«

»Ich auch nicht«, schloss sich Jack ihm an.

»Wunderbar.« Moira sprang auf und holte noch ein paar Flaschen aus dem Kühlschrank.

Amy beobachtete Gus, und sie wollte es einfach nicht hinnehmen, dass dieser Kerl hier ganz entspannt am Tisch saß und Budweiser trank, dass er für den Rest seines Lebens etwas mit ihrer Familie zu tun haben sollte. Sie fragte sich, wie sie sich wohl benommen hätte, wenn die Situation genau umgekehrt gewesen wäre. Das konnte sie sich nicht einmal vorstellen. Sie wäre ganz einfach nicht mit ihm gefahren. Wenn seine Angehörigen das Baby kennenlernen wollten, würden sie die Reise auf sich nehmen müssen. Sie wollte ja nicht einmal, dass Gus etwas damit zu tun hatte, ganz zu schweigen von den anderen … Sie hielt inne. Wie hieß Gus überhaupt mit Nachnamen? Irgendwann hatte er das doch erwähnt? Sie überlegte. Keine Ahnung.

Jack schrieb »Londis« auf die Liste.

Beim Gedanken daran zog sich in Amy wieder etwas zusammen. Plötzlich flammte der Wunsch nach diesem Paralleluniversum erneut auf. Dem Paralleluniversum, in dem sie sich zusammen mit ihrem Ehemann, Bobby, über das Baby freute. Er hätte Amy den Arm um die Schulter gelegt und sie bei dem Londis-Kommentar beruhigend gekniffen. Bobby hätte gewusst, dass ihr Vater dadurch herabgewürdigt wurde, und er hätte irgendetwas gesagt, um diesen Effekt zu mildern, eine Bemerkung gemacht wie: »Zum Glück ist Graham immer freundlich zu allen. Ich habe jedenfalls noch nie länger mit der Kassiererin im Londis gesprochen.« Und das, obwohl jeder gewusst hätte, dass es eine Lüge war, denn Bobby unterhielt sich mit jedem, und jeder wollte sich mit Bobby unterhalten, weil er dieses Strahlen hatte und so beeindruckend war, dass es die Leute in Scharen zu ihm hinzog. Unterwegs hatten ständig irgendwelche Leute gefragt, woher sie Bobby wohl kannten, ob er schon einmal im Fernsehen gewesen war, obwohl das natürlich nicht stimmte. Er sah aus wie ein Prominenter. Das hatte Amy immer ein wenig mit Stolz erfüllt.

Sie schloss die Augen und versuchte es wieder mit ihren Multiplikationstabellen, aber sie konnte sich nicht genug konzentrieren. Sie spürte, wie eine Welle der Übelkeit sie überkam. Ob das an der Erinnerung an Bobby lag oder eine Nebenwirkung der Schwangerschaft war, hätte Amy nicht sagen können.

Ihre Mutter leerte eine Tüte Chips in eine Schale. Amy nahm sich ein paar.

»Seit wann isst du denn Kohlenhydrate?«, fragte Stella überrascht.

Kohlenhydrate waren tabu für Amy; seit einer kurzen Modelphase in ihrer Teenagerzeit hatte sie sie nicht angerührt. Aber seit sie von ihrer Schwangerschaft wusste, hätte sie alles gegessen, nur um die Übelkeit loszuwerden.

»Ach, du kennst mich doch«, gab Amy zurück. »Ich

halte so was einfach nicht durch!« Das hatte witzig klingen sollen. Sie hatte dem Ganzen das Interessante nehmen wollen, indem sie sich über sich selbst lustig machte, doch ganz offensichtlich hatte es weniger harmlos geklungen als geplant, denn jetzt hatte sie die volle Aufmerksamkeit ihrer Schwester auf sich gezogen. Und die von Gus, wenn sie dessen Blick richtig einschätzte.

Die Übelkeit wurde schlimmer.

Ihre Mutter warf ihr einen Seitenblick zu, und sie wirkte besorgt. »Alles in Ordnung?«, erkundigte sie sich.

Amy nickte. »Ja«, beteuerte sie, zu rasch und auch ein wenig zu scharf.

Dann spürte sie, dass ihr alle am Tisch Mitgefühl entgegenbrachten. Als wüssten sie, woran Amy gerade dachte. Als müssten sie alle plötzlich an Bobby denken. Alle außer Gus, der von dem ganzen Netzwerk aus unterschwelligen Erinnerungen und Emotionen nichts wusste. Er ahnte nichts davon, obwohl er darüber hing wie Tom Cruise in *Mission: Impossible*. Da gab es Hunderte von Infrarotstrahlern, die in dieser Familie jederzeit tief verankerte Alarmsignale auslösen konnten. Aber Gus runzelte bloß die Stirn, als hätte er irgendetwas verpasst und keine Ahnung, was es war.

Doch sie wussten eben nicht, was gerade in Amy vorging. Denn während sie an Bobby dachte, war das nicht mit einem »Oh Gott, er ist tot« – wie auf eine alles andere verschlingende Weise vor zwei Jahren. Damals, als sie im Pyjama durch dieses Haus geirrt war, ohne auch nur das aktuelle Datum zu wissen. Als sie lediglich spürte, dass die Zeit so langsam verging wie niemals zuvor. Stattdessen dachte sie mit einem »Ach Gott, warum kann er denn nicht am Leben sein!«-Gefühl an ihn, denn wenn er am Leben wäre, wäre das alles hier so viel einfacher. So anders. Sie bezweifelte, dass ihr Vater dann überhaupt verschwunden wäre. Und wenn es Bobby noch gäbe, würde er ihr jetzt wenigstens zuflüstern, dass alles wieder gut würde. Dafür würde er schon sorgen.

»Ich muss bloß auf die Toilette«, erklärte Amy, schob den Stuhl zurück und ging schnell zur Treppe. Gleichzeitig bemühte sie sich, sich nicht zu sehr zu beeilen, um nicht noch mehr Aufmerksamkeit auf sich zu ziehen. Sie konnte es allerdings kaum erwarten, aus dem Raum und die Stufen hochzukommen. Oben saß sie im Badezimmer, auf dem zugeklappten Klodeckel, den Kopf in die Hände gestützt. Sie versuchte, an gar nichts zu denken. Sich meditativ einzustellen. Die Gedanken vorbeirasen zu lassen – an einen lachenden Bobby, mit breitem Grinsen und weißen Zähnen, während er mit seinem Surfbrett unter dem Arm am Strand entlangjoggte. Wie sie im Sand saß, die Arme um die Knie geschlungen, wie der Wind an ihren Haaren riss. Manchmal wünschte sie sich, sie wäre shoppen gegangen, statt am Strand zu sitzen und ihm beim Surfen zuzusehen, denn manchmal war das sehr langweilig gewesen, aber dann erwischte er die beste aller Wellen, und die Leute, die einen Strandspaziergang machten, blieben stehen und zeigten auf ihn, und Amy wurde ihrerseits von einer Welle des Stolzes davongetragen. Dann sah sie vor sich, wie sie aneinandergekuschelt in ihrem kleinen Cottage auf dem Sofa saßen und Popcorn aßen. Wie sie im Coach and Horses laut zusammen lachten. Dann ihre Barfuß-Hochzeit am Strand.

Die Sirene des verzweifelt nach ihnen suchenden Kranken-
wagens, weil es den Rettungssanitätern nicht gelang, den
kleinen Weg zu dem geheimen Strand zu finden, wo es
die besten Wellen zum Surfen gab. Sie sah vor sich, wie
ihr Vater Bobby schwimmend zu erreichen versuchte, wie
jedoch die unberechenbare Strömung Bobbys Körper mit-
gerissen hatte, der schlaff wie ein Klumpen Algen an der
Wasseroberfläche getrieben war. Wie ihn die Wellen verschlungen hatten. Die Uhr auf dem Badezimmerregal, als
sie nach Hause kam.

Amy setzte sich aufrecht hin. Presste sich die Finger auf
die Augenhöhlen. »Alles okay«, sagte sie laut. Dann sagte
sie es noch einmal und stand auf, aber weil sie eine neue
Welle der Übelkeit überkam, musste sie sich wieder hinsetzen. Diesmal umklammerte Amy mit beiden Händen
ihren Bauch, wartete darauf, dass die Übelkeit verging. Sie
wusste, da drinnen war ein Baby. Sie wusste es, doch es
fühlte sich so an, als würde sie die ganze Situation aus weiter Entfernung betrachten. Als wäre es das Baby von jemand anderem. Ein Kängurubaby in einer Natur-Doku im
Fernsehen, oder das von irgendeiner Frau in einem dieser
dramatischen Pamphlete zum Thema »ungewollte Schwangerschaft«, von irgendeiner Frau ohne Gesicht.

7. Kapitel

Es war zehn Uhr abends, und Stella war mit Jack in ihrem Zimmer. Amy hatte sich schon viel früher verabschiedet, fast zur selben Zeit wie Rosie. Gus hatte nach dem Abendessen noch eine Weile höflichen Small Talk betrieben und dann angeboten, für Moira mit dem Hund rauszugehen. Diese hatte sich ein wenig geziert, als Gus fast darum gebettelt hatte, ihr diese Pflicht abzunehmen. Ganz offensichtlich musste er noch dringender als sie mal kurz flüchten. Sonny vertrieb sich die Zeit mit Computerspielen, während sich Jack und Moira um den Abwasch kümmerten und Stella ein wenig von ihrer Arbeit erledigte. Dann war Gus wiedergekommen, und alle hatten einander eine gute Nacht gewünscht und sich zurückgezogen.

In dem Zimmer, das sich Stella mit Jack teilte, war es heiß und stickig – die Steinmauern hatten der Feuchtigkeit nichts entgegenzusetzen. Im Sommer besuchten sie Stellas Eltern normalerweise nicht – zu viele Touristen, zu viel Verkehr. Stattdessen kamen sie zu Weihnachten oder manchmal auch an Ostern, deswegen fühlte es sich seltsam an, jetzt hier zu sein, in der heißen Jahreszeit. Weil das Fenster geöffnet war, konnte Stella das Meer riechen, und das erinnerte sie an ihre Kindheit. Wenn sie am nächsten Tag einen wichtigen Schwimmwettkampf hatte, eine Vorrunde oder einen auf Landesebene, lag sie mit vor lauter

Nervosität weit aufgerissenen Augen auf ihrer Bettdecke, während die Hitze auf sie niederdrückte, und atmete die ruhige Vertrautheit der salzigen Luft ein. Aber außer den wenigen Erinnerungen gab es nichts in diesem Zimmer, an dem man hätte erkennen können, dass es einmal ihr gehört hatte. Die knallgelben Wände waren fein säuberlich mit einer cremefarbenen Tapete mit grünen Papageien überdeckt worden. Ihr zusammengestückeltes Mobiliar war längst verschwunden; nun gab es hier einen alten französischen Schrank und eine Kommode neben einem Bett mit einigen Kissen im selben Limettengrün wie die Papageien, die sich an den Wänden in die Luft erhoben. Eine Atmosphäre wie in einem Hotel.

Manchmal fragte sich Stella, was wohl mit ihren Sachen passiert war. Vielleicht waren sie in Internetshops gelandet – zumindest, wenn sich ihr Dad darum gekümmert hatte. Sie hatte ihm allerdings nie die Befriedigung gegönnt, danach zu fragen. Als sie zum ersten Mal nach ihrem Auszug zu Besuch gekommen war, hatte sie einfach so getan, als mache es ihr gar nichts aus, dass ihre sämtlichen Besitztümer verschwunden waren: all ihre Pokale und Medaillen, während all seine immer noch im Badezimmerregal aufgestellt waren und sie jedes Mal zu verspotten schienen, wenn sie auf die Toilette ging.

Stella saß vor der Kommode. Jack lag in Boxershorts und einem T-Shirt auf dem Bett und las auf seinem Smartphone die Nachrichten. Die Bettdecke lag als zusammengeknäulter Haufen auf dem Boden.

»Ich glaube, hier ist es heißer als zu Hause«, meinte er, ohne vom Display aufzusehen.

Stella nickte. Sie inspizierte ihre Haut im Spiegel. Zog eine Seite ihres Auges hoch. Starrte auf die Falten um ihren Mund. Nie im Leben hätte Rosie *sie* mit Zoella verglichen. Stella ertappte sich bei dem Gedanken, sie hätte als Jugendliche Amys Warnungen nicht völlig ignorieren sollen. Ihre Schwester hatte ihr damals klipp und klar gesagt, dass sie irgendwann für ihre Bräune bezahlen würde, die sie bekam, weil sie so viel im Meer schwamm. Zu dieser Zeit hatten Amys aufkeimende Versuche als Model dazu geführt, dass sie jeden Tag literweise Wasser trank, sich hauptsächlich von Gurken und Sellerie ernährte und ständig Sonnencreme mit Lichtschutzfaktor 50 auftrug. Stella hatte spöttisch erwidert, dass Amys Karriere mit der Fotostory in einer Jugendzeitschrift wohl schon vorbei wäre, und sie sollte recht behalten. Amy blieb einfach nie bei einer Sache. Nur dabei, Lichtschutzfaktor 50 aufzutragen. Als sie heute mit ihrem nagelneuen Lagen-Bob aufgetaucht war, hatte sich Stella zum allerersten Mal im Leben dabei ertappt, Amy um ihre Jugend zu beneiden. Oder vielleicht auch um ihre Freiheit.

Stella seufzte. Jack legte das Handy weg und schaute über den Rand seiner neuen Lesebrille zu ihr hin – sie hasste diese Lesebrille, weil er damit so alt aussah. »Warum seufzt du denn so?«

»Findest du, meine Haut wirkt alt?«, wollte Stella wissen. Jack inspizierte ihr Spiegelbild. »Nicht älter als meine.«

Stella runzelte die Stirn. »Das war nicht gerade die Antwort, die ich mir erhofft hatte.«

»Was soll das denn heißen – findest du etwa, *ich* sehe alt aus?«

Stella wartete mit ihrer Antwort eine Sekunde zu lang. »Nein.«

Jack lachte. »Da hättest du jetzt aber schneller sein müssen!« Dann setzte er sich auf, ließ sich in Stellas Nähe auf der Bettkante nieder und starrte sich selbst im Spiegel an. »Du liebe Zeit, ich sehe wirklich ein bisschen mitgenommen aus.«

»Ich habe mir wahrscheinlich einfach nie vorgestellt, dass wir irgendwann einmal alt werden«, meinte sie.

»Was hast du dir denn stattdessen vorgestellt?« Jack schaute verblüfft drein.

»Ich weiß es nicht. Ich glaube, wenn wir über den Urlaub geredet haben, den wir machen, wenn die Kinder mal groß sind, habe ich uns immer jung vor mir gesehen, wie auf den Fotos von uns im Zug in Rom. Weißt du, welche ich meine? Ich habe mir nie überlegt, dass wir dann alt sein würden.«

»Dann bin ich ganz kahl.«

»Und ich habe lauter Falten«, fügte sie hinzu, hob mit einem Finger das Augenlid an und ließ es dann wieder sinken. »Das ist das Problem am Elternsein. Die Hälfte der Zeit wartet man darauf, es hinter sich gebracht zu haben, und danach will man wieder die Person sein, die man mal war, aber man nimmt nicht wahr, dass man immer älter wird, je größer die Kinder werden. Die Leute von früher gibt es nicht mehr.«

Jack sah seine Frau über den Spiegel an. »Klingt ganz nach dem Anfang einer neuen Kolumne.«

Stella boxte ihn ans Bein. »Ich meine das ernst.«

Sie sprachen immer noch über ihre Spiegelbilder miteinander.

»Ich meine das auch ernst – genau über solche Dinge schreibst du doch, oder? Wenn du nicht gerade deinen Sohn fertigmachst.«

»Wirklich nett von dir, Jack.«

Er lachte. »Das war nur ein Witz«, sagte er. »Aber du musst mit ihm sprechen. Je länger du damit wartest, desto schwerer wird es.«

Stella nickte.

Einen Moment lang starrten sie einfach bloß in den Spiegel, wie sie da nebeneinandersaßen, Seite an Seite. In der Hitze des Zimmers glänzte ihre Haut.

Jack schaute als Erster weg. »Du siehst so jung und so frisch aus wie an dem Tag, an dem ich dich kennengelernt habe.«

Stella seufzte und lachte gleichzeitig. »Das ist doch total gelogen.«

Jack lehnte sich wieder ans Kopfende des Bettes und wandte sich seinem Smartphone zu.

Stella starrte sich noch ein wenig länger im Spiegel an. In ihrem eigenen Gesicht erkannte sie die Züge ihrer Mutter. Beim Gedanken an die unterschwellige Animosität, die sie zurzeit gegenüber ihrem Vater zum Ausdruck brachte, musste Stella schlucken. Aber dadurch fand sie den Mut, sich Jack zuzuwenden: »Zwischen uns ist doch alles in Ordnung?«

»Alles bestens«, gab er zurück und sah stirnrunzelnd auf. Die Frage erstaunte ihn.

Stella nickte.

Jack legte das Smartphone weg. »Stel, zwischen uns ist wirklich alles bestens. Ich denke, wir sind ein bisschen müde, sonst nichts.« Er beugte sich zu ihr hin, gab ihr einen Kuss auf die Wange und fuhr ihr kurz durchs Haar.

Sie wehrte ihn mit einem halben Lächeln ab.

»Alles in Ordnung?«, vergewisserte er sich seinerseits.

»Ja.«

Deswegen fühlte man sich bei Jack so sicher. Was auch passierte, er marschierte weiter, half einem selbst und allen anderen, die Hilfe brauchten, ohne dass er auch nur einen Augenblick innehielt und das infrage stellte.

Aber als sie ihn dabei beobachtete, wie er sich wieder seinem Smartphone zuwandte, wusste sie, dass nicht alles bestens war. Das hatte die Autofahrt gezeigt – wie eine Kurzversion des gegenwärtigen Zustandes ihrer Beziehung: Im einen Moment war noch alles okay, und im nächsten stritten sie sich schon. Beide reagierten zu schnell, als würden sie einander so gut kennen, dass man dem anderen gar nicht erst die Vermutung gönnte, seine Motive vielleicht falsch zu interpretieren.

Vor einigen Wochen hatte ihr Herausgeber sie gefragt, ob sie vielleicht einen Artikel mit dem Titel »Ehe-TÜV« für eine sich in Planung befindende Ausgabe der Zeitschrift verfassen wollte. Das sollte im Stil ihrer Kolumne *Stella mit dem Schandmaul* gehalten sein, ganz dem gegenwärtigen Trend entsprechend, dass man Langzeitbeziehungen kritisierte, die mit den Jahren total langweilig geworden waren. Mit einer Liste von Aufgaben und Fragen, die die Eheleute dann zusammen bearbeiten und beantworten sollten. Stella hatte den Auftrag angenommen, und obwohl sie wusste, dass Jack und sie genau diese Art der Langzeitbeziehung führten, wie die meisten ihrer Leser es taten –

ein bisschen festgefahren in ihrer Routine, die aber durch gemeinsame Netflix-Abende und die Vorfreude auf Kurz-trips durch den Alltag kamen –, war es ihre volle Absicht gewesen, sich den Inhalt auszudenken. Im Moment wuchs die Konkurrenz auf dem Gebiet der Slummy Mummys immer weiter, und Stella mit dem Schandmaul musste auf-passen, von niemand viel Coolerem und Aufregenderem überholt zu werden, als gäbe es da eine ältere Schwester, die sie ständig beeindrucken wollte. Den Plot hatte Stella bereits entworfen: Stella mit dem Schandmaul und ihr fik-tiver Göttergatte würden die Ehe-TÜV-Fragen ignorieren und die Sache auf ihre eigene Weise regeln – an einer gan-zen Reihe aufregender Erotik-Workshops teilnehmen, Flamencotanzkurse belegen und dann am Schultor eine Swingernummer mit einem anderen Elternpaar hinlegen. Sie hatte alles recherchiert, der Artikel war mehr oder we-niger fertig geschrieben und sogar schon mehrfach durch-gesehen.

Jetzt jedoch starrte sie das Gesicht im Spiegel an und überlegte, dass sich die Ehe ihrer Eltern ganz offensichtlich in einer Phase der Auflösung befand. Außerdem dachte sie an die Belastung, die der Vorfall mit Sonny für ihre eigene Beziehung bedeutet hatte. Deswegen fragte sie sich, ob sie das Ganze nicht doch pragmatischer angehen sollte.

Rasch wandte sie sich zu Jack um und spürte dabei, wie ihr vor lauter Nervosität ganz heiß wurde.

Draußen im Dunkeln schlugen die Wellen mit einem sanften Grollen auf den Strand.

Jack sah auf. »Was denn?«

»Willst du mir vielleicht bei einem Artikel helfen?«

Jack kniff unsicher die Augen zusammen. Stella bat ihn beim Schreiben nie um Hilfe. Normalerweise las er erst beim Frühstücksmüsli von seinem fiktionalisierten Eheleben. »Worum geht es denn da?«

»Es geht um einen Ehe-TÜV«, sagte sie.

»Ach Gott, Stella. Wir waren uns doch gerade einig – alles bestens.«

»Dann wird es doch erst recht leicht.«

Jack lehnte den Kopf an die Wand. »Was müssen wir denn da machen?«

»Du weißt doch, wie so was aussieht: ›Haben Sie genug Sex? Hören Sie einander genug zu? Fressen Sie irgendetwas in sich hinein?‹ Blabla, blabla.« Sie versuchte es ganz lässig darzustellen.

Jack seufzte. »Ich fresse nichts in mich hinein.«

»Wunderbar«, erwiderte sie. »Dann können wir das ja von der Liste streichen.«

Jack dachte nach und runzelte dabei die Stirn. »Genug Sex haben wir auch, oder?«

»Genau das müssen wir herausfinden. Die Leute glauben, alles ist bestens, aber das weiß man nie genau, bevor man es überprüft hat. So, wie damals, als wir beim Automechaniker waren und der gesagt hat, die Bremsbeläge wären fast durch.«

»Du vergleichst also Sex mit Bremsbelägen?«

»Warum denn nicht?« Stella lächelte.

»Mit meinen Bremsbelägen ist alles in bester Ordnung«, erklärte Jack und setzte sich aufrecht hin.

»Dann ist ja gut.« Stella schüttelte den Kopf.

Eine kurze Pause entstand. Jack biss sich auf die Unterlippe. »Ich weiß nicht, Stel. Das erscheint mir so gezwungen.«

»Schon, aber vielleicht haben wir ja auch Spaß dabei. Und zumindest werden wir dann nicht wie sie«, meinte seine Frau und deutete kurz mit einem Kopfnicken in Richtung des Elternschlafzimmers. »Ich will nicht, dass du irgendwann plötzlich verschwindest.«

Jack sah sie an, und der Blick in seinen Augen wurde sanfter. »Ich will auch nicht, dass du irgendwann plötzlich verschwindest.« Dann schüttelte er den Kopf, als könnte er gar nicht glauben, was er jetzt sagen würde. »Okay, in Ordnung.« Er legte das Handy auf den Nachttisch. Stella jubelte kurz und ging ums Bett herum, um sich zu ihm zu legen. Das wunderbar gebügelte Bettlaken fühlte sich glatt und für einen kurzen Augenblick auch kühl an. »Also, worin besteht der erste Schritt dieses Ehe-TÜVs?«, wollte er wissen.

»Wir müssen ganz viel Sex haben«, erklärte sie.

»Soso?« Jack wirkte nicht abgeneigt.

Stella bejahte und spürte das weiche Kissen unter ihrem Kopf.

Jack nickte.

Ein paar Sekunden lagen sie einfach still in der stickigen, feuchten Hitze nebeneinander.

»Aber ich bin ehrlich gestanden schrecklich müde«, sagte Stella.

»Ein Glück.« Jack atmete erleichtert aus. »Ich nämlich auch.«

8. Kapitel

Am nächsten Morgen löste Moira eine gewisse Unruhe aus: Während alle anderen entweder die Reste vom Frühstück wegräumten oder im Falle von Sonny und Gus mit ihren Smartphones herumspielten und Rosie fernsah, warf sie sich ihre Tasche über die Schulter und sagte so forsch, wie sie konnte: »So, ich gehe dann mal zu meinem Buchclubtreffen.«

Das hatte für einige Blickwechsel gesorgt.

»Und was ist mit Dad?«

»Ihr seid wohl genug, um hier die Stellung halten zu können«, hatte Moira rasch erwidert und hinzugefügt: »Sonny, kannst du dich um den Hund kümmern?« Sie war gegangen, ohne eine Antwort abzuwarten.

Sie wusste nicht genau, welche Regeln galten, was Buchclubbesuche betraf, während der eigene Ehemann verschwunden war, aber ehrlich gesagt musste sie ganz einfach raus aus dem Haus. Sie liebte ihre Kinder, doch wenn sie alle zusammen zu Besuch waren, wurde ihr das manchmal zu viel. Sie spürte dann, dass sie sich in ihr Schneckenhaus zurückzog; jeder Kommentar über ihre Kleidung, ihre Haarfarbe, darüber, was sie tat, was für einen albernen Namen ihr Hund hatte – all das nagte an ihr, bis sie förmlich zum Buchclub raste, ohne überhaupt darüber nachzudenken, ob das angemessen war oder nicht.

Vor ihr lag ein weiterer heller und zugleich dunstiger Tag. Sie nahm die kleinen Pfade ins Dorf. Sonnenstrahlen fielen durch das grüne Blätterdach auf die am Wegrand wachsenden Farne. Moira fuhr so schnell, dass sie einige der besonders vorwitzigen abriss. Früher wäre es Moira nie eingefallen, an so etwas wie einem Buchclub teilzunehmen. Inzwischen schämte sie sich, wenn sie daran zurückdachte. Sie hatte sich immer als einen Menschen gesehen, der ein wenig über all diesen Dingen stand. Am Dorfklatsch hatte sie sich stets gern beteiligt, jedoch mit der Überzeugung, damit nur den anderen einen Gefallen zu tun, indem sie ihnen ein wenig ihrer kostbaren Zeit schenkte. Ihr Ehemann war immerhin ein Olympiaheld.

Als sie nun beim Gedanken an diese peinlichen Erinnerungen errötete, musste sie sogar ihr Gesicht berühren, um dieses Gefühl zu dämpfen. Jeden Sommer, und dafür war sie berühmt, gab Moira eine Party, ein großes Fest – mit quer durch den Garten gespannten Lampions, langen Tischen, auf denen Gläser standen, und Jugendlichen aus der nahe gelegenen Privatschule, die man als Kellnerinnen und Kellner angezogen hatte, die Gäste bedienten. Kerzen säumten die Auffahrt, und es gab einen Pavillon mit einer Band. Einmal hatte sie die Aufbauhelfer gezwungen, ihre Arbeit zu unterbrechen und ein Verlängerungskabel vom Kliff bis zum Strand zu legen, damit sie das Meer beleuchten konnte. Einfach magisch hatte das ausgesehen. Jetzt kam ihr das Ganze ein wenig zu angeberisch vor – als hätte sie es für sich selbst getan statt für ihre Gäste. Um ihren eigenen Abend im Scheinwerferlicht zu bekommen. Seit dem Tod von Amys Bobby hatte sie keine

Party mehr gegeben, und sie wusste auch, dass sie die Tradition nie wieder aufleben lassen würde. In der Vergangenheit hatte sie sich selbst als ausgezeichnete Gastgeberin betrachtet. Nun fragte sie sich, ob die Leute sich vielleicht hinter ihrem Rücken verächtlich über sie geäußert, die gigantische Show zwar genossen, aber auch lächerlich gefunden hatten. Vielleicht hatten sie sie sogar bedauert. Sie sahen ja, wie häufig Graham unterwegs war. Moira hatte es nicht bewusst wegen der Aufmerksamkeit getan, doch im Nachhinein war diese Erklärung auf so schmerzliche Weise offensichtlich.

Sie wusste, Stella würde ihr raten, sich keine Gedanken darüber zu machen, was die Leute von ihr hielten, sondern einfach so zu leben, wie es ihr gefiel. Dass es letzten Endes sowieso niemanden interessierte. Aber die Leute urteilten doch über sie. Das wusste Moira. Sie wusste es, weil sie selbst das auch tat. Sie verurteilte Joyce Matthews aus dem Dorf dafür, dass sie eine Putzhilfe hatte – war es denn so schwer, das eigene Haus sauber zu halten? Sie verurteilte die Frau des Bürgermeisters dafür, dass die sich ihre Einkäufe von Waitrose nach Hause liefern ließ – was war denn so falsch daran, sich mal in der Gemeinde zu zeigen, du liebe Güte! Sie verurteilte die Adams' dafür, sich einen riesenhaften neuen Anbau hinzustellen, der aussah, als wären Außerirdische im Garten gelandet, nur um dort eine Nanny unterzubringen, damit sie noch mehr Stunden am Tag arbeiten konnten – dabei brauchten ihre kleinen Kinder doch ihre Eltern. Sie wusste auch, was Stella dazu zu sagen hätte. Die Eltern hatten auch ein Recht auf Glück, würde ihre Tochter ihr erklären. Und dann hätte sich Moira zurückhalten müssen, um nicht bissig zu antworten: »Hatte *ich* dieses Recht vielleicht? Ich habe alles für deinen Vater und für euch Kinder aufgegeben.«

Ihr neuer Freund Mitch war es gewesen, der sie darauf hingewiesen hatte. Als sie eines Tages mit den Hunden am Strand spazieren gegangen waren, hatte er ihr auf den Kopf zugesagt, dass sie neidisch war, als sie sich über die Putzhilfe echauffiert hatte.

Moira hatte darauf empört reagiert. »Ich bin nicht neidisch.«

Er hatte gelacht. Unbekümmert und sorglos. Nicht einmal angesehen hatte er sie. »Doch, das bist du. Hinter bösartigem Klatsch steckt immer Neid. Das ist einfach so.«

Sie hatte zu einer Antwort angesetzt, dann aber gezögert. Es hatte sie zugleich erstaunt und beleidigt, für ihr Verhalten kritisiert zu werden. Das tat Graham nie. Wenn sie ihm etwas erzählte, nickte er immer nur.

»Das ist kein bösartiger Klatsch, sondern meine Meinung.«

»Ein Urteil ist es«, hatte Mitch gesagt, und sein Lächeln hatte sie wütend gemacht. Er hatte das Kinn gehoben, um den Wind auf dem Gesicht besser genießen zu können. »Und zwar kein besonders freundliches. Warum sollte sie denn keine Putzhilfe anstellen? Sie hat viel zu tun. Sie will ihre Zeit mit anderen Dingen verbringen.«

»Es dauert doch wirklich nicht sehr lange, einmal mit dem Staubsauger durchs Haus zu gehen.«

»Moira.« Mitch hatte innegehalten. Barfuß hatte er dagestanden, mit dem die Wellen anbellenden Hund, der den originellen Namen »Hund« trug, an einer langen

Leine aus verblasstem orangefarbenem Seil. »Wenn du die Zeit zurückdrehen und dir eine Putzhilfe und ein Ganztagskindermädchen leisten, deine Arbeit behalten und dafür am Freitagabend ohne Schuldgefühle ins Pub gehen könntest, würdest du das tun? Glaubst du, deine Kinder hätten sich dann auch bloß ein bisschen anders entwickelt?«

»Nun, ich weiß nicht.« Moira hatte das Gefühl, sich verteidigen zu müssen. »Doch, ich glaube, sie hätten sich schon anders entwickelt.« Tatsächlich? Das fragte sich Moira. Dann wäre Amy vielleicht ein bisschen weniger dramatisch. Ein bisschen mehr in der Lage, sich um sich selbst zu kümmern. Stella wäre mehr oder weniger die, die sie heute war. Moira hielt inne. Vielleicht hätte sich ihre Beziehung ganz anders entwickelt, wenn Moira jemand anderen gehabt hätte, auf den sie sich konzentrieren konnte. Dann wäre Moira auch nicht ganz so neidisch auf Stella gewesen: auf ihren unkompliziert freundschaftlichen Umgang mit Graham, oder ihr ganz natürliches Talent fürs Schwimmen, auf die Leichtigkeit, mit der sie das neurotische Benehmen ihrer Mutter weglachte.

»Wärt ihr dann vielleicht glücklicher, du und Graham?« Moira hatte schlucken müssen.

Mitch lachte wieder. »Ich erwarte gar keine Antwort auf meine Frage. Bösartiger Klatsch und Urteile über andere haben ihre Ursache immer im Neid. Und Neid, das ist ganz einfach Angst, oder? Angst davor, sich selbst etwas zu trauen.« Mitch war weitergegangen, und seine Baumwollhose im Schottenkaro, die wie eine Pyjamahose aussah, war von der Gischt nass geworden. »Ich habe den Eindruck, dein Leben hat dir eigentlich ziemlich gut gefallen. Nur sind jetzt einfach deine ganzen Boxen leer.«

Moira war wie angewurzelt stehen geblieben. »Bitte?!«

Mitch hatte gelacht. Dann war er ein Stück gelaufen, um sich einen Stock aus dem Treibholz zu holen, und hatte zwei Boxen für sie in den Sand gemalt: »Wenn dein ganzes Leben aus diesen beiden Rollen besteht« – bei diesen Worten hatte er MUTTER und EHEFRAU in zwei der Boxen geschrieben –, »dann wird dein ganzes Leben dazu. So einfach ist das.« Er hatte in seinem Hemd aus Käseleinen und dem Jadestein an einer schwarzen Schnur um den Hals dagestanden, frisch gebräunt von einer Woche Meditation an der Algarve, und hatte Moira direkt in die Augen gestarrt, bis dieser Blickkontakt sie verlegen machte und sie wegschauen musste. »Du brauchst einfach mehr von diesen Boxen, Moira«, hatte er erklärt und mit dem Stock auf sie gedeutet. Anschließend hatte er noch viele weitere darum herum gezeichnet. »Du brauchst mehr Elemente, die dich ausmachen, Elemente, die wir dann da eintragen können«, hatte er gemeint und auf die neuen, noch leeren Boxen gezeigt. »Sonst wird dein Leben einfach nur immer kleiner.«

»Ich habe doch jetzt Frank Sinatra«, hatte Moira einwenden wollen. Aber zum Glück hatte sie diesen Satz zuerst innerlich getestet, bevor sie ihn laut ausgesprochen hatte, und dabei war ihr klar geworden, wie lächerlich er klang, und zwar in all seinen verschiedenen Bedeutungen.

Deswegen war sie dem Buchclub der örtlichen Bücherei beigetreten. Und genau dort saß sie nun, mit einem getürmten Ehemann, in einer schicken Jeans und neben Joyce

Matthews (mit der berühmten Putzhilfe), und sie sah sich schuldbewusst um, weil sie überprüfen wollte, dass auch niemand guckte, denn Joyce Matthews hatte gerade einen Schluck Brandy aus ihrem Flachmann in Moiras Tasse lauwarmen Tee geschüttet.

»Bitte nicht für mich. Es ist gerade erst halb elf, und ich werde ganz schnell sturzbetrunken. Ich sollte gar nicht hier sein.« Mit einer Handbewegung wollte Moira den Brandy abwehren.

»Quatsch«, erwiderte Joyce und goss einen Schluck in ihre eigene Tasse. »Dein Mann ist verschwunden. Manchmal braucht man einfach einen Ort, an den man sich flüchten kann.«

Moira dachte an ihr Haus, das voll war mit ihren Angehörigen, an den Anblick wie auf einem dieser komischen Bilder – wenn man sie aus einer bestimmten Perspektive anschaute, waren sie ganz nah, und wenn man die Augen zusammenkniff, wurde das Ganze zu einem Raum voller Fremder.

»Ich habe das Buch nicht gelesen«, gab sie zu.

Joyce schüttelte den Kopf. »Ich auch nicht.«

Moira warf ihr einen Seitenblick zu. »Du liest das Buch aber nie.«

»Wollen wir uns davonmachen?«

»Das kann ich nicht.«

Moira sah, dass die Bibliothekarin auf sie zukam. Sie trug ihre Hausschuhe, die sie für den Buchclub immer anzog – offensichtlich wollte sie sich entspannen. Moira hasste das. Warum konnte sie keine normalen Schuhe tragen, wie alle anderen auch? Das war schon wieder ein Urteil. Sie war doch wohl nicht neidisch auf diese schrecklichen pinkfarbenen Mokassins? Vielleicht ja doch. Vielleicht beneidete sie die andere Frau auch um ihren Mut, oder darum, dass sie das Bedürfnis nach Bequemlichkeit über alles andere stellte. Vielleicht war sie eifersüchtig darauf, dass der Ehemann dieser anderen Frau nicht verschwunden war und sie nur daran denken musste, ihre Hausschuhe überzustreifen, und sich dann gemütlich über das Buch unterhalten konnte, das womöglich sogar richtig gut war.

»Jetzt komm schon.« Joyce stieß Moira in die Seite.

»Ich kann nicht. Es ist doch schon schlimm genug, dass ich abgehauen bin, um zum Buchclub zu gehen. Da kann ich ja wohl nicht auch noch aus dem Buchclub abhauen.«

»Ach, Moira, wenn du dich nun nicht davonmachen kannst, wann denn sonst? Sei kein Frosch, lass uns einen Kaffee trinken gehen. Oder ins Pub.«

Doch Moira blieb bei ihrem Nein. Der Wunsch nach Anstand gewann den Kampf. Sie hätte es nicht ertragen, wenn die Bibliothekarin in ihren pinkfarbenen Mokassins ihr dabei zugesehen hätte, wie sie verschwand, dass sie dann nach Hause gegangen wäre und ihrem Mann oder ihrer Katze von dieser schrecklichen Frau erzählt hätte, die in diesem großen Haus am Meer wohnte und den Buchclub geschwänzt hatte, wo doch ihr Mann verschwunden war. Sie hätte die Blicke der Einheimischen im Pub nicht ertragen – »Moira, bist du das?« – »Moira! Schön, dich zu sehen! Das heißt dann ja wohl, dass Graham zurück ist?« – »Nein, nein, der ist immer noch verschwunden.«

Sie zog das Buch aus der Tasche und legte es sich auf die Knie. Währenddessen blätterte die Bibliothekarin in ihrem eigenen Exemplar und schlug die Liste mit den Buchclub-fragen ganz hinten auf.

Weil Moira das Buch nicht gelesen hatte, bekam sie von der Diskussion nichts mit. Stattdessen starrte sie den Teilnehmern auf die Füße und dachte an Graham. Daran, wie erleichtert sie war, als sie heute Morgen ins Erdgeschoss gekommen war und er nicht auf dem Sofa gesessen hatte.

In der Zeit kurz nach Bobbys Tod hatte ihr Grahams stumme Passivität nichts ausgemacht. Sie hatte verstanden, dass es ein wenig so gewesen war, als hätte er Stella gerade erst noch einmal verloren. Bobby war der erste Sportler seit Stella gewesen, der in Graham so etwas wie Aufregung ausgelöst hatte. Bobby war im Begriff gewesen, sich zu einem Star zu entwickeln. Als er Amy begegnete, war er ein ganz ausgezeichneter junger Surfer. Bloß an Kraft hatte es ihm gefehlt, und etwas an Ehrgeiz. Und deswegen hatte es sich Graham zur Aufgabe gemacht, ihn zu trainieren. Jeden Morgen um sechs holte er ihn zum Schwimmen ab, jeden Abend trainierten sie im Fitnessstudio an den Gewichten, ständig hatte er Bobby angespornt, die eigenen Rekorde zu brechen. Graham war es gewesen, der ihm ermutigend zuredete und seinen Siegeswillen schärfte und kräftigte, indem er Techniken der Visualisierung und der Meditation anwandte. Graham hatte Bobby den ersten großen Sieg verschafft. Und als Bobby eine Liga erreicht hatte, die höher war als alles, was ihm Graham – der schließlich selbst kein Surfer war – bieten konnte, hatten sie weiter zusammen trainiert, waren immer noch früh am Morgen schwimmen gegangen. Genauso, wie es Graham damals mit Stella getan hatte.

Doch seit Bobbys Tod waren inzwischen über zwei Jahre vergangen. Und nach wie vor saß Graham einfach nur auf dem Sofa. Fast wirkte es so, als hätte er vergessen, warum er da saß. Die Trauer war langsam abgeebbt, die hoffnungslose Lethargie jedoch geblieben. Es war, als scheue er vor dem Leben zurück, als würde er immer missmutiger, immer wütender, und als erfülle ihn die Welt, an der er kaum mehr teilnahm, mit immer größerer Irritation. Nur manchmal ging er noch ins Pub, aber selbst dann meckerte er darüber. Zu weit weg, der Fernseher im Hintergrund zu laut, das Bier nicht kalt genug. Als Amy wieder zu Hause einzog, war das in Ordnung gewesen. Ihre Traurigkeit nach dem Unfall reichte aus, um ihrer aller Leben mit Beschlag zu belegen. Dadurch hatte Moira wieder das Gefühl bekommen, gebraucht zu werden, sich gezielt um ihre Tochter kümmern zu müssen. Wie bei einem Vogelbaby: Es brauchte Futter, Zuwendung, musste sicher untergebracht und warm gehalten werden, bis es stark genug war, das Nest zu verlassen.

Doch leider hatte Amy, als sie das Schlimmste überstanden hatte, nicht die geringste Absicht gezeigt, wieder aus ihrem Elternhaus auszuziehen. Und die beiden, Amy und Graham, hatten sich benommen, als gehörten sie zum Mobiliar. Als morbides Zweierteam hatten sie wie Zombies den Fernsehbildschirm angestarrt, der in der Ecke vor sich hin flimmerte. Irgendwann hatte sich Moira gesorgt, sie selbst würde den Verstand verlieren. Nicht einmal, als sie die Bauarbeiter ins Haus geholt hatte, hatte das die beiden in Gang gebracht. Graham hatte sich schlicht und einfach geweigert, als Projektmanager aufzutreten, und

Amy und er hatten sich für einige Wochen in ein improvisiertes Wohnzimmer im ersten Stock zurückgezogen. Da hatte sich Moira den Hund angeschafft – als Möglichkeit, von den beiden wegzukommen. Und in dieser Zeit hatte sie Mitch kennengelernt. Die Freude am Leben wiederentdeckt. Zum ersten Mal überhaupt in ihrem Leben, so schien es, hatte sie sich selbst als eigenständige Person wahrgenommen. Als sie Mut fasste und ihrer Tochter einen kleinen Stups versetzen wollte, damit diese das Haus verließ, hatte Amy das sehr schlecht aufgenommen und war in einem wilden Trotzanfall nach London gezogen. Moira war in großer Besorgnis zurückgeblieben, in großer Angst davor, das Falsche getan zu haben, und während dieser ganzen Zeit hatte sie kaum etwas von Amy gehört. Erst in den letzten Wochen, als ihr Sonny einige Instagram-Bilder einer wunderbar glücklich wirkenden Amy beim Brunch mit Blick auf die Themse gezeigt hatte, hatte Moira ein wenig Trost gefunden.

Aber seit Amy weg war, gab es im Haus bloß noch Moira und Graham. Der Graben zwischen ihnen wurde immer größer. Sie dachte an die schweigend eingenommenen Mahlzeiten, mit ihnen beiden an entgegengesetzten Enden des Tisches, während denen allein die Kaugeräusche, die er machte, eine wütende Anspannung in ihr ausgelöst hatten. Wie er geseufzt hatte, wenn sie von ihm verlangte, die Füße zu heben, damit sie saugen konnte. Wie er ständig geschnarcht hatte. Der Gedanke, dass er zu einer Litanei nervender Geräusche geworden war, dass es nicht den kleinsten erotischen Funken mehr zwischen ihnen gab, machte sie traurig. Doch sie hatte versucht, ihm zu helfen, und das hatte sie erschöpft. Irgendwann reichte es einfach.

Unter den Mitgliedern des Buchclubs war ein kleiner Streit ausgebrochen, und die Bibliothekarin versuchte vergeblich, Ordnung in die Gruppe zu bringen, indem sie die Diskussion wieder auf die offiziellen Buchclubfragen lenkte. Moira warf Joyce einen Seitenblick zu; diese verdrehte nur die Augen und deutete dann mit einer Kopfbewegung zur Tür, forderte Moira erneut auf, doch zusammen mit ihr abzuhauen.

Moira schüttelte den Kopf.

Dann saß sie da und war ärgerlich auf sich selbst, weil sie darauf bestanden hatte zu bleiben. Nicht einmal ein Buchclubtreffen konnte sie verlassen – wie sollte sie es dann jemals schaffen, sich von Graham zu trennen? Dabei hatte sie geglaubt, langsam mutiger zu werden. Völliger Blödsinn. Das war gewesen, als die Kinder noch nicht da waren, bevor sie sich selbst durch deren Augen und nicht nur durch ihre eigenen gesehen hatte. Jetzt fühlte sich das alles ein wenig albern an, diese Idee, sie würde Graham verlassen. Wie einer dieser Träume, in denen man flog und vom Adrenalin der Freiheit ganz high wurde, dann aber aufwachte und feststellte, dass man so langweilig wie eh und je im Bett lag.

Die Entschlossenheit, ihren Ehemann zu verlassen, wurde immer wieder von der Frage nach dem Anstand gedämpft. Doch sie hatte gehofft, ihre Entschlossenheit wäre nach wie vor irgendwo tief in ihr, würde dort weiterleben, denn nun war sie eingesperrt, eingesperrt, bis dieser blöde alte Narr sich zur Rückkehr bequemte, während sie sich im wahrsten Sinne des Wortes auf dem Sprung befand. Bereit, sich in die Lüfte zu erheben.

Und eine Angst erfüllte sie: vor dem Vergehen der Zeit, vor ihren Kindern – schon die hochgezogenen Augenbrauen beim Anblick ihrer Jeans hatten beinahe gereicht –, vor dem fast willkommenen Druck der Verantwortung, vor den allgegenwärtigen Verurteilungen. Davor, dass man über sie herzog, so wie sie über andere geklatscht hatte, vor dem Mitleid, wenn sie scheitern würde. Vielleicht würde diese Angst sie ja total entmutigen und sie würde aufwachen, in völliger Langeweile, und für immer im Bett bleiben.

9. Kapitel

Während Moira beim Buchclub war, brachen die anderen in zwei Gruppen auf, um herauszufinden, wo Graham stecken könnte. Wer sich welcher Gruppe anschloss, hing dabei im Wesentlichen vom Faktor »Eis« ab. Als Gus und Amy ihre Liste der Orte bekamen, die sie abklappern sollten, und feststellten, dass darauf auch der Londis stand, schaute Rosie auf dem Zettel und quietschte: »Hey, im Londis gibt's Twister. Ich will mit euch mit.«

»Twister mag ich auch gern«, stimmte ihr Amy zu und sah sich im Wohnzimmer nach ihrer Sonnenbrille um.

Gus, der schon seit einer Stunde fertig zum Aufbruch war und an der Tür wartete, verzog das Gesicht. »Twister schmeckt doch widerlich.«

Rosie stellte sich zu Amy und sagte mit vor Unglauben weit aufgerissenen Augen: »Twister ist doch das beste Eis am Stiel auf der ganzen Welt.«

Sonny schlurfte zu Gus hinüber: »Ich will ein Calippo.«
Gus nickte. »Gute Wahl.«

Stella hatte in ihrer Tasche nach den Autoschlüsseln gewühlt, nur um irgendwann festzustellen, dass Jack diese in der Hand hatte, und als das Thema Eis abgehandelt war, fragte sie: »Dann zieht ihr vier also zusammen los?«

Amy und Rosie schauten skeptisch zu Gus und Sonny hinüber. »Sieht so aus«, gab Amy zurück, setzte ihre Son-

nenbrille auf und schüttelte ihre Frisur durch. Anschlie-
ßend blickte sie wieder auf die Liste. »Wir gehen also ins
Pub, zu John und Sandra ... Ach, das wird aber peinlich.
Was soll ich denn da sagen? ›Habt ihr vielleicht meinen
Vater gesehen?‹«

Stella zog die Augenbrauen hoch. »Ja, so was in der Art.«

Amy holte tief Luft und wandte sich wieder der Liste
zu. »Zur Post, in die anderen Läden, in den Londis. Okay.«
Mit einem Nicken griff sie nach ihrer Tasche und sagte:
»Also, los jetzt.« Rosie folgte ihr wie ein begeisterter kleiner Welpe. Sie trug heute ihr Emoji-T-Shirt, Amy dagegen
eine enge weiße Jeans und ein neongelbes Oberteil. Sonny
und Gus folgten ihnen mit deutlich weniger Begeisterung.
Beide hatten den Blick auf ihre Smartphones gerichtet.

Am einfachsten erreichte man das Dorf über das Wei-
deland. Sie gingen zuerst die Straße entlang. Dann blieb
Amy vor einem Gatter stehen und kletterte über die Tritt-
stufe. Dabei hob sie die Beine, so hoch sie nur konnte, damit keine Spuren auf ihrer Jeans zurückblieben.

Während ihr Gus dabei zuschaute, musste er daran denken, wie er online zum ersten Mal Amys Profilbild gesehen
hatte. Darauf hatte sie ihr langes blondes Haar in hohen
Rattenschwänzen getragen; sie war – hoffentlich – für eine
Kostümparty als Britney Spears verkleidet gewesen. Gus
erinnerte sich daran, wie all seine Freunde das Foto am
Tisch herumgereicht und dabei leise vor sich hin gelacht
hatten, weil sie ganz offensichtlich ein bisschen dumm war.
Gleichzeitig hatten sie sich amüsiert, da man gar nicht ab-
streiten konnte, dass sie gut aussah und, was ihre Attrak-
tivität betraf, in einer ganz anderen Liga spielte als Gus

selbst. Genau darum hatte er bei ihrem nächsten Treffen mit einem starken Gefühl der Überlegenheit und des Stolzes dagesessen, und er hatte ganz deutlich durchblicken lassen, dass er mit ihr geschlafen hatte. Zuerst hatten ihm seine Freunde nicht geglaubt, aber als er darauf beharrte, dabei nicht einmal lächelte und zugab, dass das nur ein Witz wäre, hatte sein bester Freund irgendwann die Luft ausgestoßen, sein Bierglas erhoben und verkündet: »Gus hat Baby Spice flachgelegt. Gut gemacht.«

Plötzlich wurde ihm ganz schwindlig.

Die Luft wirkte jetzt drückender und feuchter. Über ihnen sperrte eine schwammige Wolkenschicht die Hitze ein, lag schwer auf ihnen allen wie ein großes weißes Federbett.

Sonny und Rosie folgten ihrer Tante über das Gatter, wobei Rosie abrutschte und in einem Kuhfladen landete. Sonny lachte. Rosie schlug ihm auf den Bauch. Sonny lachte noch mehr und nannte sie »Kuhfladen-Rosie«. Darüber musste Amy eigentlich lachen, bat Sonny jedoch darum, seiner Schwester nicht solche Spitznamen zu geben, weil diese sowieso schon weinte.

Bei diesem Anblick musste Gus an seine eigene Familie denken. Mit seinen Geschwistern hatte er sich fast immer bloß gestritten – mit allen fünf von ihnen –, und er dachte an sein eigenes Elternhaus, eine Farm in Suffolk, die mit so viel Zeug vollgestellt war und auf der ständig was los war. Immer gab es noch mehr Babys, noch mehr Katzen, noch mehr Hunde, noch mehr Küken im Wäscheschrank. Nichts passte zusammen, alles war blitzsauber, aber abgetragen und verbraucht. Dass jemand verschwand, war überhaupt nicht vorstellbar, außer der Betreffende wäre irgendwo auf dem Gelände der Farm verloren gegangen. Er hatte sein ganzes Leben damit verbracht, das zu schätzen, was er hatte, zugleich allerdings von dem verzweifelten Wunsch erfüllt zu sein, dem Ganzen zu entkommen. Ganz oben in dem dreistöckigen Hochbett hatte er davon geträumt, eines Tages genug Platz für sich selbst zu haben. Einen Ort, an dem er die Kontrolle über alles hatte, wo er tun und lassen konnte, was er wollte, wo Ruhe herrschen würde. Und nun hatte er diesen Ort. Er liebte seine Unabhängigkeit, hatte nur selten länger andauernde Beziehungen, und es ließ ihn schaudern, wenn eine Freundin ihn auch bloß dazu bekommen wollte, mit ihm einen Urlaub in ein paar Monaten zu planen. Trotzdem war er jetzt hier und kurz davor, sich dauerhaft auf diese Möchtegern-Britney-Spears einzulassen – all das wegen eines einzigen Fehlers im Suff. Er musste dafür sorgen, dass Amy Vernunft annahm.

Im Gänsemarsch liefen sie am Rande des Feldes entlang, der Fußweg war mit Steinen übersät, es roch nach Kühen und wildem Knoblauch, und die stacheligen Zweige der Schlehdornsträucher griffen nach ihren T-Shirts.

»Amy«, sagte Rosie und zupfte verträumt an den langen Grashalmen, »ist Gus dein Freund?«

Gus gab ein schnaufendes Lachen von sich, was Amy ganz eindeutig wütend machte. Sie schüttelte ihr Haar auf, als wäre das ein nervöser Tic. »Nein«, sagte sie, kurz und knapp, ohne sich überhaupt nach ihrer Nichte umzudrehen.

Sonny hingegen drehte sich um und verzog mit einem Grinsen das Gesicht in Richtung Gus. Und Rosie lief nun rückwärts, mit zusammengekniffenen Augen, als wäre es ihr soeben gelungen, einen besonders komplizierten Code zu knacken, dessen Entzifferung bisher noch niemand anderem gelungen war.

Gus zog die Augenbrauen hoch und empfand Genugtuung darüber, schlauer gewesen zu sein als sie.

Amy marschierte stur weiter, ohne ein Wort zu sagen, brachte so viel Abstand wie möglich zwischen sich und die Gruppe.

Gus musste an das Telefongespräch mit seiner Mutter gestern Abend denken, als er mit dem Hund draußen gewesen war. Er hatte das Bedürfnis gehabt, mit jemandem zu sprechen, jedoch nicht genau gewusst, wer das sein sollte. Sobald er ihre Stimme am anderen Ende der Leitung hörte, hatte er gewusst, dass sie die Falsche war.

»Sie sagt, sie will es behalten.«

»Ach, Gus, mein Schatz, das ist ja wunderbar.«

»Es ist *nicht* wunderbar.«

»Wo bist du denn gerade? Es ist so laut bei dir.«

»In Cornwall. Das im Hintergrund ist das Meer.«

»Ein bisschen frische Luft wird dir guttun.«

Er stellte sich vor, wie sie eifrig in der Küche vor sich hin werkelte, sich danach sehnte, ihn an ihren riesigen Busen zu drücken. Sie würde sich wahrscheinlich eine Katze schnappen, um in seiner Abwesenheit einen Ersatz zu finden. Er seufzte und ärgerte sich darüber, dass er sie vor lauter Panik überhaupt angerufen hatte. »Wenn sie es behält, bekomme ich es sowieso bloß jede zweite Woche, oder?« Das sagte er fast zu sich selbst. »So machen das die Leute doch, oder?« Im Hintergrund hörte er, wie seine

Schwester Claudia antwortete, während ihre Mutter alles an sie weitergab: »Meistens auch noch Übernachtungen unter der Woche, Gussy!«

»Hört auf, alle beide«, befahl ihre Mutter. »Ein Baby hat man nicht nur am Wochenende, Gus. Das hat man für immer. Es ist Teil deines Lebens, so läuft das.«

Schnell hatte sich Gus eine Ausrede überlegt und das Gespräch beendet, dann war er mit glasigem Blick dem Hund nachgelaufen, während der Ausdruck »für immer« in einer Endlosschleife durch sein Gehirn gelaufen war, wie das monotone Donnern der Wellen.

Jetzt wurde die Luft immer wärmer, während sie weiterliefen. Auf der anderen Seite der Weide begann der Küstenpfad. Auf der einen Seite ein Labyrinth aus Brombeerzweigen, auf der anderen der steile Abhang eines Kliffs. Gus spähte zum Meer hinunter. Gerade war Flut, das Wasser hatte die Ecke der Felsen erreicht. Schatten gab es nirgends. Niemand hatte daran gedacht, Wasser mitzunehmen. Als sie das Coach and Horses erreichten, waren alle verschwitzt und schlecht gelaunt, weil sie Durst hatten. Amy fuhr Sonny und Rosie an, sie sollten aufhören, sich zu kabbeln. Gleichzeitig tupfte sie sich das Gesicht mit einem Taschentuch ab und überprüfte in der Fensterscheibe, dass ihr Make-up noch ordentlich aussah, bevor alle das Pub betraten. Gus überlegte, ob er wohl schnell ein kleines Glas trinken könnte, nahm aber rasch Abstand von dem Gedanken, als Amy die Tür öffnete und alle Anwesenden sie mit großem Tamtam und anteilnehmender Begeisterung begrüßten. Daraufhin entschied Gus, es wäre besser, in der Nähe der Tür herumzuhängen. Ein alter Mann an der Bar schenkte Rosie ein Pfund für den Spielautomaten, und so waren Sonny und sie erst mal beschäftigt. Gus sah zu, wie eine Gruppe junger Kerle, die wie Surfer wirkten, sich um Amy scharten, sie umarmten, ihr beide Arme um die Schultern legten, sie auf die Wangen küssten und ihr durchs Haar wuschelten. Faszinierend, das Ganze. Amy wirkte überrascht, sie alle dort zu sehen, und weniger erfreut über die Zuwendung, als Gus das von ihr erwartet hätte. Sie machte dem Ganzen bald ein Ende, indem sie den Mann an der Bar fragte, ob er vielleicht vor Kurzem ihren Vater gesehen oder irgendetwas Ungewöhnliches an ihm bemerkt hatte.

»Er hat sich kaum hier blicken lassen«, sagte der Wirt. »Ich habe ihn bestimmt schon zwei Wochen nicht gesehen. Tut mir leid, Kleine.«

Amy nickte. »Schon gut.«

Hinter ihr begann der Spielautomat zu piepen und wild zu blinken. Als es Münzen in die Schale regnete, quietschte Rosie begeistert. »Ich habe gewonnen!«, schrie sie.

Alle im Schankraum wandten sich ihr zu. Amys Freunde lachten, ein paar von ihnen gingen zum Automaten, um das Geld zu bewundern. Gus hörte, wie Amy zu einem Getränk eingeladen wurde, doch sie lehnte ab, zeigte zur Tür und damit unausweichlich auch auf Gus und erklärte, sie müssten weiter. Mit einem unbehaglichen Gefühl hob Gus die Hand. Einer der Typen sah Amy mit hochgezogenen Augenbrauen an. Sie schüttelte leicht den Kopf. »Es ist nicht so, wie ihr denkt.« Dann half sie Rosie dabei, die ganzen Münzen einzustecken, und scheuchte die anderen drei hinaus ins Sonnenlicht.

»Gut, und jetzt zur Hauptstraße«, verkündete sie, schob sich die Sonnenbrille auf die Nase und deutete den Weg entlang. Ganz offensichtlich war sie sehr nervös.

»Wer zuerst da ist, Kuhfladen«, schrie Sonny und rannte los.

Rosie setzte ihm nach. »Nenn mich nicht Kuhfladen!«

Plötzlich fand sich Gus an Amys Seite wieder.

Eine Weile gingen beide schweigend nebeneinanderher.

»Alles in Ordnung?«, erkundigte er sich, eher, weil er etwas Höfliches sagen wollte, als weil er wirklich eine Antwort erwartete. Sie war ganz eindeutig ein wenig komisch drauf, aber so wirkte sie eigentlich immer auf ihn.

»Alles klar«, antwortete sie, ohne sich ihm überhaupt zuzuwenden.

Gus nickte.

Ein Bus schnaufte an ihnen vorbei. Sie passierten eine Teestube und einen Antiquitätenhändler. Eine alte Frau mit Stock beschnitt ihre Geranien. »Ach, hallo Amy, meine Liebe. Geht es dir gut?«, erkundigte sie sich.

»Ja, vielen Dank, Mrs Oberton«, erwiderte Amy in superhöflichem Ton, nahm ihre Sonnenbrille ab und erkundigte sich ausführlich nach den Kindern der alten Frau und anderen Familienmitgliedern.

Gus schauderte. Den Gedanken, dass ihn wieder alle kannten und alles über ihn wussten, fand er unerträglich. Wenn er seine Eltern besuchte, wurde er ständig im Pub aufgezogen und gefragt, wann er denn die Farm übernehmen würde.

Als sie die Straße erreichten, die Amy als »Hauptstraße« bezeichnet hatte – es gab eine Galerie, einen Fish & Chips-

Shop, eine Bäckerei und eine Apotheke –, trottete Gus ihr langsam hinterher, während sie sich in jedem Geschäft nach ihrem Vater erkundigte. Und alle wollten wissen, wie es ihr ging. Ihm entging nicht, dass sich Amy geschickt herauswand und stattdessen kluge Gegenfragen stellte, die die ganze erweiterte Verwandtschaft ihres Gegenübers einschlossen. Für Gus zog sich das Ganze unerträglich lange hin.

Endlich erreichten sie den Londis.

Gus trieb sich in den Gängen herum, während sich Amy an der Kasse anstellte, um mit der Kassiererin zu sprechen, an deren Namen sich niemand hatte erinnern können.

Er entdeckte Rosie in der Spielwarenabteilung, wo sie eine Barbie in einer Schachtel in der Hand hielt. »Findest du nicht, dass die wie Amy aussieht?«, fragte sie ihn.

Gus stieß die Luft aus, als er die Barbie entgegennahm und widerwillig in die großen blauen Augen der Puppe mit der luftigen blonden Frisur starrte. »Ein bisschen.«

»Aber du siehst nicht aus wie Ken«, sagte Rosie schlicht.

Gus musste lachen. »Nein, das stimmt wohl.«

»Deine Nase ist zu groß«, erklärte Rosie und musste über ihre eigene Frechheit kichern.

»Schönen Dank auch.«

Rosie schaute verwirrt drein. »Warum hast du denn jetzt ›Schönen Dank auch‹ gesagt?«

»Weil du mich gerade beleidigen wolltest und das nicht funktioniert hat.«

Ihre Wangen färbten sich rot. »Erzählst du's meiner Mum?«

»Ja.«

Rosie sah aus, als würde sie gleich in Panik geraten.

»Nein.« Gus verdrehte die Augen. »Warum sollte ich es deiner Mutter erzählen? Wie alt bist du eigentlich?«

»Sieben.«

»Dann bist du auch alt genug, um das zu wissen. Man sagt keine Scheiße über die Nasen anderer Leute.«

»Jetzt hast du ›Scheiße‹ gesagt.«

»Stimmt, habe ich. Ist das ein Problem für dich?«

»Fluchen soll man nicht.«

»Erzählst du's meiner Mutter?«

Rosie kicherte. »Kann ich doch gar nicht.«

»Hier.« Gus holte sein Handy aus der Tasche. »Ruf sie an, erzähl's ihr.«

»Neeeeee.« Rosie lachte, als hätte sie noch nie einen so albernen Menschen getroffen wie Gus.

Grinsend steckte er sein Handy wieder ein.

Rosie nahm eine Schachtel mit einem Ken aus dem Regal. »Der sieht eigentlich genauso aus wie mein Onkel Bobby.« Sie wandte sich zu Gus um. »Onkel Bobby ist gestorben. Wusstest du das?«

Gus schüttelte den Kopf.

»Beim Surfen«, sagte Rosie.

»Ach so.« Gus nickte. »Und Onkel Bobby ist der Bruder von deiner Mutter und Amy, oder?« Ein Teil von ihm wusste, dass das nicht stimmte, aber der Teil von ihm, der wollte, *dass* es stimmte, hatte sich durchgesetzt. Denn wenn dieser Bobby Amys Ehemann war, wie Gus vermutete, dann gewann diese Frau, mit der er so unüberlegt geschlafen hatte, plötzlich eine zusätzliche Dimension. Diese Person, die er zu überzeugen versucht hatte, das Baby abzutreiben, das sie in sich trug. Diese Person, die eigentlich gar keine Person war, sondern nur ein hohlköpfiger Britney-Spears-Verschnitt.

Rosie bedachte ihn mit einer Grimasse, als wäre er der unangefochtene Gewinner eines »Du bist ja wohl völlig bekloppt«-Wettbewerbs, und sagte: »Meine Mum hat doch gar keinen Bruder. Bobby war mit Amy verheiratet. Das Ganze ist furchtbar traurig. Amy war furchtbar traurig. Bobby sah wahnsinnig gut aus ...«

»Das reicht jetzt, Rosie«, unterbrach Amys scharfe Stimme die Unterhaltung. Amy stand mit vor der Brust verschränkten Armen am Ende des Ganges.

Rosie sprang vor lauter Schreck auf und ließ die Ken-Figur fallen.

Gus bückte sich, um sie aufzuheben, ganz langsam, und die ganze Zeit sah er zu, wie Amy näher kam und Rosie zur Eistruhe zerrte.

Dann stand er auf und schob Ken an seinen Platz im Regal zurück, hielt eine Sekunde lang inne und stützte sich mit einer Hand auf einem »Zwei zum Preis von einem«-Schild ab. »Scheiße«, murmelte er leise.

10. Kapitel

Stella und Jack waren auf halbem Weg zurück vom Fischteich, als das Auto nicht mehr weiterfahren wollte. Die Benzinanzeige hatte seit ihrem Aufbruch auf »leer« gestanden, aber die Tankstelle lag in entgegengesetzter Richtung zum Fischteich, und Jack hatte Stella glaubhaft versichert, dass ein Nissan Qashqai auch bei »leer« noch dreiundvierzig Meilen schaffte. Und der Fischteich war nur zehn Meilen entfernt. Leider hatte Jack nicht miteinrechnen können, dass eine der Straßen durch einen Lastwagen versperrt würde, der Beton auf der Straße verteilte. Die Umleitung hatte über eine kurvenreiche Landstraße geführt, ein richtiges Labyrinth, in dem sich Stella nicht auskannte, und iMaps ließ sich auf keinem ihrer beiden Handys laden. Als sie endlich wieder bekanntes Terrain erreichten, war das Benzin alle.

»Wir hätten das Navi reparieren lassen sollen«, murmelte Jack, als er die Autotür zuschlug.

Stella stand in der Haltebucht, in die sie es noch geschafft hatten. »Oder einfach tanken.«

Jack gab keine Antwort. Stattdessen atmete er scharf ein. Ganz offensichtlich kochte er vor Wut.

Stella kratzte sich am Kopf, sah sich um, um sich orientieren zu können. Es war schon so lange her, dass sie hier gelebt hatte.

»In welche Richtung müssen wir denn?«, fragte Jack, dessen Handykarte noch immer nichts als ein frustrierend leeres graues Gitter mit einem blauen Punkt anzeigte.

Stella zuckte die Schultern. »Das Haus liegt jedenfalls in dieser Richtung.« Sie zeigte leicht nach rechts. »Am schnellsten geht es vom Meer aus, und dann über den Klippenpfad. Also nach da oben.« Sie zeigte auf die hohe Steilwand neben ihnen direkt an der Straße. Jack schaute skeptisch drein, widersprach jedoch nicht. Er war immer noch wütend auf sich selbst, weil er das Benzin hatte ausgehen lassen.

Die Hitze drückte auf sie nieder, während sie den Pfad erklommen. Die Luftfeuchtigkeit hatte ihren Höhepunkt erreicht. Stella rutschte in ihren Flipflops über das Gras. Ihr langer blauer Rock und das weiße Hemd waren nicht dafür geeignet, anspruchsvolle längere Strecken zu laufen. Die Mücken umschwirrten summend ihren Kopf.

Stella kam sich vor, als liefe sie gerade durch einen der Folientunnel, die sie auf der Reise durch den kargen Süden Spaniens aus einem Busfenster betrachtet hatte. Vor vielen Jahren war das gewesen, als sie gerade erst Sonny bekommen und keine Ahnung hatte, wie viel Sonne die zarte, blasse Babyhaut vertragen konnte. Sonny hatte diese Woche wie eine dicke kleine Wurst in einer Sonnenschutzanzugpelle verbracht, inklusive Hut und einem Gesicht, das vor Baby-Sunblocker ganz weiß war. Stella hatte anderen Kindern dabei zugeschaut, wie sie nackt durch die Gegend rannten. Dass sie das als Kind selbst getan hatte, wusste sie noch, doch heutzutage war die Sonne wegen der globalen Erwärmung gefährlicher – das hatte sie jedenfalls auf Mumsnet gelesen, als sie vor ihrer Abreise nach

Informationen gegoogelt hatte. Aber dann hatte sie in einem Post gelesen, dass Babys Vitamin-D-Mangel bekamen, da sie heutzutage zu sehr vor der Sonne geschützt wurden. Stella wusste noch, wie Jack und sie dagesessen hatten, beide verwirrt, weil sie insgeheim an die Ferien dachten, in denen sie einfach spontan ein Nickerchen machen oder sich an der Bar ein Bier besorgen konnten. Das tat Jack im Übrigen nach wie vor, und als Stella allein mit dem Sand essenden Baby dahockte, hatte sie angefangen zu schreiben – auf die leeren Seiten hinten in dem Taschenbuch, das sie naiv wie sie war zum Lesen mitgenommen hatte. Das war die Geburtsstunde von Stella mit dem Schandmaul. Die erste Kolumne hieß *Urlaub? Welcher Urlaub?*, und der erste Satz lautete:

Ich habe es nie glauben wollen, wenn Leute behaupteten, ein Urlaub mit Kindern wäre »die gleiche Scheiße, nur immer woanders«. Ich dachte, das wären einfach Miesepeter. Waren sie auch. Schließlich hatten sie Kinder.

Letzten Endes hatte ihr der Urlaub sogar ziemlich gut gefallen – es war schön, aufzubleiben und Tapas zu essen, während der bloß mit einer Windel bekleidete Sonny schlafend in seinem Buggy lag. Dem Kleinen dabei zuzusehen, wie er beim Anblick des Meeres lachte und wie die Touristinnen im Oma-Alter ihn anschmachteten – deswegen hatte der Artikel auch positiv geendet, aber im Mittelteil hatte sie aus ihrem Herzen keine Mördergrube gemacht. Das Sonntagsmagazin fürs breite Publikum, für das sie manchmal schrieb, hatte den Text gedruckt, weil den Herausgebern Ansatz und Perspektive sehr vielversprechend erschienen – die Leserschaft mochte nichts lieber, als sich über dem Wochenendbrunch ein wenig empören zu können; außerdem bot die Kolumne Gelegenheit zum nachträglichen Zustimmen à la »Ich wünschte, wir hätten so etwas zu unserer Zeit sagen können«. Leser reichten einander über den Frühstückstisch hinweg die Seite, mit einem »Schau mal, genau wie bei uns damals auf Mallorca, als es jeden Tag geregnet hat und die Zwillinge Windpocken bekamen«. Unzählige Leserbriefe gingen ein, voller lebhafter Reaktionen – darunter waren einige Leute, die ihr vielmals dankten, die einfach nur erleichtert darüber waren, dass es da jemanden gab, der die ganze Angelegenheit genauso schlimm oder sogar noch schlimmer fand als sie selbst. Andere schrieben, weil sie Stella überhaupt nicht witzig fanden. Letztere ignorierte Stella, so gut es eben ging, denn als Stella mit dem Schandmaul wurde sie eingestellt.

Im Laufe der Jahre hatte ihre Kolumne gut zweieinhalb Zentimeter eingebüßt, da man Platz für Werbung brauchte, und ihr neuer Herausgeber hatte ihr vermittelt, die Leser erwarteten, dass sie kein Blatt vor den Mund nahm. Das Beste von Stella mit dem Schandmaul, witzig verpackt, mit einer Lesedauer von etwas über drei Minuten.

»Mir ist total heiß«, verkündete Jack, während er die letzten paar Meter den Hügel hochstieg. Am Rand wuchsen an einigen Stellen stachelige Ginsterbüsche und lilafarbenes Heidekraut.

»Mir auch.«

Jack wischte sich mit dem T-Shirt den Schweiß von der

Stirn. Das dunkle Haar stand ihm in alle Richtungen ab. Sein Gesicht war immer noch eine starre Grimasse.

Nebeneinander blieben sie oben auf dem Hügel stehen. Unter ihnen lag eine Landschaft aus Feldern mit Schafen oder Kornähren. Und es gab Reihen von Kohlköpfen und Maiskolben. Ein Traktor kehrte auf seinen Bauernhof zurück, weiter entfernt lagen erst ein Golfplatz, dann ein Wohnwagenpark und schließlich das Meer. Glitzernd und blass wie der Himmel. Wie vertraut ihr dieser Anblick doch war. Stella sog Luft durch die Nase ein und spürte, wie sich ihre Schultern ein wenig entspannten.

Jack schüttelte den Kopf. »Das ist doch Wahnsinn. Wir sind meilenweit vom Haus weg.«

Stella verdrehte die Augen. »So schlimm ist es auch wieder nicht«, reagierte sie mit einem Lachen. Durch seinen Unmut wurde ihrer weniger.

»Es ist schlimm genug.« Jack bewegte eine Hand, um die unendliche Weite der Aussicht deutlicher wahrzunehmen.

Stella blockierte das Sonnenlicht mit der Hand, um besser sehen zu können. »Schau, da drüben, das ist der Goldstone-Wohnwagenpark«, erklärte sie und zeigte auf die Reihen auf ihren Stellplätzen in der Ferne. »Und da ist das Sportzentrum.« Sie kniff die Augen zusammen und deutete auf eine Stelle vor den Wohnwagen, ein hässliches graues Betongebäude. »Wenn wir's erst mal bis dahin geschafft haben, sind wir doch sozusagen quasi fast daheim.« Es war die Entfernung zwischen ihnen und ihrem Ziel, die ihr Sorgen bereitete. »Wir müssen einfach irgendwie über diese Felder kommen.« Sie grinste.

Jack stieß die Luft aus und wischte sich wieder den

Schweiß ab. »Bist du dir da auch ganz sicher? Einen guten Orientierungssinn hattest du doch noch nie.«

Stella gab sich gespielt beleidigt. »Ich verfüge über einen ganz ausgezeichneten Orientierungssinn.«

Jack sah sie an, als wäre sie total verrückt geworden. Die Spannung löste sich. Sie lächelte. Er kam zu ihr hinüber, lief neben ihr her, als sie sich ihren Rock in die Unterhose steckte, damit er nicht mehr über den Boden schleifte, und sie ging entschlossen vorneweg. Jack passte sein Tempo ihrem an, und einmal berührte er sie im Gehen mit der Schulter. Als sie seinen Blick suchte, schüttelte er mit einem resignierten Lächeln den Kopf.

Schweigend gingen sie ein Stück weiter. Die warme Sonne leckte ihnen über die Haut. Stella deutete auf einen überwachsenen Trampelpfad vor ihnen, der seitlich an einer Schafweide entlangführte. Krumm gewachsene wilde Bäume ließen ihn fast so dunkel wie einen Tunnel erscheinen. Jack bog eine Brombeerranke zurück, damit seine Frau vorbeikam.

»Danke.«

»Gern geschehen.«

Im Schatten fühlte sich der Schweiß auf Stellas Armen kühl an. Wieder wischte sich Jack mit seinem T-Shirt die Stirn ab.

Stella pflückte ein Blatt vom Wegrand und drehte es zwischen den Fingern hin und her. »Wie sieht's aus, willst du mit dem nächsten Punkt auf der Ehe-TÜV-Liste weitermachen?«, fragte sie.

Jack trat einen Stein aus dem Weg. »Was war noch mal Punkt eins auf der Liste?«

»Mehr Sex.«

»Ach ja, stimmt.« Jack musste lachen. »Das hat doch richtig gut funktioniert, oder?«

Stella sah sich um. »Wenn du möchtest, tun wir's einfach hier.«

»Was denn? Du meinst Sex?« Jack war wirklich schockiert. »Ich will hier keinen Sex haben, es könnte doch jederzeit jemand vorbeikommen.«

»Hier kommt bestimmt niemand vorbei, es ist ja gar niemand in der Nähe.«

»Stella, ich werde ja rot«, sagte Jack lachend. »Nein.« Er schüttelte den Kopf. »Das ist mein voller Ernst.«

Die dunkle Stille des Tunnels schloss sich um sie.

»Warum denn nicht? Man lebt schließlich nur einmal.« Genau genommen war Stella gar nicht so scharf darauf, gerade jetzt Sex zu haben. Hier, auf einem verlassenen Trampelpfad – wie sollte sie den Brombeerranken entkommen? Sie hatte das Ganze bloß vorgeschlagen, um Jack ein bisschen aufzuziehen, aber dass er sich so entschieden weigerte, setzte ihr doch zu. Sie hatte geglaubt, sie beide wären die Sorte Paar, die so etwas wenigstens ausprobiert hätte, oder vielleicht hatte sie auch die Befürchtung, sie wären genau das nicht, und das machte die Sache besonders wichtig.

Stella mit dem Schandmaul und ihr Mann hätten ganz bestimmt auf einem verlassenen Trampelpfad miteinander geschlafen. Wenn es drauf angekommen wäre, hätten es die beiden wohl sogar auf einer belebten Einkaufsstraße getan.

Das wäre Stella zu weit gegangen, doch sie wollte eine Bestätigung, dass Jack und sie es noch draufhatten. Dass sie sich aus ihrer Komfortzone heraustrauten, um umzusetzen, was vielleicht nur eine alberne Zeitschriften-Challenge war, aber eine Herausforderung blieb – der Beweis, dass sie nicht irgendwo im mittleren Alter festsaßen. Sich nicht auf der Durststrecke befanden, von der Stella immer mehr befürchtete, sie machten genau diese gerade durch. Sie blieb stehen. »Jetzt komm schon. Da drüben sind ein paar Bäume. Da sieht uns wirklich niemand.«

Sie wollte nicht, dass ihre Beziehung nun zu denen gehörte, in denen man niemals Sex auf einem Feld haben würde. Dieser Gedanke löste größere Traurigkeit in ihr aus, als sie erwartet hatte. Los, Jack, dachte sie. Sag einfach Ja!

Jack sah sie an. »Stel, mir ist total heiß. Wir haben unser Auto irgendwo am Straßenrand stehen lassen. Und außerdem sollen wir doch herausfinden, wo dein Vater steckt. Da musst du es mir schon nachsehen, dass ich dich nicht bei der erstbesten Gelegenheit bespringe.«

Stella trat nach einem Stück Gras mit Erde. Sie seufzte und sah sich um. »Ja«, räumte sie widerwillig ein, »du hast vermutlich recht.«

»Dann lass mal hören, was steht als Nächstes auf der Liste?« Mit seiner Frage reagierte Jack auf wohlwollende Weise auf ihr stilles Gekränktsein.

»Ist doch jetzt egal«, gab Stella zurück.

»Nein, sag schon.«

Sie traten aus dem Tunnel heraus auf eine weite Fläche mit Kornfeldern, Mohnblumen und weißen Schmetterlingen, die sich wie Farbspritzer vom Gelb der Ähren abhoben. Stella stemmte die Hände in die Hüften und starrte in die Weite vor sich. »Wir müssen einander sagen, was wir am anderen am meisten schätzen.«

Jack tippte sich an die Stirn, um zu zeigen, dass er die Herausforderung annahm. »Okay«, sagte er, »das ist leicht.«

Stella lief weiter. Das Korn reichte ihr bis zur Taille.

Jack folgte ihr und holte sie rasch ein. »Ich schätze an dir, dass du so witzig bist.«

Stella zuckte leicht mit den Schultern.

Jack grinste. »Ich schätze an dir, dass deine Haut so jung aussieht.«

»Nun mach aber mal halblang«, schnaubte Stella. »Und du brauchst auch nicht an jedem Satzanfang *Ich schätze an dir* zu sagen, weißt du.«

Er lachte. »Ich schätze an dir, dass du so viel für die Kinder tust.«

»Das ist ein nettes Kompliment.«

»So ist es auch gemeint. – Ich schätze an dir, dass du so eine gute Mutter bist. Allerdings bin ich der Ansicht, du solltest mit Sonny reden.«

Stella blieb abrupt stehen und wandte sich um. »Und was soll ich zu ihm sagen?«, wollte sie wissen. Sie klang aufrichtig ratlos. »Dass es in Ordnung ist, seine Mutter eine Bitch zu nennen, die ganze Zeit damit zu verbringen, auf einem Bildschirm Leute zu töten, und dann durch seine Prüfungen zu fallen? Das wäre dann wohl angemessen.«

Sie standen einander gegenüber und sahen sich an.

»Nein, das meine ich nicht.« Beschwichtigend hob Jack die Hände. »Es ist nur, dass wir gerade hier sind, weg von zu Hause. Vielleicht kannst du das Ganze als Time-out betrachten«, meinte er und legte den Kopf schief. So wollte er sie ermutigen, Vernunft anzunehmen. »Sprich mit ihm unter vier Augen. Lerne ihn neu kennen.«

Stella schaute in die andere Richtung, über das Feld. Als sie darüber nachdachte, verlangsamte sich ihr Herzschlag, weil sie wusste, dass ihr Mann recht hatte. »Okay, schön«, gab sie zurück und lief wieder seitlich am Feld entlang, wandte sich nach einigen Schritten um und fügte hinzu: »Du solltest aber wissen, dass die Verwendung des Begriffes Time-out zu den Dingen gehört, die ich an dir *nicht* schätze.«

Jack grinste.

»Sonst noch was?«, wollte Stella wissen.

»Da muss ich nachdenken.«

»Darüber, was du an mir schätzt?«

»Ja, das lässt sich nicht so leicht in Worte fassen. Ich schätze zum Beispiel, dass du so gut aussiehst – ich finde nämlich, das tust du wirklich. Aber das klingt so oberflächlich.«

»Das ist völlig okay für mich«, erwiderte Stella, und ein leichtes Lächeln spielte um ihre Lippen.

»Ich schätze an dir, dass du so stark bist. Nicht wie ein Gewichtheber – ich meine deine Charakterstärke.«

»Du findest, ich habe Charakterstärke?«

»Natürlich.«

»Das finde ich nicht.«

»Aber sicher doch.« Jack nickte bekräftigend.

Schweigend gingen sie nebeneinanderher.

Dann fragte Jack: »Und du? Was schätzt du an mir?«

»Gar nichts«, gab Stella schlicht zurück.

Jack musste lachen.

Stella versuchte ein Lächeln zu unterdrücken.

Als sie weitergingen, rieben ihre Fingerknöchel aneinander.

Stella warf ihrem Mann einen Blick zu. Jack tippte sich an den Kopf, weil er unsicher war, ob sie noch etwas sagen würde. Stella schluckte. Solche Dinge lagen ihr nicht besonders. Dann setzte sie an: »Ich schätze an dir ...«

Doch sie konnte den Satz nicht beenden, da ihr Handy klingelte.

Amys Name blinkte auf dem Display auf. »Hi, Amy«, begrüßte Stella ihre Schwester. »Alles okay? Alles in Ordnung mit den Kindern?«

»Alles klar«, gab Amy zurück, aber dann brach ihre Stimme immer wieder weg, weil der Empfang so schlecht war.

»Sag einfach schnell, was los ist. Ich kann dich nur ganz schlecht hören.«

»Schwimmen«, sagte Amy.

»Schwimmen?« Stella runzelte die Stirn.

»Im Londis. Die Frau im Londis. Schwimmen war er, hat sie gesagt.«

»Unmöglich.« Stella schüttelte den Kopf. »Er war seit der Sache mit Bobby nicht mehr schwimmen.«

»Im Schwimmbad«, ergänzte Amy.

»Da sind wir gerade ganz in der Nähe«, erklärte Stella und hob die Stimme in einer vergeblichen Anstrengung, den schlechten Empfang auszugleichen.

Dann brach die Verbindung völlig zusammen.

»Er war im Schwimmbad.« Stella sah zu Jack hoch, völlig verwirrt.

»Das habe ich mitbekommen«, meinte ihr Mann. Beide schauten zu dem hässlichen grauen Sportzentrum hinüber, von dem sie bloß ein Feld trennte.

»Ist es in Ordnung für dich, wenn wir hingehen?«, erkundigte er sich vorsichtig.

»Für mich?« Stella schnaufte bloß kurz und setzte ihre Sonnenbrille auf. »Für mich ist das kein Problem.«

II. Kapitel

Im Sportzentrum roch es genauso wie in Stellas Erinnerung. Nach Chlor und nach Füßen. Die Bezeichnung »Sportzentrum« war viel pompöser als das, was das Gebäude tatsächlich zu bieten hatte. Eigentlich handelte es sich nur um einen Pool, einen Raum mit ein paar Gewichten und einer Kaffeeecke, die lediglich zu Stoßzeiten besetzt war. Ansonsten gab es Getränke und Snacks bloß aus denen der drei Automaten, die gerade funktionierten.

Als sie am Empfangsschalter stand, war Stella ein wenig schwindlig. Als würde sie von nicht greifbaren, aber überwältigenden Erinnerungen wie mit leichten Boxhieben bearbeitet. Das Muster auf den Kacheln in der Halle war noch dasselbe – ganze Reihen leicht geriffelter beiger Quadrate mit winzigen sommersprossenartigen schwarzen Flecken. Zwei waren von der Wand gefallen und hatten Zickzacklinien aus gelbem Kitt zurückgelassen. An der Decke hingen dieselben Neonlichter, und dieselben alten Schwingtüren führten zu den Umkleidekabinen.

Neu und anders war bloß das schicke neue Empfangspult aus Glas mit automatischen Schranken für das Betreten und Verlassen der Badezone. Es passte überhaupt nicht in das heruntergekommene, abgenutzte Gebäude. Stella ertappte sich dabei, es wegzuwünschen, und der etwa neunzehnjährige Surferboy mit den sonnengebleichten, salzstarren Dreadlocks hinter der Theke sollte am besten gleich mit verschwinden. Es hatte ihr gefallen, als die alte Peggy noch dort saß, mit ihrer Tasse superstarkem Tee, der neben ihr kalt wurde, ihren sporadischen Spaziergängen rund um den Pool, während denen sie mit den Bademeistern sprach und die Rezeption unbesetzt ließ, sodass man sich für eine Gratisschwimmrunde hereinschleichen konnte. Mit ihrem Strickzeug, ihren Anfeuerungsrufen, dem kaum merklichen Nicken, mit dem sie andeutete, dass es ihr nicht entging, wenn man gerade seinen eigenen Trainingsrekord gebrochen hatte.

»Hi«, wandte sich Stella an den coolen Surfertypen.

Er war auf Snapchat zugange. Stella begriff den Reiz von Snapchat nicht – ihr leuchtete einfach nicht ein, warum jemand ein Bild von sich mit Hundeohren oder einer Hundeschnauze haben wollen sollte.

Er sah auf und lächelte, weil er gerade etwas Amüsantes gelesen hatte. »Hi«, gab er zurück, legte das Smartphone hin und presste beide Handflächen auf die Theke, um sich auf seinem Drehstuhl heranzuziehen. »Zweimal Schwimmen?«, wollte er wissen und tippte bereits den Preis in seinen Computer ein.

»Nein.« Stella schüttelte den Kopf.

»Oh.« Mit einem frechen Grinsen schaute er auf. Er war auf geradezu schmerzhaft jugendliche Weise gut aussehend. Stella erwischte sich dabei, wie sie immer wieder ihr Haar aufschüttelte, sich den Rock aus der Unterhose zog und nach einer Möglichkeit Ausschau hielt, ihr Spiegelbild zu überprüfen. Sie war doch sicher völlig verschwitzt, und ihr Make-up hatte sich bestimmt in der Hitze verflüchtigt.

»Ist Pete da?«, erkundigte sie sich und stellte fest, dass sie die Frage auf unerwartete Weise nervös machte. Auf einmal musste sie sich selbst Mut zusprechen, da ihr vielleicht eine Begegnung bevorstand.

Der Typ nahm den Telefonhörer ab und sah beim Eintippen der Nummer zu Stella auf. »Wie heißen Sie denn?«

Stella zögerte kurz. »Sagen Sie ihm, Stella ist da.«

Sie spürte, wie ihr Jack eine Hand auf den Rücken legte. Fast wünschte sie sich, er würde sie wieder wegnehmen. Sie wollte ganz allein stark wirken.

Das Freizeichen hallte laut nach, während sie darauf warteten, dass jemand am anderen Ende reagierte. Plötzlich erschien auf dem Gesicht des Typen ein Ausdruck des Wiedererkennens, als er sie stirnrunzelnd fragte: »Stella? Wie in Stella Whitethorn?«

»Nun, inzwischen heiße ich Stella French, weil« – bei diesen Worten zeigte sie auf Jack –, »aber stimmt, früher hieß ich Stella Whitethorn.« Ihre eigene Erklärung erschien ihr peinlich und verworren.

Der Typ verzog das Gesicht zu einem Lächeln. »Cool.« Dann ging jemand an den Apparat, und er sagte: »Hey, Pete, Stella Whitethorn ist hier und möchte mit dir reden!«

Zwei Minuten später, die ihr ewig lange vorkamen, da sie so nervös war, öffnete sich mit einem Schlag die Seitentür und Pete erschien. Zuallererst sah man seinen Bauch und die vom Körper abstehenden Arme. Es fehlte nur die Zigarette, die ihm früher ständig zwischen den Lippen gehangen hatte. Außer Pete kannte Stella niemanden, der gleichzeitig herumbrüllen und rauchen konnte.

»Schau an, wen haben wir denn da? Was führt dich hierher?«, begrüßte er sie mit einem breiten Grinsen und öffnete dabei sowohl die Arme als auch den Mund, sodass man sehr gut sein Gebiss sehen konnte, als er lächelte. Er drückte die Knöpfe für die hypermoderne Tür, und Stella und Jack betraten den Flur.

»Pete«, sagte Stella und blieb stocksteif stehen, als er sie in eine unerwartete Umarmung zog. Er roch noch genauso wie früher. Nach Schweiß und Kaffee. »Du hast dich kein bisschen verändert«, kommentierte sie voller Überraschung darüber, dass das wirklich stimmte, als wäre er eine staubige Wachsfigur, die man in irgendeinem Keller ausgegraben hatte.

»Nur das Haar hat sich gelichtet.« Er klopfte sich auf die dünnen Strähnen. »Dafür habe ich hier ein bisschen zugelegt«, fügte er hinzu und klopfte sich auf den erstaunlich großen Bauch.

»Dann wirst du eben wieder ins Becken müssen«, meinte Stella, weil ihr nichts Besseres einfiel. Das Blut, das ihr Gehirn hätte versorgen sollen, wurde an anderer Stelle gebraucht, denn einige ihrer Sinne arbeiteten gerade wie wild.

»Dasselbe könnte ich zu dir sagen, meine Liebe.« Die Retourkutsche kam langsam und mit Bedacht, und in Petes wettergegerbter Haut entstanden Falten, als er grinste.

Stella wusste nicht anders zu reagieren, als nicht auf den Kommentar einzugehen. Stattdessen sagte sie: »Das hier ist Jack, mein Mann«, und es klang ein wenig übervornehm.

»Freut mich«, erklärte Pete und hielt dem anderen seine Stummelfinger hin.

Jack erwiderte die Geste mit seinem üblichen festen Händedruck und charmantem Small Talk, während Pete sie den Flur hinunterführte, durch die Umkleidekabinen und hinaus in das weite Blau der Schwimmhalle.

Stella blieb an den metallsilbernen Schranken stehen, da der Chlorgeruch sie überwältigte. Als sie durch die Umkleidekabinen gingen, spürte sie das Kribbeln des so vertrauten Adrenalinstoßes. Jedes Geräusch löste eine wahre Kettenreaktion in ihrem Kopf aus: das Zuknallen von Spindtüren, das Herumdrehen der Schlüssel, Schritte auf den nassen Bodenfliesen, das Zischen und Schnaufen der Filteranlage. Sie sah zu, wie eine alte Dame quälend langsam auf der mittleren Bahn schwamm. Alles war ihr so vertraut.

»Alles beim Alten, was?« Pete schob Stella nach vorne. Sie wollte nicht, dass er sie berührte. »Wir können uns ins Büro setzen. In zehn Minuten habe ich eine Unterrichtsstunde.«

»Wir wollen dich auch gar nicht lange aufhalten.« Stella konnte einfach den Blick nicht vom Wasser abwenden – dieses zu blaue Blau, die Schnur mit den Styroporkugeln, die schwarzen Zahlen auf den Kacheln, die Fahnen im Fünfmeterabstand.

»Außer natürlich, du möchtest mir bei der Stunde helfen?«, schlug Pete vor und öffnete die Bürotür.

Stella rang sich ein künstliches Lachen ab.

Auch im Büro hatte sich nichts verändert. Mit Papier gefüllte Boxen übereinander, mehrere Reihen von Aktenordnern, angeschlagene Pokale, die Pinnwand aus Kork, und der achtlos zur Seite geworfene Rettungsring – alles erschien ihr so vertraut. Als wäre hier drinnen die Zeit stehen geblieben, als wären alle Relikte hier aufbewahrt und hätten nur darauf gewartet, dass Stella den Raum wieder betrat.

Pete deutete auf die Stühle gegenüber dem Tisch, schob von einer Sitzfläche einen Stapel Papier auf den Boden. Sofort fühlte sich Stella wieder winzig klein. Als würde man sie gleich verhören. Ihre Handteller wurden feucht, und sie drehte ihre Hände um und betrachtete den Schweißfilm erstaunt, versuchte dann, ihn unauffällig an ihrem Rock abzuwischen. So hatte sie sich schon seit Jahren nicht mehr gefühlt.

Sie band sich das Haar neu zusammen, zog es sich aus dem Nacken, setzte sich anders hin, während sie sich innerlich selbst Mut zusprach: Du bist erwachsen, du bist Pete ebenbürtig. Aber dann musste sie daran denken, wie sie zusammengezuckt war, als Pete früher mit der Hand an die Wand geschlagen und dabei gebrüllt hatte: »Du Bitch! Ich könnte dich verdammt noch mal gerade umbringen, Stella, weißt du das? Ich bin so unglaublich wütend auf dich!« Ihr Vater hatte mit steinerner Miene und schweigend neben ihm gestanden.

»Also«, setzte Pete an und lehnte sich zurück, die Hände über dem Bauch gefaltet. Der Stuhl quietschte unter seinem Gewicht. »Ich nehme an, bei deinem Besuch geht es um Graham?«

Stella nickte.

Weil Jack bemerkt hatte, wie schwer es seiner Frau fiel, darauf zu antworten, sagte er: »Wir haben gerade erfahren, dass er wieder schwimmen war.«

Pete beugte sich rasch im Stuhl nach vorne und schüttelte den Kopf. »Ach ja?«

Stella und Jack tauschten einen Blick.

Stella bemerkte, dass sie mit beiden Händen die Stuhlkante umklammerte. »War er denn häufiger hier?«

»Nicht oft«, entgegnete Pete und lehnte sich wieder in seinem Stuhl zurück. Er nahm sich Zeit, die beiden gründlich zu begutachten, und ganz offensichtlich genoss er die Tatsache, dass er Dinge wusste, die ihnen unbekannt waren. »In letzter Zeit ein paarmal. Einmal letzte Woche«, fügte er hinzu und musterte Stella mit hartem Blick.

In diesem Moment wusste Stella, dass es ein Fehler gewesen war, hierherzukommen. Sie hasste das Gefühl, nicht nur zurückgekehrt, sondern auch wieder von Pete abhängig zu sein. Gerade wollte sie sich bedanken, aufstehen und gehen, als Jack fragte: »Hat er vielleicht Ihnen gegenüber erwähnt, was er vorhat?«

Wieder zog Pete einen Mundwinkel nach oben. Stella krümmte sich innerlich. Er genoss dieses ganze Hin und Her offensichtlich. Es amüsierte ihn, dass sie nicht wussten, wo Graham war, dass sie Pete um Auskunft bitten mussten. »Lassen Sie mich mal nachdenken«, meinte er und kratzte sich am Bauch. »Ach, oh, da ist ja mein Schüler.« Er nickte in Richtung Pool und zögerte seine Antwort auf Jacks Frage absichtlich hinaus – das glaubte jedenfalls Stella. »Tut mir leid, die Pflicht ruft.«

Stella und Jack erhoben sich und sahen, dass ein schlaksiger, nervös wirkender Junge in grüner Badehose vor der Tür stand.

Pete riss sie auf und rief: »Buh!«

Der Junge fiel vor lauter Schreck beinahe vornüber.

Pete lachte schallend.

Stella schüttelte den Kopf. »Immer noch dieselben alten Tricks, was?«

»Schließlich ziehen sie nach wie vor«, gab er lachend zurück, und es klang kehlig und selbstbewusst.

Hinter ihm beeilte sich das schlaksige Kind, zum Becken zu kommen. Wahrscheinlich war der Junge bloß ein wenig jünger als Sonny.

»Okay, du schwimmst jetzt erst mal zehn Bahnen zum Aufwärmen. Los!« Pete klatschte in seine fleischigen Hände, und der Junge sprang ganz verschreckt ins Becken.

Pete stellte sich neben Stella. Immer noch konnte sie förmlich riechen, welche Macht er über sie hatte. Sie verspürte das Bedürfnis, Abstand zwischen sich und ihm zu schaffen, zwang sich jedoch, sich nicht von der Stelle zu rühren, weil sie daran dachte, wie Jack gemeint hatte, sie hätte Charakterstärke. Sie fühlte sich alles andere als stark.

»Zehn Bahnen?«, versuchte sie einen Witz. »Ich dachte, es wären zwanzig?«

Pete zuckte die Achseln. »Dann bin ich wohl altersmilde geworden.«

Hinter ihm zog Jack eine Grimasse, als grause es ihm bei dem Gedanken, wie Pete wohl früher gewesen war.

Stella sah zu, wie der dürre Junge ungeschickt und mit vielen Wasserspritzern seine Bahnen absolvierte. Das Herz zog sich ihr schmerzhaft zusammen.

»Ach, sie fehlt mir, die gute alte Zeit.« Auch Pete schaute dem Jungen zu. »Sieh dir doch bloß den jetzigen Nachwuchs an.«

»Na, dann sorge mal dafür, dass er besser wird. Statt dich hier mit uns zu unterhalten«, erwiderte Stella gespielt vorwurfsvoll. Das diente ihr als Entschuldigung, sich zurückzuziehen. »Er weiß doch offensichtlich gar nicht, was er mit den Armen machen soll. Was tut er da mit dem Ellbogen?«

»Willst du die Stunde nicht übernehmen?«, erkundigte sich Pete, und mit einem Schlag hatte sich seine Stimme verändert – fragender Tonfall, die buschigen Augenbrauen hochgezogen, da sie es gewagt hatte, auch nur anzudeuten, sie wüsste es besser als er.

»Auf keinen Fall«, entgegnete Stella mit einem gezwungenen Lachen, als wäre das Ganze ein amüsanter Wortwechsel unter Freunden.

Pete schmunzelte, als hätte er sie aufgezogen. »Beruhige dich mal«, sagte er, als wäre sie es gewesen, die sich zu verteidigen suchte. Dann starrte er auf den grauenhaften Schwimmer und stieß die Luft aus, ergab sich in sein Schicksal für die nächste halbe Stunde. Scharf blies er in seine Trillerpfeife. »Ellbogen hoch«, schrie er. »Hoch!« Dann schüttelte er wieder den Kopf.

»So, wir gehen dann besser mal und lassen dich deine Arbeit machen«, verkündete Stella und trat ein paar Schritte rückwärts. »Wohin er wollte, hat er nicht gesagt, nehme ich an?«, fügte sie hinzu, bloß um sicherzugehen.

»Nein.« Pete schüttelte den Kopf. Ohne den Blick von dem Jungen im Pool abzuwenden, fügte er hinzu: »Trotzdem irgendwie komisch, dass gerade du hier nach ihm fragst, oder …?«

Stella fuhr sich mit der Zunge über die Lippen und stellte sich auf das ein, was er gleich von sich geben würde. Etwas als »irgendwie komisch« zu bezeichnen und dann seine Gedanken kundzutun, gehörte zu Petes Lieblingsbeschäftigungen. »He, Stella, irgendwie komisch, dass du diese Bahn langsamer absolviert hast als die davor, oder? Ich würde ja gern behaupten, es liegt an deiner Müdigkeit. Aber leider bist du wohl einfach nur verweichlicht. Das Einzige, wovor du dich nicht fürchtest, ist das Versagen.«

Pete wandte sich um, um sie anzusehen, und dabei bewegte er den Kopf wie ein Löwe, betont träge und zugleich wie eine tödliche Gefahr. »Ich meine, wenn man bedenkt, dass du ihn fast umgebracht hast.«

Stocksteif stand Stella da, starrte ihm auf die Lippen, die er zu einem Grinsen verzog.

Aus den Augenwinkeln nahm sie wahr, wie Jack die Stirn runzelte. Sie spürte, dass er kurz davor war, etwas wie »Ich glaube, das reicht jetzt« zu sagen.

Aber dazu kam es nicht, weil Pete einfach davonschlenderte. Dann blies er in seine Trillerpfeife, um den miserablen kleinen Schwimmer anzufeuern.

»Bist du okay?« Jack kam auf sie zu und legte ihr den Arm um die Schultern. Sofort schüttelte Stella ihn ab, denn Pete sollte auf keinen Fall sehen, dass sie Unterstützung brauchte. »Der Kerl ist ein Arschloch«, sagte sie, während sie dabei zusah, wie Pete seinen breiten Oberkörper über die Barriere hievte und dem Jungen im Wasser eine spöttische Bemerkung zurief. »Das war er schon immer und wird es auch immer bleiben.«

»Komm, lass uns gehen«, sagte Jack und berührte sie kurz am Rücken.

»Ja.« Zusammen marschierten sie zum Ausgang auf der anderen Seite des Schwimmbeckens.

Pete stand nach wie vor mit der Stoppuhr in der Hand an der schmalen Beckenseite, und neben ihm bereitete sich das Kind auf die nächste Bahn vor. Es konnte sich kaum am Rand festhalten und gleichzeitig die Schwimmbrille zurechtrücken.

»Du, hör mal.« Bevor sie genau wusste, was sie da tat, ging Stella in die Hocke, um auf Augenhöhe mit dem Jungen zu sein. Gleichzeitig zog sie ihren Rock zu sich heran, damit dieser nicht in die Wasserpfützen rund um den Pool geriet. Das Kind blinzelte zu ihr hoch, und das glänzende Licht brach sich in seiner Schwimmbrille.

»Sag deiner Mutter, sie soll dir einen anderen Schwimmlehrer suchen«, meinte sie.

Von dem Gesichtsausdruck des Kindes war abzulesen, dass es sie für verrückt hielt. Der Junge erinnerte sie an Sonny. »Ich meine es ernst«, fuhr sie fort. »Das hier soll Spaß machen. Keine Quälerei sein.«

»Whitethorn, was soll das werden?«, bellte Petes Stimme vom schmalen Ende des Beckens her.

Stella richtete sich auf. »Ich habe ihm die Sache mit den Ellbogen erklärt. Wie man das richtig macht.«

Pete kniff die Augen zusammen.

Stella lächelte. So breit, dass ihr fast die Wangenknochen wehtaten.

Dann wandte sie sich wieder an den Jungen. »Mach das so, ja?«

Pete blies in seine Trillerpfeife, laut und scharf. Stella zuckte zusammen. Sah zu, wie das Kind immer weiterschwamm. Unter heftigem Klatschen und großen Mühen. Er erinnerte sie an Sonny. Und dann plötzlich an sich selbst.

Die endlosen Bahnen im marineblauen Badeanzug und mit der weißen Bademütze. Die Trillerpfeife. Gebrüllte Befehle, die unter Wasser bloß als dumpfes Grollen ankamen. Müde Fohlengliedmaße, von Gänsehaut überzogen, während sie zitternd auf Anweisungen wartete.

Eine Vision von ihrem Vater und Pete überfiel sie. Jeder Stand an einem Ende des Beckens. Beide mit Stoppuhren in der Hand, in den glänzenden »1970s Great Britain Team«-Sweatjacken, mit dem gleichen harten Blick in den Augen. Pete mit seiner Zigarette.

»Das war nichts. Noch mal.«

»Das war wieder nichts. Noch mal.«

»Nein! Noch mal.« Die Hände erhoben, voller Unglauben über ihre Langsamkeit.

»Das ist einfach Zeitverschwendung, was du da machst, Stella. Du verschwendest unsere Zeit, und deine eigene auch. Willst du nach Hause gehen? Ich auch! Das kannst du mir glauben. Ich auch!« Ihr Vater sagte nie etwas. Schaute nur stumm zu. Das ganze anstrengende Brüllen überließ er Pete, bloß hin und wieder mischte er sich ein, indem er mit geschlossenen Augen den Kopf schüttelte oder eine Weisheit zum Thema Technik von sich gab, mit der sie eine Zehntelsekunde schneller würde werden können. Er war derjenige, den immer alle beeindrucken wollten.

Manchmal, wenn sie gerade eine Bahn absolviert hatte, schaute sie auf, und dann sah sie ihn. Die angespannte, unterdrückte Begeisterung. Auf schmerzliche Weise wertvoll in seiner Seltenheit. Wie ihr Vater die Stoppuhr klicken ließ und für einen ganz kurzen Moment begeistert eine Faust in die Luft streckte. Die kaum wahrnehmbare Zufriedenheit, ganz tief in seinem Inneren. Und dann würden Pete und er sich beraten, sie gingen gemächlich aufeinander zu, trafen sich auf halber Länge des Beckens. Anschließend stützte ihr Vater einen Arm an dem hohen Stuhl des Rettungsschwimmers ab, ließ den Blick träge über die Beine der Bademeisterin gleiten.

Stella nahm die Schwimmbrille ab, keuchte, wartete. Pete zündete sich eine neue Zigarette an, ging wieder davon und brüllte: »Letzte Runde!« Seiner Überzeugung nach strengten sich die Leute nicht mehr an, wenn man sie für gute Leistungen lobte. Aber ihr Vater ging immer an seinen Platz zurück, und sein Trainingsanzug glänzte in der Schwimmbadbeleuchtung, seine Frisur war ordentlich und seine Haut braun gebrannt von einem Aufenthalt in einem Trainingscamp irgendwo im Warmen. An den Füßen trug er immer Flip-Flops. Und dann, kurz bevor ihn jemand für einen kurzen Plausch anhielt oder ihm Peggy von der Rezeption einen Tee brachte und ihn dabei voller Bewunderung ansah, schaute er Stella kurz an und zwinkerte ihr zu. Und sie setzte ihre Badekappe ab, warf im Wasser den Kopf zurück und spürte, wie es kühl und scharf ihr Haar durchdrang. Sie schaute ins Neonlicht hinauf, um sich an einem einzigen Augenzwinkern zu berauschen.

Als Stella jetzt beobachtete, wie das Kind gerade so die halbe Bahn schaffte, dabei vom Kurs abkam und in die Styroporkugeln an der Seite prallte, überkam sie das immer stärkere Gefühl, dass sie ihn vermisste. Sie vermisste ihren Vater. Nicht den Mann, der er geworden, sondern den Mann, der er gewesen war. Das hier vermisste sie nicht – dieses Schwimmbad, Pete, die Stunden, die sie hier verbracht hatte und die ihr damals so wichtig erschienen waren und inzwischen so belanglos wirkten. Doch sie vermisste den Mann, der ihr zugezwinkert, der vor der Umkleidekabine mit seinem klassischen selbst gemachten Elektrolytdrink und Erdnussbuttersandwiches auf sie gewartet hatte. Der fragte: »Ist dir auch warm genug? Zieh mal den hier über.« Mit diesen Worten gab er ihr einen Pullover, den er für alle Fälle mitgenommen hatte.

Im Becken erreichte das Kind den Rand. Verächtlich schnaubte Pete: »Du lieber Gott, ich dachte schon, das schaffst du nie. Es gibt ja bereits gleich Mittagessen.«

»Stella?« Jack berührte sie am Arm.

Stella wandte dem Wasser den Rücken zu. Sie nickte Jack zu und verließ durch die Tür zu den Umkleidekabinen hindurch gemeinsam mit ihm die Schwimmhalle.

Draußen wandte sie sich noch einmal um, warf dem Sportzentrum einen letzten Blick zu. Sie wollte ihren Vater nicht vermissen. Zu viel Zeit hatte sie damit verschwendet, rational zu ergründen, wie er hatte zulassen können, dass all das hier wichtiger wurde als sie. Sie hatte sich auf zufriedenstellende, neutrale Weise von ihm abgenabelt. Die Gefühle wollte sie nicht zurück – die Gefühle, die den Wunsch in ihr weckten, ihm erst ins Gesicht zu schlagen und sich dann von ihm umarmen zu lassen.

12. Kapitel

Als Stella und Jack das Sportzentrum verließen, verdunkelte sich der Himmel. Das Laufen durch die Felder war längst nicht mehr neu und spannend, und durch die ersten Tropfen des warmen Sommerregens verflüchtigte es sich noch mehr.

Stella war abgelenkt. Um die verwirrenden Gedanken zum Verstummen zu bringen, die der Besuch im Schwimmbad in ihr ausgelöst hatte, überlegte sie sich Ausreden, sich die Kinder und das ganze Gepäck zu schnappen und nach Hause zu flüchten. Dass sie so still war, brachte Jack aus dem Konzept. Er hatte einmal gesagt, sie sei diejenige, die redete, und er derjenige, der reagierte – so funktionierte ihre Beziehung. Deswegen entstand ein Ungleichgewicht, wenn sie nichts sagte, und Jack fühlte sich, als hätte man ihm den Boden unter den Füßen weggezogen. So sehr, dass er stehen blieb, als sie ein leeres Feld erreichten. Er stemmte die Hände in die Hüften, der Schweiß rann ihm von der Stirn, und er sagte: »Dann los, lass es uns tun.«

Stella runzelte die Stirn. »Was denn?«

»Das mit dem Sex im Gebüsch.« Er klang übermäßig munter, wollte sie in die Normalität zurückholen. Er zog sogar sein Poloshirt ein Stück hoch.

Stella spürte, wie sie automatisch die Schultern sinken ließ. »Nein«, gab sie zurück, als hätte sie noch nie etwas so Lächerliches gehört. Sie blieb nicht einmal stehen.

Danach waren sie größtenteils schweigend weitermarschiert. Das Haus von Stellas Eltern erreichten sie gerade in dem Augenblick, als sich das sanfte Tröpfeln in einen Sturzregen verwandelte, der klang, als schlage jemand mit beiden Händen auf die Fensterscheiben. Der Anblick der starken Steinmauern und des Lichtscheins aus der Küche erfüllte sie mit Erleichterung.

»Da habt ihr aber Glück gehabt«, kommentierte Moira, als sie die Haustür öffnete. Sie trug eine Schürze mit dem geistreichen Slogan, fürs Kochen sei kein Wein mehr übrig. Offensichtlich rollte sie gerade den Teig für eine sommerliche Beerentorte aus.

Sonny lag der Länge nach auf dem Sofa, die Arme hatte er erhoben, um sich das Smartphone vors Gesicht halten zu können. Auf seinen Beinen schlief der Hund. Amy saß mit geschlossenen Augen im Sessel. Sie hatte Kopfhörer auf.

Als die Haustür ins Schloss fiel, setzte sich Sonny auf. »Was haben die Leute im Schwimmbad gesagt?«, erkundigte er sich.

Stella schüttelte den Kopf. »Nur, dass er ab und zu dort war. Sonst nichts.«

»Ich hatte keine Ahnung, dass er wieder schwimmen geht«, sagte ihre Mutter.

Kurz wirkte Sonny niedergeschlagen darüber, dass es keine Neuigkeiten gab.

Jack ging zu seinem Sohn und fuhr ihm durch das strubbelige Haar. »Wir finden ihn schon, mach dir keine Sorgen.«

»Möchte jemand eine Tasse Tee?«, fragte Moira.

Amy schob sich einen Kopfhörer von den Ohren und sagte: »Wie sollen wir ihn denn jetzt finden?«

Für Stella fühlte es sich an, als würden die Wände um sie herum immer enger.

Am Tisch spielten Gus und Rosie mit Rosies Barbie. Er baute ihr ein Haus aus einem Pappkarton. »Nein, nicht so, Gus!« Dramatisch seufzte Rosie, als er eine Tür mit Glitzerkleber bemalte.

»Alles okay, Gus?«, fragte Stella, als Rosie Gus genaue Anweisung gab, wie die Tür auszusehen hatte.

»Ich amüsiere mich prächtig, Stella, danke«, gab Gus zurück.

Stella schloss ihn sofort ins Herz. In diesem Moment. Sie ging nicht davon aus, dass es viele Leute gab, die Rosies Launen so klaglos hinnehmen würden.

Amy wandte sich um, um zu sehen, was da vor sich ging. Als sie Stella lachen sah, verzog sie das Gesicht, als wollte sie nicht, dass Gus witzig war, als durfte er ihrer Familie kein Amüsement verschaffen. Stella musste daran denken, wie stolz Amy auf Bobby gewesen war, wie sie förmlich an ihm geklebt hatte, wenn sie zusammen auf dem Sofa lagen und Cola light tranken. Sie hatte Bobby gemocht; er war auf eine kumpelhafte Art lustig gewesen, aber nach fünf bis zehn Minuten, in denen es normalerweise ums Surfen ging, hatte Stella nie gewusst, was sie noch zu ihm sagen sollte. Oft hatte sie sich gefragt, worüber Amy und Bobby wohl sprachen, wenn sie zusammen waren – wie sie ihre gemeinsame Zeit verbrachten. Sie machte sich Sorgen, weil sie vermutete, dass sich Amy wohl einen Großteil davon in derselben Situation befand wie ihre Mutter, nämlich damit, darauf zu warten, dass ihr Mann nach Hause kam. Dass sie ihr Cottage schön gestaltet hatte, während sie hoffte, er würde bald aus den Wellen hereingerannt kommen. Aber die Beziehung zwischen ihr und ihrer Schwester war nie so gewesen, dass Stella sie das hätte fragen können. Und wie hätte sie das auch formulieren sollen – »Bist du in deiner perfekten Ehe vielleicht einsam, Amy?«

Als spürte sie, dass Stella gerade über sie nachdachte und als gefiele ihr das nicht, setzte sich Amy in ihrem Sessel auf, zog sich die Kopfhörer von den Ohren und fragte: »Aber im Ernst, was machen wir denn jetzt? Wie sieht unser nächster Plan aus?«

Stella bedankte sich bei ihrer Mutter für die Tasse Tee, die wie von Zauberhand vor ihr erschien, und meinte dann: »Wir müssen morgen wieder nach Hause.«

Der Himmel draußen wirkte dunkel wie in einer Winternacht. Gabelförmige Blitze trafen die Meeresoberfläche.

»Wie bitte?« Amy war entsetzt.

Sonny beugte sich vor. »Wir können nicht nach Hause fahren. Grandpa ist doch immer noch verschwunden.«

»Du kannst gern fahren, Liebes, wenn du das möchtest«, meinte Moira ruhig. »Es gibt keinen Grund, hierzubleiben.«

»Es ist ja auch nicht so, dass ich fahren will. Wir müssen«, gab Stella zurück und wusste gleichzeitig, dass sie unbedingt fahren wollte. »Sonny, dein Vater muss schließlich wieder zur Arbeit gehen.«

Rasch drehte sich Sonny in Richtung seines Vaters. »Kannst du nicht freibekommen? Das ist doch ein familiärer Notfall.«

Jack nickte. »Nachfragen könnte ich auf alle Fälle mal.«

»Nein.« Stella lehnte das kategorisch ab.

»Dad!« Sonny schlug auf die Sofalehne, als Jack die Schultern zuckte, als müsse Stella diese Entscheidung treffen. »Das ist so unfair!«, schrie der Junge und stürmte durchs Zimmer, um sich neben Gus niederzulassen.

Verunsichert betrachtete Rosie mit weit aufgerissenen Augen die Szene.

Gus beugte sich zu ihr hin und flüsterte ihr etwas ins Ohr, das sie zum Kichern brachte und von der Anspannung ablenkte. Dann begannen die beiden damit, oben in das Pappkartonschloss kreative Muster zu schneiden.

Stella sah auf ihre Schuhe herunter.

Ihre Schwester stand da, eine Hand in die Hüfte gestemmt. »Das ist mal wieder typisch.«

Bevor sie aufsah, leckte sich Stella über die Lippen. »Was ist typisch?«

»Dass du wegfährst.«

»Ich bitte dich.« Stella stieß laut die Luft aus.

»Du fährst immer weg.«

»Ich fahre *nicht* immer weg.«

»Doch, tust du wohl.«

»Mädchen!« Moiras Tonfall war scharf.

Sie verstummten, schauten schmollend irgendwo auf den Boden. Niemand tauschte Blicke mit den anderen. Sonny saß vornübergebeugt da und schmollte ebenfalls, starrte wütend aus dem Panoramafenster, an dessen Scheibe der Regen nur so herunterlief. Gus und Rosie klebten schweigend Sticker auf den Pappkarton. Jack saß auf dem Sofa, die Ellbogen auf den Knien, die Hände gefaltet, den Kopf gesenkt. Moira wischte die rosafarbene Marmorplatte der Anrichte sauber. Die Regentropfen hämmerten gegen die Scheiben, beinahe fühlte man die Hände, die auf das Glas schlugen. Stella nahm einen Schluck Tee und verbrannte sich den Mund.

Über ihnen grollte Donner in den Wolken. Verängstigt sprang der Hund vom Sofa und trottete in die Küche hinüber, wand sich seinen Weg zwischen Moiras Beine. Niemand sagte etwas.

Dann hörte Stella, wie Sonny schnüffelte. Und noch mal.

Sie kniff die Augen zusammen und schaute in seine Richtung, weil sie herausfinden wollte, was er wohl vorhatte.

Gus hielt im Glitzerkleben inne.

»Kann hier noch jemand Kacke riechen?«, fragte Sonny und verzog das Gesicht.

»Sonny!«, ermahnte Stella ihren Sohn.

Rosie legte den Kleber weg, setzte sich gerade hin und schnüffelte laut. »Ich rieche was.«

Moira unterbrach ihre Wischarbeit und richtete sich auf, schnüffelte ebenfalls. »Ach, du liebe Zeit.« Sie wirkte, als wäre ihr das Ganze hochnotpeinlich.

Am Horizont zuckten Blitze.

Amy und Stella tauschten einen Blick. Die beiden wussten genau, was da vor sich ging.

Jack zuckte die Schultern und erhob sich, um zu Sonny hinüberzugehen. »Wahrscheinlich liegt das nur an den Abflussrohren, bei dem Regen.«

»Nein, das ist es nicht.« Stella schüttelte den Kopf.

Fasziniert schaute Gus zu ihr hinüber. »Was ist es dann?«

Moira ging zum Waschbecken hinüber, wo sich das

Wasser im Abfluss staute. Sie stützte die Hände auf den Rand und ließ den Kopf hängen. »Es liegt an der Faulgrube.« Sie wandte sich der Familie zu und verkündete: »Ich vermute, da gibt es eine Blockade.«

»Igitt, das ist ja widerlich«, rief Sonny lachend und gab Würgegeräusche von sich.

»Warum?«, quietschte Rosie, die von der ganzen Dramatik begeistert war. »Was bedeutet das denn?«

»Das bedeutet, dass das ganze Haus von Kacke überflutet wird.« Sonny grinste.

»Sonny, halt den Mund!«, befahl ihm Stella seufzend.

Sonny schnitt eine Grimasse in ihre Richtung. Rosie kicherte ganz aufgeregt.

»Schnell, wir müssen einen Handwerker holen«, rief Amy und hielt ihr Telefon in die Gegend, damit jemand anderes es nehmen und die Aufgabe des Anrufens und Erklärens übernahm.

»Bei dem Wetter kommen die sowieso nicht«, meinte Moira und schaute hinauf in den wolkenverhangenen Himmel.

»Mum, die Leute hören doch nicht auf zu arbeiten, bloß weil es regnet«, gab Amy zurück und runzelte dann die Stirn, als sie das Display betrachtete. »Oh, ich habe überhaupt keinen Empfang. Sonst jemand?«

Niemand hatte Empfang.

Alle Lichter gingen aus.

»Oh, Stromausfall«, kommentierte Rosie begeistert. »Soll ich Kerzen holen?« Sie sprang auf und machte sich im Schrank unter der Treppe auf die Suche.

»Rosie, wir brauchen keine Kerzen.« Stella ging zu

ihrer Tochter hinüber und hinderte sie daran, alles aus dem Schrank zu reißen. »Wir sehen noch genug«, fügte sie hinzu und zeigte hinaus in das graue Dämmerlicht des Nachmittags.

Schmollend schob Rosie die Unterlippe vor. »Ich mag aber Kerzen.«

Amy stand in der Nähe des Wohnzimmers und drückte die Tasten des Festnetztelefons. »Es funktioniert nicht!«

Jack nickte und probierte es ebenfalls. »Das haben kabellose Telefone bei Stromausfall so an sich.«

»Woher weißt du das?«, erkundigte sich Gus, verblüfft und beeindruckt zugleich.

Jack zuckte die Schultern.

»Solche Sachen weiß Jack«, kommentierte Stella. »Solches Zeug ist sein Ding.«

»Was denn für Zeug?« Gus wirkte verwirrt.

»Komisches, unnützes Wissen«, erklärte Stella.

Gus lachte. »Sehr praktisch, so was.«

Jack verzog das Gesicht, als wäre er beleidigt. »Ich finde immer, dass man es manchmal doch ganz gut gebrauchen kann. Und das habe ich ja auch gerade bewiesen.« Er machte eine Handbewegung in Richtung Telefon.

»Kannst du's reparieren?«, wollte Gus wissen.

»Nein«, erwiderte Jack. »Aber wenigstens weiß ich, warum es nicht funktioniert.«

Stella verdrehte die Augen und ging an eines der Fenster.

Gus stellte sich neben sie. »Wo ist denn diese Faulgrube?«

»Da drüben.« Stella deutete auf den Grashügel hinter dem rosa Hortensienbusch, wo ihre Mutter früher bei den

Gartenpartys immer ein Festzelt aufstellen ließ. »Direkt neben der Treppe ist ein Gullyloch mit Deckel. Ein Rohr führt von den ganzen Abflüssen im Haus unter der Auffahrt entlang. Siehst du, da ist ein Abflussdeckel.« Sie deutete zu dem blubbernden Wasser, das aus einem Rohr in der Mitte der Kiesauffahrt kam.

Gus musste zwischen den Wasserströmen an der Fensterscheibe hindurchspähen. »Ah, jetzt sehe ich ihn. Was machen wir denn nun?«

»Wir müssen da raus und uns die Sache genauer ansehen. Feststellen, ob es wirklich eine Blockade gibt.« Stella schüttelte sich. »Brrrr. Eine widerliche Angelegenheit.«

Jack gesellte sich zu ihnen. Alle drei starrten aus dem Fenster.

»Na ja.« Gus zuckte die Achseln. »Ich finde, das klingt schon ziemlich aufregend.«

Stella verzog das Gesicht, als könnte das einfach nur ein Witz sein.

Gus grinste.

Amy mischte sich ein. »Daran ist überhaupt nichts Aufregendes, Gus. Wir sitzen ohne Strom da, und wenn wir nichts unternehmen und niemanden anrufen, wird sich der ganze Dreck ins Haus zurückstauen, da hat Sonny recht.«

Gus schmunzelte, als würde Amy das alles unnötig dramatisieren.

Amy quittierte das mit einem bitterbösen Blick.

»Also los, es hat überhaupt keinen Sinn, wenn wir weiter hier rumstehen und quatschen.« Jack klatschte in die Hände. »Was können wir unternehmen, Moira?«

Moira wirkte unsicher. »Darum kümmert sich normalerweise Graham«, sagte sie stumpf. »Er hat Handschuhe und Stangen in der Garage. Damit bekommt er das Rohr wieder frei, wenn es denn tatsächlich blockiert ist.«

»Igitt!« Sonny machte wieder Würgegeräusche. Rosie musste so sehr lachen, dass sie fast zusammenbrach.

Stella seufzte.

»Alles klar.« Jack straffte die Schultern. »Also gut. Handschuhe und Stangen in der Garage.« Als er zur Garderobe ging, um sich seinen Anorak zu holen, wirkte er ein wenig niedergedrückt, als müsse er in den Krieg ziehen.

»Ich helfe dir«, verkündete Gus und folgte ihm mit beschwingten Schritten.

»Oh, das ist schrecklich nett, Gus.« Moira durchsuchte die Stange nach einem Regenmantel. »Hier – die müsste passen«, meinte sie und reichte ihm Grahams alte Anglerjacke. »Ich weiß gar nicht, wie das jetzt alles wirkt. So ist es hier normalerweise nicht.«

Jack hatte inzwischen seinen grauen Anorak angezogen und band die Kapuze unter seinem Kinn fest. »Sonst noch jemand? Wir brauchen mehr Leute als zwei, glaube ich.«

»Ich helfe euch, aber dafür muss ich den Rock ausziehen«, erklärte Stella und ging nach oben.

»Ich mache auf keinen Fall mit«, murmelte Amy und verschränkte die Arme vor der Brust.

»Warum denn nicht, das ist doch lustig!«, fragte Gus, der in der riesigen grauen Jacke mit den unzähligen Taschen fast versank. »Ich bin auf einer Farm aufgewachsen. Ich habe schon eine ganze Menge Scheiße gesehen im Leben.«

»Kommt nicht infrage.« Amy schüttelte den Kopf. »Das sind doch Exkremente. Ich will keine Exkremente sehen.«

»Wahrscheinlich sogar deine eigenen.« Gus grinste.

Amy schnaufte entsetzt. »Das ist einfach nur widerlich.«

Sonny lachte leise vor sich hin.

Gus öffnete immer noch lächelnd die Tür.

Stella erschien in Jeans und suchte an der Garderobe nach ihrem türkisfarbenen Regenmantel. »Mum, kommst du mit raus?«

Moira verzog das Gesicht und schüttelte leicht den Kopf.

Stella zog den Reißverschluss zu. »Aber du weißt doch am besten, wo alles ist.«

»Die finden das schon, Mum«, mischte sich Amy ein und stellte sich neben Moira. »Lasst sie drinnen bleiben.«

Amy und Stella wussten beide nur zu genau, dass ihre Mutter niemals nach draußen gehen und sich um die Angelegenheit kümmern würde. Dafür war ihr Vater zuständig. Moira blieb drinnen und machte Tee und Toast für danach; dann drückte sie ihrem Mann das Spülmittel in die Hand, damit er sich draußen die Hände waschen konnte.

Amy versetzte ihrer Mutter einen kleinen verschwörerischen Boxhieb, als würden sie gleich zusammen gemütlich vom Haus aus in den Garten hinausspähen können, insgeheim hocherfreut darüber, dass sie nicht nass wurden und sich keine Exkremente anschauen mussten. Ihre Mutter würde ab und zu das Fenster aufmachen und Anweisungen hinausrufen.

Aber plötzlich, nach einigem Zögern, streckte sich Moira und verkündete: »Ja. Stimmt, ich weiß, wo alles ist.« Mit diesen Worten marschierte sie los, um ihre Gummistiefel zu holen.

Amy wirkte völlig alleingelassen. Als wiche ihre Mutter

von der festgelegten Rolle ab. Amy wollte, dass sie drinnen blieb, am Fenster, und nicht, dass sie sich ihre marineblaue Regenjacke anzog.

Stella band sich das Haar zusammen. »Kinder, ihr bleibt mit Amy hier drinnen.«

»Aber ich will die Kacke sehen«, quengelte Sonny.

Stella schüttelte den Kopf.

Dann mischte sich Gus ein: »Jetzt lass den Jungen doch die Kacke sehen.«

Einen kurzen Augenblick lang herrschte Stille.

Gus wirkte verlegen, als hätte er etwas dahingesagt, was alle anderen viel ernster aufgenommen hatten als erwartet.

Doch diese Einmischung eines Fremden reichte, damit Stella eine Entscheidung traf.

»Gut, Sonny, dann zieh deine Stiefel an«, verkündete sie. Und Sonny stieß triumphierend die Faust in die Luft, was er jedoch sofort zu bereuen schien.

Das Donnergrollen hatte sich in die Ferne zurückgezogen, war allerdings noch laut genug, dass Frank Sinatra winselte.

»Ich kümmere mich um dich«, flüsterte Rosie dem Hund zu, kniete sich neben das Tier und schlang ihm beide Arme um den Hals.

Sonny riss eines der Capes vom Haken und rannte nach draußen.

»Auf mich kannst du auch aufpassen, Rosie«, verkündete Amy und kniete sich neben ihre Nichte und den Hund. Bei einem besonders lauten Donnerschlag sprang sie auf. Rosie schlang ihren freien Arm um ihre Tante und drückte sie fest an sich.

Da erschien Gus im Türrahmen, zurück aus dem herabprasselnden Regen. »Amy, wir brauchen Taschenlampen. Kannst du die holen? Ich bin völlig durchweicht.«

Mit einem Seufzer löste sich Amy aus Rosies niedlicher kleiner Umarmung und begann damit, Schubladen zu öffnen und wieder zu schließen. »Ich weiß nicht, wo die sind...«

Draußen schien der Regen lauter zu werden. Der Blitz überzog den Himmel ohne jede Lücke. Die Schwere des Tages entlud sich in der Dunkelheit wie ein Vulkan.

Gus sprang von einem Fuß auf den anderen, wartete und schnipste ungeduldig mit den Fingern. Im Garten hörte man Jack fluchen, der den Kanaldeckel zu öffnen versuchte, während das Wasser förmlich auf ihn herabstürzte.

Amy geriet in Panik, weil sie die Taschenlampen einfach nicht finden konnte. Hektisch rannte sie in der Küche herum, dann ins Wohnzimmer, und fand die Taschenlampen endlich in einer Schachtel unter dem Telefon. »Da«, sagte sie und drückte Gus zwei schwere Stablampen und eine Kopflampe in die Hand.

»Und euch beiden geht's gut?«, erkundigte er sich, schob sich die Taschenlampen in die Taschen und setzte sich die Kapuze wieder auf. Die Jacke war ihm viel zu groß, und das Haar klebte ihm in Strähnen am Schädel.

»Alles bestens«, gab Amy zurück, als empfände sie die Frage als Zumutung.

Gus lachte. »Genieß es. Das hier macht Spaß.«

Amy bedachte ihn mit einem verächtlichen Blick, bevor sie die Tür aus dem Handgelenk heraus zuschlug.

13. Kapitel

Es war um die Abendessenszeit. Moira hatte sich vorher vorgestellt, wie sie eine sommerliche Beerentorte mit flüssiger Sahne servieren und dann vielleicht ein Kreuzworträtsel lösen würde – ganz bestimmt hatte sie nicht damit gerechnet, mit einer vom Regen klatschnassen Jeans, die ihr an den Beinen klebte, hier draußen zu stehen. Der Regenmantel hielt allerdings, was er versprach. Jetzt war sie kurz davor, mit der Taschenlampe in die Faulgrube zu leuchten, doch dafür mussten Gus und Sonny, die sich auf Händen und Knien vor ihr befanden, erst den Schachtdeckel losbekommen. Weil es so stark regnete, war das alles andere als einfach. Jack und Stella standen in der Auffahrt. Jack trug Grahams armlange schwarze Handschuhe, während er aus Einzelteilen einen langen Stock zusammensteckte, mit dem er versuchen würde, die Blockade im Rohr zu lösen – zumindest hatte Moira in der Vergangenheit vom Fenster aus gesehen, dass Graham das so machte. Sie ging davon aus, die Sache würde nicht wesentlich komplizierter werden. Stella löste den Deckel von der schmalen Rohrabdeckung auf ihrer Seite. »Du lieber Gott«, rief sie, wandte sich ab und gab Würgegeräusche von sich.

»Ist es sehr schlimm, Liebes?«, fragte Moira und wischte sich mit dem Handrücken den Regen aus dem Gesicht.

»Einfach nur widerlich«, gab Stella hustend zurück. »So

ein grässlicher Gestank ist mir noch nie im Leben unterge-kommen.«

Unter ihr grunzten Gus und Sonny förmlich vor Lachen.

»Freut euch nicht zu früh«, wandte sich Moira an die beiden und deutete auf den Kanaldeckel. »Genau das er-wartet euch, wenn ihr gleich fertig seid.« Dabei stellte sie fest, dass sie selbst auch lächeln musste. Wenn sich Graham damit befasste, war das eine sehr ernste Angele-genheit, überaus wichtig und verlangte vollste Konzent-ration. Lief die Sache nicht wie geplant ab, wurde er sehr wütend. Gus und Sonny allerdings schienen es geschafft zu haben, dass alle besser gelaunt waren. Hauptsächlich lag das an Gus, überlegte Moira. Er hatte ihnen allen eine Art Humorspritze verpasst, die der Familie Whitethorn eine ganze Weile gefehlt hatte. Er ließ es zu, dass man Dinge als witzig betrachtete.

Sie fragte sich, ob Graham ebenfalls lachen würde, wenn er nun hier wäre. Nein, wahrscheinlich nicht, denn in die-sem Fall wären sie in einen riesigen Streit darüber geraten, wie das Ganze überhaupt hatte passieren können, und dann hätte sie ihn allein nach draußen geschickt, um die Sache zu regeln. .

Gus sagte: »Okay, jetzt zugleich, Sonny!«

»Wie bei diesen Muskelmännern im Fernsehen!«, sagte Sonny keuchend. Der Regen tropfte ihm vom Gesicht.

»Allerdings wäre das hier eine ziemlich lahme Folge«, gab Gus zurück, und in seiner Stimme war die Anstren-gung deutlich zu hören. Zusammen versuchten sie den schweren Metalldeckel hochzubekommen. »Du liebe Zeit, ich glaube, mir geht vor lauter Angst die Kraft aus.«

Sonny musste lachen und ließ den Deckel los.

»Nicht fallen lassen!«, schrie seine Großmutter, wobei ihr die Taschenlampe ins Gras fiel. Dann half Moira den beiden, den vom Regen rutschigen Metalldeckel von der Stelle zu bekommen.

Der Gestank war einfach unglaublich widerwärtig.

»Oh Mann!« Sonny verbarg das Gesicht im Jackenärmel. »Das ist echt krass.«

Gus wandte das Gesicht ab. »Das kannst du laut sagen«, stimmte er ihr zu, doch dann wandte er sich wieder in Richtung des tiefen Lochs. »Gleichzeitig hat es aber auch etwas Lebendiges. Etwas Unmittelbares.«

»Ach Quatsch«, kommentierte Sonny.

Moira musste Gus allerdings zustimmen. Von den widerlichen Dämpfen wurde ihr fast schwindlig. Ihre sämtlichen Sinne wirkten wie geschärft. Sie befand sich zu hundert Prozent in dieser klatschnassen Realität, mit diesen beiden Männern, von denen sie keinen wirklich gut kannte, die sie aber überaus unterhaltsam fand.

Es erfüllte sie mit Ärger, wenn sie an all die Erfahrungen dachte, die sie verpasst hatte, weil sie sich so ausschließlich einer einzigen Rolle im Leben gewidmet hatte. Mehr als einmal hatte sie Graham vorgeworfen, dass er wegen seiner Arbeit über Jahre weg gewesen war, und später hatte er alles mit seiner störrischen Weigerung vereitelt, irgendetwas Neues ausprobieren zu wollen. Sie hatte es den Kindern alles andere als zugutegehalten, sie zu brauchen. Sogar die Erwartungen der Leute in der Gemeinde an sie hatte sie so beurteilt. Und als Mitch mit seinem Stock diese Boxen in den Sand gemalt und dabei ganz einfach ihr die gesamte Schuld zugewiesen hatte, hatte sie sich schlicht und ergreifend geweigert, ihm zu glauben. Sie war dem Buchclub beigetreten, hatte sich sogar eine Yogagruppe gesucht, beschwerte sich jedoch immer noch, Graham würde sie erdrücken. Ihre Entscheidung, ihn zu verlassen, beruhte darauf, dass er ganz allein dafür verantwortlich war. Aber als sie jetzt auf Gus und Sonny herunterschaute, die sich vor Lachen schüttelten, während sie die Grube einer genauen Untersuchung mit der Taschenlampe unterzogen, fragte sie sich, ob sie inzwischen vielleicht ebenso festgefahren in ihrer Art war wie Graham. Ob ihre starren Meinungen vielleicht so etwas darstellten wie das Sofa für ihn. Und, wie Mitch ihr erklärt hatte, ihr Urteil über andere Leute. Oder ihre Weigerung, einen Computer zu benutzen. Ihre Unfähigkeit, die Funktionsweise der sozialen Medien und des DVD-Players zu verstehen oder sich in irgendeiner Form mit den Bankkonten zu befassen.

Sie hatte sich immer als Vogel betrachtet, der in einem von der Ehe geschaffenen Käfig gefangen war, doch nun stellte sie sich die Frage, ob Graham und sie nicht vielleicht beide Vögel waren und die Tür immer offen gestanden hatte, sie beide allerdings auf ihrer Stange gehockt hätten und gar nicht wegfliegen wollten.

»Gut, Moira, was jetzt? Soll ich einfach mit dem Stock rein?«, schrie Jack durch den Regen. Hinter ihm erhellte ein Blitz den Himmel wie ein Stroboskop.

»Ja«, rief sie zurück. »Ja, ich glaube schon. Das dürfte helfen.«

»Wie sieht es denn da drinnen aus?«, schrie Stella.

»Wie Kacksuppe!«, brüllte Sonny zurück.

»Verstopft«, rief Moira.

»Los geht's«, verkündete Jack und machte sich daran, den etwa drei Meter langen Stock in den Abfluss zu schieben, um Blockaden loszubekommen. »Sagt Bescheid, wenn sich was tut.«

Der Regen ließ einfach nicht nach. Er rann ihnen von Nasen und Augenlidern. Die dunklen Wolken hingen tief über ihnen, schlossen die Hitze unter sich ein und ließen alle in ihren Plastikregenmänteln schwitzen. Moira musste sich Nase und Mund zuhalten, weil der Gestank so penetrant war. Sonny hatte den Kopf in seinem Regenmantel verborgen. Gus sah sich fasziniert alles an. »Da kommt noch nichts!«, schrie er.

Im Haus öffnete sich ein Fenster. Amy spähte hinaus. »Was macht ihr denn da?« Rosies kleines Gesicht schob sich neben sie ins Fenster.

Gus hockte sich hin. »Ihr solltet rauskommen«, meinte er. »Ihr verpasst ganz schön was!«

Amy verzog das Gesicht. »Das stinkt doch bestialisch.«

»Sonny, macht das Spaß?«, rief Rosie ihrem Bruder zu.

»Ja«, schrie er zurück. »Es ist voll eklig, aber auch irgendwie lustig.«

Moira schaute in die stinkenden Tiefen der Grube hinunter und fragte sich, obwohl jemals zuvor jemand diese Tortur »irgendwie lustig« genannt hatte.

Dann tauchte plötzlich der Stock auf ihrer Seite des Abflusses auf, und mit ihm zusammen eine Fontäne aus allem möglichen widerlichen Zeug. Sonny musste ins Gras spucken.

»Jackpot!«, jubelte Gus.

Sonny wischte sich den Mund ab und sah hin. »Wow.«

Gus warf ihm einen Blick zu. »*Das* ist jetzt wirklich krass.«

»Das kannst du laut sagen.« Auf das Geräusch des sich schließenden Fensters folgte das Knirschen kleiner Füße auf dem Kies, und dann erschien Rosie neben ihnen. »Ich will es auch sehen! Was ist denn da so krass?«

Amy folgte ihr widerwillig. Moira traute ihren Augen kaum.

»Ich wollte nichts verpassen«, erklärte Amy mit einem Schulterzucken. Sie trug einen der durchsichtigen Ponchos, die Moira für Notfälle in der Schachtel mit den Taschenlampen aufbewahrte. Amy warf einen kurzen Blick in die Grube. »Igitt! Widerlich! Total eklig!« Sie bedeckte ihr Gesicht. »Einfach widerwärtig ist das.« Hustend spuckte sie ins Blumenbeet. »Ihr habt doch gesagt, das hier macht Spaß!«

»Macht es ja auch!«, erwiderte Gus.

»*Spaß* macht das hier ganz bestimmt nicht.«

Jack mühte sich immer noch mit dem Stock ab, und Stella half ihm. Der Regen wurde ein wenig schwächer, sodass sie jetzt nicht sofort wieder klatschnass waren, nachdem sie sich das Gesicht abgewischt hatten. Gus machte eine Geste in Jacks Richtung, um ihm zu signalisieren, dass sich der Inhalt des Rohres zu bewegen schien und die Blockade gelöst war. Sonny und Rosie probierten aus, wer sich am längsten über die Grube beugen konnte, ohne sich wegen des Gestanks abwenden zu müssen. Amy hielt sich im Hintergrund. Manchmal machte sie einen Schritt nach vorn, um sich alles anzuschauen, trat dann jedoch völlig angewidert sofort wieder zurück. Der Donner rollte über das Meer.

»Ich glaube, wir haben's geschafft!«, schrie Jack. »Was meint ihr?«

Moira sagte: »Erst mal muss jemand reingehen und die Toilettenspülung betätigen.«

»Das mache ich.« Ganz offensichtlich war Amy sehr daran gelegen, wieder ins Haus zu kommen. Vorsichtig lief sie in ihren rutschigen Flip-Flops zurück. Wenige Sekunden später hörten alle die Spülung rauschen und sahen zu, wie das Wasser durchlief, wie es sein sollte.

»Geschafft!«, schrie Jack.

Alle brachen in Jubel aus. Sonny und Gus gaben einander High Five, Rosie führte einen kleinen Freudentanz auf, rutschte aus und fiel nur nicht in die Grube, weil ihr Bruder sie festhielt.

»Ich glaube, da sollte schleunigst der Deckel wieder drauf«, kommentierte Gus.

Amy streckte den Kopf aus der Tür. »Hat es funktioniert?«

Moira nickte. Sie war so stolz darauf, dass sie es geschafft hatten, die Sache zu regeln – dass *sie* es geschafft hatte, die Sache zu regeln. Sie spürte denselben Adrenalinrausch wie beim Fertigstellen der Renovierungsarbeiten im Erdgeschoss: die Befriedigung darüber, ihren Zuständigkeitsbereich ausgeweitet zu haben.

Gus und Sonny wuchteten den Deckel wieder an die richtige Stelle, und der Gestank verschwand. Auf ihrer Seite erledigte Stella dasselbe mit dem kleinen Deckel.

Die Luft war nun drückender und feuchter. Trotz des Regens nahmen alle die Kapuzen ab und zogen die Reißverschlüsse ihrer Jacken auf, um der Hitze zu entkommen.

Jetzt, wo die Arbeit erledigt war, entspannten sich alle. Der Strom kam zurück, und alle Lichter gingen wieder an. Das ganze Haus erstrahlte in hellem Licht.

»Gut gemacht«, sagte Jack. Dann versuchte er Stella mit seinen schmutzigen schwarzen Handschuhen zu umarmen.

»Das ist ja widerlich, lass das!«, schrie Stella und versuchte vor ihm wegzurennen.

Lachend setzte ihr Mann ihr nach.

»Schneller, Dad!«, schrie Sonny.

»Wir halten sie hier zurück.« Gus sprang auf, sodass Sonny und er ihr den Weg versperren konnten.

»Hilf mir, Rosie«, quietschte Stella. Sie lachte auch, während sie Jack und seinen widerlichen, mit Exkrementen verschmierten Handschuhen zu entkommen versuchte.

»Hier rüber«, rief Amy von der Auffahrt aus. Sie hatte einen Mülleimerdeckel von einer Tonne genommen und hielt ihn nun hoch wie ein Schild.

Stella rettete sich neben sie. »Gute Idee.«

Moira sah sich an, wie alle herumalberten, und auf ihrem Gesicht erschien ein breites Lächeln. Dann ertappte sie sich selbst dabei, dass sie vor nur einer Stunde Graham allein für das Drama mit der Faulgrube verantwortlich gemacht hatte. Jetzt, wo die Angelegenheit erledigt war, hatte sie Gewissensbisse, weil sein Verschwinden ihnen dieses amüsante Abenteuer verschafft hatte. Weil sie dadurch alle zusammenwuchsen. Neue Facetten an sich entdeckten. Und Aufgaben übernahmen, die eigentlich Grahams waren.

Sie holte tief Atem, und zum ersten Mal empfand sie eine plötzliche tiefe Traurigkeit darüber, dass es so weit hatte kommen müssen. Mit gesenktem Kopf huschte sie über die Ausfahrt zum Haus zurück, vorbei an Jack, der signalisierte, dass er sich geschlagen gab, und sich daranmachte, die Handschuhe an einem Wasserhahn an der Hauswand abzuwaschen. Danach zog er sie sich von den Armen. Stella erschien an seiner Seite und half ihm. Amy legte den Deckel wieder auf die Mülltonne. Drinnen schaltete Moira den Wasserkocher ein, als hätte sie in ihre normale Rolle zurückgefunden – dann holte sie einige kleine Emma-Bridgewater-Teller aus der Spülmaschine, um die sommerliche Beerentorte verteilen zu können. So würde es ihr gelingen, weniger bedeutsam erscheinen zu lassen, was sie alle zusammen erreicht hatten, und sich nicht mehr so sehr fühlen, als hätten sie Graham zu verdrängen versucht und wären womöglich zumindest teilweise verantwortlich für sein Verschwinden.

Aber dann zweifelte Moira wieder an allem, da sie durchs Fenster mitbekam, wie die anderen herumalberten – Gus versuchte Rosie dazu zu bringen, mit dem Mund Regenwasser aufzufangen, und schnell machten die anderen mit; sogar Amy und Stella hatten die Köpfe zurückgeworfen und ihre Zungen herausgestreckt. Moira wäre jetzt auch gern im Garten gewesen, sorglos da im Regen, mit ausgestreckten Armen. Warum hätte sie im Haus bleiben und sich schuldig fühlen sollen? Wohin war ihre Wut verschwunden? Es war nicht ihre Schuld, sondern Grahams, dachte sie, und der vertraute Ärger regte sich erneut. Einer der gepunkteten Teller rutschte ihr aus der Hand und zersprang auf dem Boden in viele Scherben.

Stella hielt im Regenauffangen inne. »Alles in Ordnung, Mum?«, rief sie ihrer Mutter zu.

»Jaja, alles in Ordnung.«

Als alle wieder ins Haus stürmten, um zu schauen, was vorgefallen war, hatte Moira schon Schippe und Besen herausgeholt und fegte auf Händen und Knien die Scherben zusammen.

»Oh nein, einer deiner Lieblingsteller«, sagte Amy, als sie das sah.

Moira musste sich zurückhalten, um nicht laut zu rufen, dass Amy sich irrte. Es war *keiner* ihrer Lieblingsteller gewesen.

Doch die Gelegenheit verstrich. Arme wurden aus Anoraks gezogen, und alle strichen sich das nasse Haar zurück. Sonny und Rosie wollten ihre Torte vor dem Fernseher essen, aber Stella ordnete an, sie sollten mit am Tisch sitzen. Amy gelang es nicht, den Plastikponcho zusammenzufalten, deswegen knüllte sie ihn einfach zu einem Ball zusammen und schob ihn ins Stiefelregal, damit sich später irgendjemand – wahrscheinlich Moira – darum kümmern würde. Stella schob sich an den Tellerscherben vorbei und machte Tee. Gus beugte sich zu Moira hin, die gerade die Stücke in Zeitungspapier wickeln wollte, und bot an: »Soll ich das machen?«

»Nein!«, erwiderte Moira laut und scharf.

Gus schaute erschrocken drein.

Moira hätte nicht sagen können, warum sie gerade fast geschrien hatte.

»Ganz ruhig, Mum, er hat dir doch nur seine Hilfe angeboten«, sagte Stella lachend. Ihr Gesichtsausdruck deutete an, dass Moira sich so hysterisch verhielt, wie man es von ihr gewohnt war.

Doch so wollte Moira nicht mehr gesehen werden. So *war* sie einfach nicht. Sie wollte die Frau sein, die draußen zusammen mit den Jungen gelacht hatte. Die Frau, die sich verändert hatte – die stärker und mutiger geworden war.

Aber genau damit würde sie Mut demonstrieren. Wenn sie auf Konfrontation ging.

Sie schaute zu Boden, dann hinüber zu Stellas Füßen, und sogar diese flößten ihr Schüchternheit ein, weil sie in irgendwelchen trendigen Flip-Flops steckten, aus denen Zehen mit blassgrauem Nagellack hervorspähten, wie ihn nur jemand wie Stella mit Würde tragen konnte. Plötzlich erschien Moira die Tatsache, dass sie gerade auf dem Boden kauerte, in gewisser Weise symbolisch. Im Yoga würde sie sich von ihrem Fleck erheben wie ein starker Baum.

Stella streckte sich lang aus, um die Teekanne vom Abtropfbrett zu nehmen.

Gus ging ins Wohnzimmer und ließ sich aufs Sofa fallen.

Sonny fragte, ob Rosie und er Schokoladeneis zur Beerentorte haben könnten.

Moira schluckte und stand auf. Auf dem Boden entfaltete sich das improvisierte Paket aus Zeitungspapier und Porzellanscherben schon wieder. Sie hustete und sagte dann: »Ich glaube, er ist meinetwegen gegangen.«

Stella hielt in der Bewegung inne, und der Wasserkocher schwebte über der Teekanne.

Jack blieb mitten auf der Treppe stehen.

Amy wandte sich vom Spiegel um.

»Wer? Dad?«, fragte Stella. »Warum das denn?«

Moira fegte sich einige unsichtbare Flusen von der Bluse, stemmte die Hände in die Hüften und stellte sich aufrecht hin, um sich für das bereit zu machen, was nun kommen würde. »Ich habe ihm gesagt, dass er zu einer Belastung geworden ist.« Alle kamen ein wenig auf sie zu.

»Für mich war er keine Belastung«, sagte Amy ruhig.

»Das ist schön, Amy.« Moira bemühte sich um eine nicht zu bissige Antwort. »Für mich aber schon.« Sie strich sich das Haar aus dem Gesicht. Sie konnte sehen, wie sich Gus weiter ins Sofa zurücksinken ließ und sich so von dem Familiendrama distanzierte, das vor so kurzer Zeit nur aus Gelächter bestanden hatte. Plötzlich war Moira wütend auf sich selbst, weil sie alles kaputtmachte, weil sie geglaubt hatte, sie müsse etwas sagen. »Ich weiß es nicht«, fuhr sie seufzend fort. »Ich hatte einfach genug. Er hat alle Schotten dichtgemacht. Ich musste um ihn herum staubsaugen, du lieber Himmel.« In einer hilflosen Geste warf sie die Hände in die Höhe und atmete dann aus. Sie fühlte sich weniger mutig als in ihrer Vorstellung von dieser Szene der finalen Enthüllung. »Das war einfach nicht das Leben, das ich führen wollte. Und ich fürchte, ich habe ihm gesagt, dass ich ihn verlassen will.«

Stella fiel der Kiefer herunter. »Bitte?«

Amy keuchte auf. »Warum?«

Moira sah, dass Gus den Blick hob und eine Grimasse schnitt, als befände er sich ganz plötzlich am Set einer Soap, und er zuckte zusammen, da ihm klar wurde, dass jetzt die ganze Schmutzwäsche der Familie gewaschen würde. Doch Moira machte tapfer weiter, denn was gerade geschehen war, hatte ihr Mut verliehen. Außerdem musste sie beweisen, dass sie nicht nur auf ihren eigenen Beinen stehen, sondern sich auch ihrer Familie gegenüber behaupten konnte. Sie schüttelte den Kopf. »Er hat sich einfach von der ganzen Welt abgeschottet. Von mir. Wir waren nicht glücklich zusammen. Viel mehr kann ich nicht sagen.«

Moira riskierte einen Blick nach links und entdeckte Sonny, der den Kopf hängen ließ. Seine Finger spielten an seinem Shirt herum. Sie fühlte sich grässlich. Sie hätte sich vorher überlegen sollen, wer da noch im Zimmer war, bevor sie ihr Geständnis machte. Dafür sorgen, dass bloß Erwachsene sie hörten. Schnell versuchte Moira, alles wiedergutzumachen. »Aber na ja, ich meine, ihr sagt doch, er wäre schwimmen gewesen. Und angeln!« Mit weit aufgerissenen Augen warf sie Sonny einen Blick zu und war überrascht, als er kurz sehr unsicher schaute. »Wenn ich es mir überlege, hätte ich ihn dazu bringen müssen, mir das zu erzählen, aber ...«

»Dad erzählt doch nie irgendwas«, meinte Stella.

Amy fing an zu weinen.

Seufzend wünschte sich Moira, nichts gesagt zu haben. Sie suchte in ihrer Hosentasche nach einem sauberen Taschentuch und reichte es Amy.

Alle standen unangenehm berührt am selben Fleck.

Moira öffnete in einer Geste die Hände. »So, das war's. Nun wisst ihr's. Und wahrscheinlich ist er aus diesem Grund gegangen.«

Amy putzte sich die Nase und bekam Schluckauf. Sie wischte sich die Tränen aus den Augen und sagte: »Nein, ich glaube, es liegt an mir. Weil ich gegangen bin. Das hätte ich nicht tun dürfen.«

Moira schloss für einen Moment die Augen. »Doch, du musstest gehen, Amy. Niemand kann von dir verlangen, dass du wegen deines Vaters für immer zu Hause wohnen bleibst.«

Amy fing wieder an zu weinen und wischte wütend an potenziellen Mascarastreifen unter ihren Augen herum.

»Lasst uns jetzt den Kuchen essen«, forderte Moira alle auf und nahm die Torte, damit sie irgendwie weitermachen konnten. Sie hatte gesagt, was sie sagen wollte, nur hatte sie damit nicht alle so aufregen wollen.

Plötzlich ergriff Sonny das Wort. »Ich war's. Ich glaube, es ist meine Schuld«, sagte er und starrte dabei die Bodenbretter an, trat mit dem Fuß dagegen. »Ich bin ziemlich wütend auf ihn geworden, weil er ständig die falschen Knöpfe auf dem iPhone gedrückt hat. Er hat getippt, und nichts ist passiert.« Sonny ahmte die Bewegung nach. »Seine Finger waren einfach zu dick. Er hat zu fest auf das Display gedrückt. Da habe ich geseufzt. Und ich habe einen Witz gemacht und gesagt, er kann es nicht, da er zu alt ist.« Er schob sich das Haar aus den Augen und sah auf. »Und dann bin ich sauer geworden, weil es mich einfach so genervt hat. Richtig sauer bin ich geworden. Es tut mir leid.« Er schnüffelte laut, als würde er versuchen, nicht zu weinen.

Moira fragte sich, wie lange Sonny wohl mit diesem belastenden Geheimnis herumgelaufen war. Wie lange er geglaubt hatte, alles wäre seine Schuld.

»Ach, Sonny!« Moira sah zu, wie Stella förmlich durch die Küche flog und ihren Sohn in die Arme schloss. Er presste den Kopf an ihre weiße Bluse und wischte sich rasch mit einer Hand übers Gesicht. »Deine iPhone-Knöpfe haben damit überhaupt nichts zu tun«, sagte sie und küsste ihn auf den Kopf. »Überhaupt nichts. Hast du mich verstanden?«

Sonny nickte und machte sich von ihr los, fuhr sich dann mit dem Ärmel übers Gesicht.

Sie lachte. »Manchmal bist du wirklich albern.«

Gus beugte sich auf dem Sofa vor. »Ich weiß aber genau, was du meinst. Wenn Leute das mit den Knöpfen überhaupt nicht hinkriegen, nervt das einfach total.« Er schüttelte den Kopf.

Stella warf ihm einen Blick zu. Gus wandte sich ab und ließ sich absichtlich nichts anmerken. Doch Sonny musste lachen. Dann zog er an seinem T-Shirt und verwandelte sich wieder in Sonny, den Teenager, dem es sofort total peinlich war, dass er geweint hatte.

Stella blieb stehen, wo sie war, verschränkte die Arme vor der Brust. Sie sah auf den Boden und scharrte mit dem Flip-Flop darüber, genau wie Sonny das getan hatte. Anschließend warf sie ihrer Mutter einen Blick zu. »Ich glaube nicht, dass du dir irgendetwas vorwerfen solltest, Mum«, setzte sie an. »Als wir im Schwimmbad waren, hat mir Pete ganz deutlich gesagt, dass es meine Schuld ist. Ich war es, die ihn kaputtgemacht hat.«

Moira runzelte die Stirn. Normalerweise hätte sie dem aus vollem Herzen zugestimmt, doch heute erfüllte sie diese Äußerung mit einer ungewohnten Empörung. »Das hat er doch wohl nicht gesagt?«

Stella nickte.

Schweigen herrschte. Niemand wusste, was man hätte sagen sollen. Die Sonne verlieh den schwarzen Wolken einen goldenen Rand.

»Sieht aus, als wärt ihr wohl alle schuld«, kommentierte Gus.

»Du meine Güte, Gus. Halt einfach den Mund!«, rief Amy.

Aber allen anderen gelang tatsächlich eine Art Lachen.

14. Kapitel

An diesem Abend herrschte im Haus eine neue Gemütlichkeit. Durch das Drama mit der Faulgrube und den ganzen Enthüllungen fühlten sich alle enger miteinander verbunden. Alle waren erschöpft, aber entspannter, auch in der Gegenwart der anderen. Moira hatte ein leichtes Abendessen zubereitet, das sie gemeinsam im Wohnzimmer aßen – die Kinder und Gus sahen fern, Amy saß an der Anrichte, Jack aß rasch im Stehen, während er sich ein Bad einlaufen ließ, und Moira und Stella ließen sich vor dem geöffneten Panoramafenster am Tisch nieder. Alle hielten sich mit den Fragen zurück, die sie so gern stellen wollten, als wären sie gerade aus einer Schlacht zurückgekehrt und bräuchten Zeit, um zur Ruhe zu kommen.

Das Gewitter hatte sich längst verzogen und tobte irgendwo draußen über dem Meer weiter. An seine Stelle war ein sich langsam aufhellender Himmel getreten, und endlich wirkte die Luft frischer. Warm, aber nicht länger feucht. Eine Brise blähte den Vorhang des offenen Esszimmerfensters auf und trug das Geräusch des vom Regen abgeflachten Meeres herein.

Jack ging nach oben, um zu baden. Rosie machte sich zum Schlafengehen bereit. Sonny blieb noch im Wohnzimmer, halb sah er fern, halb beobachtete er Gus, der auf dem Sofa saß und ein Computerspiel zu knacken versuchte, das

Sonny auf seinem iPhone heruntergeladen hatte. Jedes Mal, wenn Gus starb, musste er grinsen.

Nachdem sie Rosie ins Bett gebracht hatte, setzte sich Stella zu ihrer Mutter an den langen Tisch. Die beiden tranken Rotwein und unterhielten sich mit gedämpften Stimmen.

Amy, die geduscht hatte, kam wieder ins Wohnzimmer. Sie hatte einfach eine Weile ihre Ruhe gebraucht. Jetzt trug sie ihre Schlafanzughose mit dem Wassermelonenmuster und ein weißes T-Shirt. Ihr noch nasses Haar hatte sie mit Spangen zurückgesteckt, weil es zum Zusammenbinden zu kurz war. Sie fühlte sich ein wenig ruhiger. »Worüber sprecht ihr denn?«, fragte sie, als sie sich an den Tisch setzte.

»Nichts Wichtiges«, gab sich Stella unzugänglich. »Möchtest du Wein?«

»Es war *doch* etwas Wichtiges.« Sofort ging Amy in Abwehrhaltung. Sie hasste es, wenn man sie von den sogenannten Erwachsenengesprächen ausschloss. »Nein, danke«, lehnte sie den Wein ab.

»Wir haben über meine Entscheidung gesprochen, deinen Vater zu verlassen«, erklärte ihre Mutter.

»Aber das wirst du nicht wirklich tun, oder? Das hast du doch nicht ernst gemeint?«, fragte Amy zurück und schaute zwischen den beiden hin und her.

Stella zuckte nur die Schultern.

»Du kannst Daddy nicht verlassen. Ihr liebt euch doch. Ihr seid unsere Familie. *Das hier* ist unsere Familie.« Sie spürte, wie heftig ihr Herz schlug, und fragte sich, ob das wohl dem Baby schadete.

Ihre Mutter fasste ihr Haar wieder in der Perlmuttspange zusammen, die sie immer trug. »Wir brauchen nicht zusammen zu sein, um eure Familie zu sein, Amy.«

»Doch, sonst geht das nicht«, entgegnete Amy trotzig.

»Aber komisch wäre es schon, Mum«, kommentierte Stella. Sie lehnte sich im Stuhl zurück, verschränkte die Arme vor der Brust und nippte dann an ihrem Wein.

Moira sah sich im Raum um, um festzustellen, wer noch zuhörte. Gus und Sonny waren in ihre Displays vertieft. »Ist einer von euch beiden auch bloß mal einen Moment in den Sinn gekommen, danach zu fragen, ob *mich* das auch glücklich macht?«

Keine ihrer beiden Töchter erwiderte etwas. Amy spielte mit der Schnur ihrer Schlafanzughose.

»Ich möchte einfach nicht, dass du eine überstürzte Entscheidung triffst und sie später bereust«, antwortete Stella schließlich.

»Oh, diese Entscheidung ist alles andere als überstürzt, das kannst du mir glauben«, entgegnete ihre Mutter, zog eine Zeitschrift zu sich heran und begann sie wild durchzublättern.

»Was wird dann mit dem Haus?«, wollte Stella wissen. »Das hast du doch gerade erst renovieren lassen.«

Moira wandte den Blick nicht von der Zeitschrift ab. »Dann ist ja jetzt genau der richtige Zeitpunkt für einen Verkauf, oder?«

Amy schnappte nach Luft und griff sich an die Brust. Sie liebte dieses Haus. Für sie verkörperte es Stabilität. Es stand für ihre Familie, ihre Kindheit. Sie kannte das Geräusch, das die Treppe nachts machte, von dem sie als Kind geglaubt hatte, es käme von Monstern, und bei dem sie als Teenager genau wusste, welche Stufen sie vermeiden musste, wenn sie sich nach Mitternacht ins Haus schlich. Die große Standuhr, deren Ticken man unbewusst immer im Hintergrund wahrnahm, das Meer im Sommer, das Meer im Winter – wenn sie mit der Nase an die Fensterscheibe gepresst dastand, um die Surfer zu beobachten. Stella hatte sie bestochen, sich in den dunklen Keller hinunterzuwagen, sie hatte ihren Puppen im Hintergarten Teepartys ausgerichtet, und sie war geküsst worden, als sie mit dem Rücken an die kalten grauen Steine der äußeren Hauswand gelehnt dastand.

Das Haus gehörte zur Familie. Hierher hatte sie sich geflüchtet, als Bobby gestorben war, ihre bitteren Tränen hatten den Stein benetzt. Von der unglaublichen klaustrophobischen Trauer wie gelähmt, hatte sie oben an der Treppe gesessen, auf dem Boden der Toilette, in der von Spinnen bevölkerten Garage, das Gesicht an den schlammbespritzten Lenker von Bobbys Motorrad gepresst. Hier lebte etwas Wesentliches von Bobby weiter, etwas Wesentliches von ihr. Das Haus enthielt zu viel von ihnen, als dass man es einfach auf einer Webseite hätte einstellen und verkaufen können. Aber mehr als alles andere spürte Amy, dass sie sich schon sehr bald wieder hierher würde flüchten müssen. Wenn sie sich die erste Zeit mit dem Baby vorgestellt hatte, hatte sie stets vor sich gesehen, wie es über diesen Wohnzimmerteppich kroch. Ihre Eltern würden sie dabei unterstützen, ihr Kind großzuziehen, darauf konnte sie sich verlassen. Allein konnte sie es nicht, und sie würde es ganz bestimmt nicht zusammen mit Gus versuchen wollen.

»Bitte verkauft das Haus nicht.« Amy brachte nur ein Flüstern heraus.

Seufzend blätterte ihre Mutter weiter in der Zeitschrift. »Lasst uns jetzt nicht mehr darüber reden.«

Stella zog die Augenbrauen hoch und nahm dann schweigend einen Schluck Wein. Mit einer Hand fummelte sie an dem goldenen S-Anhänger an ihrer Halskette herum, strich immer wieder darüber.

Moira sah auf. »Es gibt schließlich noch genug andere Gesprächsthemen. Amy, wann hast du dir denn die Haare kurz schneiden lassen?«

»Das ist schon eine Weile her.«

»Mir gefällt deine neue Frisur«, verkündete Stella.

Amy schnitt eine Grimasse. »Ich finde sie scheußlich. Zu kurz. Ich sehe aus wie ein Junge.«

»Das stimmt doch gar nicht!«, sagte ihre Mutter mit einem Kopfschütteln, als würde es Amy ständig gelingen, sie mit ihren albernen Kommentaren zu verblüffen. »Du siehst wunderschön aus.«

Amy zog an einer Haarsträhne. Sie hasste ihren neuen Haircut. So kurz geschnitten, viel zu kraus, und dieses Weißblond – und mehr als alles andere hasste sie das, wofür diese Frisur stand.

»Warum hast du sie dir dann schneiden lassen?«, wollte Stella wissen.

Amy zuckte die Schultern. »Einfach so.«

Doch natürlich war es nicht einfach so gewesen. Es hätte ein ganz besonderer, bedeutender Moment sein sollen. Sie lebte bereits einen Monat in London, als sie den Friseursalon betreten hatte.

Bei ihrer Ankunft in der Stadt hätte sie nie geglaubt, zu einer so drastischen Typveränderung in der Lage zu sein. Der Umzug war eine spontane Entscheidung gewesen, nachdem ihre Mutter sie mehr oder weniger herausgeworfen hatte. Deren Bemerkung, nach zwei Jahren des Trauerns sei es vielleicht angemessen, in irgendeiner Form wieder am Leben teilzunehmen, hatte Amy getroffen wie ein Hammerschlag. Wenn sie nun daran zurückdachte, wie sie mit Trotzanfällen, Fußaufstampfen und lautem Weinen reagiert hatte, krümmte sich Amy förmlich vor Verlegenheit. Im Nachhinein musste sie widerwillig zugeben, dass das vielleicht das Beste für sie gewesen war, doch ihrer Mutter gegenüber hätte sie das nie geäußert.

Amy hatte auf eine Internetanzeige reagiert, in der jemand für eine Wohngemeinschaft gesucht wurde, und dabei hatte ihr ein schickes Apartment in der Stadtmitte vorgeschwebt. Stattdessen hatte sie einen Schuhkarton in einem Apartmentblock über einer Taxifirma in einer heruntergekommenen Seitenstraße in Hammersmith vorgefunden. Dort wohnten zwei Mädchen, Kat und Cath, die identische zartrosa Strähnen in ihrem blonden Haar hatten und sich »die KittyCats« nannten. Amy war mit zwei Koffern dort erschienen, denn ihre sämtlichen anderen Besitztümer befanden sich in Kisten auf dem Dachboden ihrer Eltern. Ihr gesamtes Innenleben war verpackt und mit Etiketten versehen. Sie fand einen befristeten Job am Leicester Square, wo sie Werbematerial für eine isländische Reederei designte. Fast die gesamte erste Nacht hatte sie damit verbracht, in ihrem schmalen Bett vor sich hin zu weinen. Unter ihrem Fenster hatten die Taxifahrer in ihren Raucherpausen gelacht. Dann war sie davon aufgewacht, dass sich ein Stadtstreicher auf die Stufen der Vortreppe übergab. Wenn sich Amy nicht mit ihrer Mutter überworfen hätte, wäre sie mit dem ersten Bus zurück nach Cornwall gefahren.

Die KittyCats waren fast nie zu Hause. Sie hinterließen Amy immer hingekritzelte Zettel mit der Aufforderung, sich mit ihnen in irgendeinem Club zu treffen. Amy, die seit ihrer Hochzeit keinen Club mehr von innen gesehen und den größten Teil der vergangenen beiden Jahre unter einer Kuscheldecke neben ihrem Dad auf dem Sofa verbracht hatte, war davon ein wenig überfordert. Die erste Woche über fühlte sie sich wahnsinnig einsam. Als die beiden anderen sie beim Frühstück – einem KittyCat-Eat-Clean-Smoothie-Special – über ihr bisheriges Leben ausfragten, hatte Amy gelogen und behauptet, sich gerade erst von ihrem Ehemann getrennt zu haben. Die beiden waren nicht der Typ dafür, dass man ihnen erzählt hätte, dass dieser Ehemann gestorben war – getötet durch einen Schlag auf den Kopf mit seinem Surfbrett, in Wellen, die er normalerweise mühelos bezwungen hätte. Wenn Bobby gewusst hätte, dass darin die Ursache für seinen Tod lag, hätte ihn das sehr wütend gemacht. Er hätte sich eine abnormal große Superwelle für seinen Abgang gewünscht, keine Springflut, die etwas heftiger ausfiel als gewöhnlich. Auf der Beerdigung hatte sich sein bester Freund erhoben und gesagt, Bobby wäre froh darüber gewesen, während einer seiner Lieblingsbeschäftigungen zu sterben, doch alle hatten gewusst, dass das eine Lüge war. Wenn Bobby nicht gestorben wäre, hätten sich seine Freunde wegen dieses lächerlichen Unfalls über ihn lustig gemacht. Jetzt wünschte sich Amy, sie selbst wäre damals aufgestanden und hätte es laut gesagt, denn das war das Einzige, woran sie sich von diesem Tag erinnerte – an diese verharmlosenden Unwahrheiten, mit denen alles der Situation angepasst wurde. Sie wünschte, der Freund wäre mutig genug gewesen, stattdessen zu sagen: »Bobby sitzt nun da oben und beißt sich in den Arsch, weil diese Welle so dermaßen scheiße war!« Dann hätten alle gelacht. Aber schließlich war Amy selbst nicht fähig gewesen, überhaupt aufzustehen und etwas zu sagen. Deswegen konnte sie wohl kaum jemand anderem die Schuld geben. Außerdem, so überlegte sie sich, hätte Bobby vielleicht gar nicht gewollt, dass alle lachten. Es hatte ihm nie besonders gefallen, wenn auf seine Kosten gelacht wurde.

Wenn Amy den KittyCats irgendetwas davon erzählt hätte, hätten sie wohl nicht genau gewusst, welche Antwort angemessen war. Sie waren nicht nach London gekommen, um einer trauernden Witwe beizustehen. Sie waren wegen Tinder, *#hairgoals*, *#fridaycocktails* und *#partytime* hier.

Amy war sich ziemlich sicher, die beiden hätten das mit der WG sofort rückgängig gemacht, wenn sie von der Sache mit Bobby gewusst hätten. Trotzdem war es die Entscheidung, über ihre Vergangenheit zu lügen, die Amys Zukunft bestimmt hatte. In den Augen der Kitty-Cats wurde sie von der langweiligen neuen Mitbewohnerin zum Super-Fun-Projekt. Sie zwangen Amy dazu, aus sich herauszugehen. Zogen sie mit Material aus ihren überquellenden Schränken voller Primark-Klamotten an, die gekauft worden waren, damit man sie ein einziges

Mal trug. Sie meldeten Amy im Pineapple-Tanzstudio zu einem Freestyle-Hip-Hop-Kurs an und zerrten sie in Bars in Covent Garden, wo sie zusammen *#aperolspritz* tranken. Und das alles war befreiender gewesen, als Amy erwartet hatte. Nach einer schrecklichen ersten Woche hatte es sich angefühlt wie Ferien vom eigenen Ich. Es hatte ihr die Freiheit und die Anonymität geschenkt, die sie brauchte, um unbändig zu lachen, sich Gratis-Prosecco zu besorgen, indem man bei einem Brunch behauptete, eine berühmte YouTube-Bloggerin zu sein. Sie verbrachte den ganzen Samstag mit Shoppen, ging am Samstagabend aus, erschien mit einem Kater im Büro, schwänzte die Arbeit, um sich einen Beautytag zu gönnen, verbrachte Stunden in der harmlosen Gesellschaft der kichernden KittyCats und wurde in Clubs mit dummen Sprüchen angeflirtet. Das übertraf sämtliche Erwartungen, die sie vorher gar nicht gehabt hatte.

In diesem wilden Paralleluniversum hatte man ihr ihre Jahre von zwanzig bis dreißig geschenkt. Diese Lebensphase hatte sie mit Bobby in ihrem kleinen Cottage verbracht und Erwachsensein gespielt. Sie hatte Liguster gepflanzt, der an der Tür wachsen sollte, in einer Rüschenschürze Cupcakes gebacken, Kaffee aus großen Central-Park-Tassen getrunken, die Bobby und sie gekauft hatten, als sie nach ihren Flitterwochen in Disneyland das *Friends*-Filmset besuchten. Amy hatte zugesehen, wie Bobby eine Chimenea-Pizza kreierte und im Gartenofen backte, während sie Fotos davon auf Instagram einstellte. All das hatte ihr großen Spaß gemacht. Nie hatte sie das Gefühl gehabt, irgendetwas nicht zu wollen. Aber jetzt, wo sie es nicht mehr tat, schien sie in eine ganz andere Welt zu gehören. Hätte sie damit Bobby zurückbekommen können, hätte Amy nur zu gern ewig so weitergemacht wie früher. Doch kurz vor dem Einschlafen in ihrem Bett in London fühlte sie sich immer schuldig, weil es sie mit Freude erfüllte, dass ihr Leben nun anders aussah.

Die neue Frisur war ein Geschenk der KittyCats gewesen und sollte den Beginn eines neuen Lebensabschnitts markieren. Die beiden hatten Amy förmlich in den Salon einer Friseurkette gezerrt und waren gleich dabeigeblieben, um den Gratis-Prosecco zu trinken und Davor/Danach-Fotos mit Amy zu machen.

Die Vorstellung, dass auch ihr Vater auf Instagram war, fand Amy seltsam. Dass er sie alle beobachtet, aus der Ferne an ihrem Leben teilgenommen hatte. Amy hatte nicht wirklich viel über ihr Leben in London eingestellt, da sie befürchtete, dann hätten Bobbys Freunde zu Hause den Eindruck bekommen, sie hätte zu viel Spaß. Bloß hin und wieder ein Foto von einem Tisch mit pochierten Eiern auf Avocado-Toast #brunch – gerade genug, um zu zeigen, dass sie langsam, aber sicher wieder nach vorne blickte. Die Fotos der KittyCats – sie hatten mit Amys dickem abgeschnittenem Zopf posiert – besaßen in Amys Augen eine zu große symbolische Bedeutung für ihre Chronik. Und das nicht zuletzt, weil einer der Gründe für ihre langen Haare gewesen war, dass Bobby sie so geliebt hatte.

Letzten Endes hatte sich der Haarschnitt jedoch aus ganz anderen Gründen als von großer symbolischer Bedeutung erwiesen: Er erfolgte vor dem Abend ihres ersten richtigen Tinder-Dates. Angetrieben durch die wilden Ermutigungen der KittyCats und einen Oreo-Martini, hatte sich Amy in die Verabredung mit Gus gestürzt.

Gus hatte Amy einfach nur angewidert, was aber vermutlich daran lag, dass sie eben ihren Traummann bereits gefunden und dann wieder verloren hatte. Und Gus war es eindeutig genauso gegangen – das hatte Amy überrascht, denn sie hatte doch äußerlich ganz klar mehr zu bieten als er. Die beiden hatten ihren Frust in unzähligen Gläsern eines blumig-lila Cocktails namens Unicorn Tears und hellem Bier ertränkt. Am Morgen hatte sich Amy aus Gus' Einzimmerapartment davongestohlen, während er noch schlief. Ihr unbezähmbares Morgenhaar thronte wie ein weißblonder Fusselball auf ihrem Kopf. Beschämt hatte sie in der U-Bahn gesessen, weil sie wie eine Vogelscheuche aussah, und innerlich hatte sie sich vor Peinlichkeit gewunden und sich geschworen, den Einhorntränen für immer zu entsagen.

Zwei Monate später stand sie dann vor seiner Tür.

Jetzt, wo Stella ihr gegenüber an dem langen unlackierten Holztisch saß und dabei ihre Frisur inspizierte, Wein trank und »Das wächst wieder nach« sagte, wurde Amy bewusst, dass sie mit ihrem neuen Haircut eigentlich doch ganz zufrieden war. Seit dem Augenblick, als die spindeldürre Stylistin in ihrem schwarzen Jeansoutfit den Spiegel hochgehalten hatte, damit Amy ihrem Hinterkopf sehen konnte, und ihr mit teilnahmsloser Gleichgültigkeit gegenüber Amys Meinung zu diesem Meisterwerk die einzelnen Lagen durchgewuschelt hatte, hatte sich Amy gewünscht, ihr Haar wäre wieder genauso lang wie vorher. Doch als sie nun förmlich zusammenzuckte, wurde ihr klar, dass sie nicht wieder dorthin zurückkehren wollte, wo sie herkam. Sie war nicht länger das Mädchen in Cornwall, und dieser Haarschnitt brachte vielleicht seine eigenen Probleme mit sich, war allerdings nichts gegen die Mühe, die es kostete, lange gewellte Haare in Form zu bringen. Besonders, wenn sie dem eigenen Ehemann offen getragen am besten gefielen.

Sie hörte, wie Gus wegen des Videospiels fluchte. Dann legte sie sich eine Hand auf den Bauch. Das Problem bestand darin, dass auch ihre jetzige Situation nicht die war, in der sie sein wollte.

»Ich bin schwanger«, verkündete sie, da sie es nicht länger für sich behalten konnte.

Gus zuckte zusammen. Das Videospiel gab Geräusche eines schauerlichen Todes von sich.

Die Hand ihrer Mutter schwebte bewegungslos über der Zeitschrift. »Um Himmels willen!«

Stella schnaubte versehentlich in ihren Wein, sodass er ihr ins Gesicht spritzte.

Ganz still saß Amy da und betrachtete die Mienen der Leute um sie herum.

Stella wischte sich das Gesicht ab. »Und Gus ist der ...« Sie nickte in Richtung des Sofas, wo sich Gus halb erhoben hatte, eine Hand in der Tasche, verunsichert, weil er nicht wusste, ob er bleiben sollte, wo er war, oder sich zu den anderen an den Tisch setzen.

Amy nickte. »Ja.«

Gus stellte sich aufrecht hin. »Ja.«

Kurz huschte ein Ausdruck der Freude über Stellas Gesicht, als würde ihr plötzlich alles klar.

»Er möchte nicht, dass ich es bekomme«, sagte Amy.

Gus verteidigte sich sofort. »Das habe ich nicht gesagt!«

»Doch, das hast du«, fuhr ihn Amy an.

Kurz kaute Gus an seiner Unterlippe. Mit beiden Händen in den Hosentaschen ging er durch den Raum zum großen Tisch. »Okay, gut, das habe ich gesagt. Aber ich will nicht, dass du mich als Bösewicht hinstellst.« Gus griff sich an die Brust. Er stellte sich vor den Sessel, lehnte sich dagegen, da er sich nicht ganz traute, sich zu den anderen zu setzen. »Wir kennen uns doch überhaupt nicht. Also war das der naheliegendste Vorschlag.« Er schaute zu Stella und Moira hinüber, weil er wissen wollte, ob sie ihm zustimmten. Keine der beiden reagierte.

»Weißt du, du kannst dich auch einfach ganz aus der Sache raushalten«, gab Amy zurück. Sie sah ihn nicht an, lehnte sich dann vor, stützte das Kinn in die Hände und senkte den Blick.

»Großer Gott, es ist doch auch mein Kind. Da werde ich mich bestimmt nicht aus der Sache raushalten.« Gus kratzte sich an der Stirn, schaute zu den anderen am Tisch hinüber und fügte hinzu: »Ich denke, wir sollten uns darüber unterhalten, wenn wir allein sind.«

Stella nahm ihr Weinglas und erhob sich. »Da hast du recht. Stimmt, das solltet ihr tun.«

»Ich will aber nicht mit dir allein darüber reden«, gab Amy zurück, »denn das verwirrt mich immer total. Ich will, dass meine Mutter dabei ist.«

Gus stand unbehaglich da, die Hände in den Hosentaschen. Stella duckte sich an ihm vorbei, als wollte sie vermeiden, auf einem Foto zu landen. »Sonny.« Sie schnipste mit den Fingern. »Ab ins Bett. Sofort.«

Sonny wirkte erleichtert darüber, dass man ihm die Gelegenheit gab, sich zu verkriechen, und beide verschwanden im Obergeschoss.

Amy saß neben ihrer Mutter am Tisch. Sie wünschte sich, Moira würde Gus sagen, er solle nicht so gemein zu ihrer Tochter sein. Weil ihr Vater gerade nicht da war, sollte jetzt ihre Mutter alles regeln.

Moira räusperte sich, schaute kurz auf die Zeitschrift herunter und dann wieder zu Amy hin und sagte: »Liebes, das ist eine Entscheidung, die ihr beide zusammen treffen müsst.«

Amy runzelte die Stirn. So hatte sie sich den Beitrag ihrer Mutter nicht vorgestellt. Sie funkelte Moira wütend an. »Aber das können wir nicht.«

Moira klappte die Zeitschrift zu und erhob sich. Neben ihr wehte eine Brise die Gardine in den Raum. Sie beugte sich vor und schloss das Fenster. Danach wandte sie sich wieder ihrer Tochter zu und sagte: »Amy, Liebes, ich werde dich unterstützen, wo immer ich kann, aber es ist dein Leben, und diese Sache musst du mit Gus klären.« Moira machte eine Geste zu Gus hinüber, der dastand wie ein Teenager und mit der Fußspitze über den Boden scharrte. »Und das geht nur, wenn ihr miteinander redet. Ehrlich gesagt habe ich nicht den Eindruck, als hättet ihr das schon oft getan.« Moira nahm das Weinglas in eine Hand und klemmte sich die Zeitschrift unter den Arm. Anschließend küsste sie Amy auf den Scheitel. »Ich gehe noch mal schnell mit dem Hund raus und dann ins Bett.« Sie hielt kurz inne, als würde sie darüber nachdenken, wie sie ihre nächste Bemerkung angemessen formulieren sollte.

Letztendlich wurde daraus ein »Danke, dass ihr uns diese Neuigkeiten mitgeteilt habt«.

Danach verließ sie das Wohnzimmer und berührte im Vorbeigehen Gus flüchtig am Arm. Der Hund, der auf dem Sofa geschlafen hatte, sprang herunter und tapste neben ihr her, als sie sich Schuhe überzog und leise die Haustür öffnete.

Stille erfüllte den Raum, zog sich endlos hin, bis es kaum noch möglich schien, überhaupt etwas zu sagen.

Amy war kurz davor, ihren Stuhl zurückzuschieben und nach oben zu stürmen, als sich Gus rührte und ans Kopfende des Tisches stellte.

»Warum hast du es mir überhaupt gesagt, Amy?« Er kniff die Augen zusammen und starrte sie an. »Warum hast du nicht einfach beschlossen, es mir zu verschweigen?«

Sie schluckte. Am liebsten hätte sie das Fenster wieder geöffnet, weil sie es zu warm fand. »Ich weiß es nicht«, antwortete sie mit einem Kopfschütteln. Warum hatte sie es ihm gesagt? Als sie den positiven Schwangerschaftstest in der Hand hielt, war das Bedürfnis danach überwältigend gewesen: Test mit Plus, U-Bahn zu Gus. Seitdem hatte sich Amy das selbst unzählige Male zum Vorwurf gemacht. Aber sie wusste, dass es eine spontane Reaktion gewesen war, da sie jemanden brauchte, der das Problem mit ihr teilte. Amy war nicht dumm und erkannte ganz genau, dass ihr ganzes Leben lang immer jemand anders die Verantwortung übernommen hatte, während sie sozusagen auf dem Beifahrersitz saß. Es war nicht angenehm, sich eingestehen zu müssen, dass die wenigen Wochen, in denen sie selbst das Steuer übernahm, zu einer ungewollten Schwangerschaft geführt hatten.

Gus nahm Amys Antwort wörtlich, nickte ein paarmal und wandte sich dann der Treppe zu.

Bobby hätte Amy voller Freude umarmt, und dabei hätte er nach Acqua di Giò Homme gerochen, ihrem Geburtstagsgeschenk.

Amy spürte, dass sie sich in einen Trotzanfall flüchten wollte. Einen, bei dem sie still dasitzen und die Tischplatte anstarren würde, bis sich Gus davonmachte. Aber dann, ein bisschen wie bei Clark Kents Verwandlung in *Superman*, richtete sich ihre ganze Konzentration auf das Baby, das in ihr heranwuchs. Das Kind war alles, was sie noch wahrnehmen konnte. Sie rutschte auf ihrem Stuhl herum. Ihr wurde klar, dass sie die Sache real hatte werden lassen, indem sie Stella und ihrer Mutter davon erzählte. Das Ganze war immer noch ein Problem, eine Sorge und ein ganz entsetzliches Chaos, doch es war real – ein Baby mit Haaren, Zähnen und Nägeln, oder vielleicht noch nicht ganz, aber mit dem Potenzial, einmal Haare, Zähne und Nägel zu besitzen. Genau in diesem Moment war es wahrscheinlich etwas eher wenig Glamouröses, wie eine Bohne oder eine Zuckererbse. Dass sie gerade »Zuckererbse« hatte denken müssen, ließ Amy lächeln. Sie wandte sich ab, damit Gus es nicht sah.

Jetzt hörte sie hinter sich, wie er näher kam und sein Handy vom Tisch nahm, und als sie sich ihm wieder zuwandte, sah sie, wie er es in seine Gesäßtasche steckte und auf die Treppe zuging.

»Ich habe dir davon erzählt, weil ich nicht allein damit fertigwerden wollte.« Diese Ehrlichkeit schien ein Nebenprodukt der plötzlich erstrahlenden Kraft dieses Zuckererbsenfötus zu sein. »Ich war noch nie besonders gut darin, etwas mit mir selbst auszumachen.«

Gus drehte sich zu ihr um und strich sich mit einer Hand das Haar aus dem Gesicht. »Ich würde dich nie zwingen, es wegmachen zu lassen«, sagte er. »Wie denn auch, ich habe doch keine Ahnung, wie ich dich überhaupt zu irgendetwas zwingen sollte.« Er kehrte in die Mitte des Raumes zurück. »Ich werde tun, was immer du auch willst. Du magst mich vielleicht nicht, aber ich bin kein schlechter Mensch, Amy.«

»Ich habe nie gesagt, dass ich dich nicht mag«, gab Amy zurück und ging sofort in Abwehrhaltung.

Gus schnaufte verächtlich. »Ich bitte dich. Wir sind doch ganz offensichtlich nicht gerade Fans voneinander.«

Amy fuhr sich mit der Zunge über die Oberlippe. Sie musste zugeben, dass er recht hatte. »Nein.«

Er ließ sich auf der Sessellehne nieder. Dann strich er sich wieder das Haar aus der Stirn, und – dadurch wirkte sein Gesicht noch dünner, Nase und Augen erschienen riesengroß. Amy tat ihr Bestes, um sich nicht auf sein Aussehen zu konzentrieren, darauf, welches dieser wenig ansprechenden Merkmale das Baby vielleicht erben würde. Aber dadurch regte sich in ihr der Wunsch, und zwar nicht zum ersten Mal, das Baby wäre von Bobby. Sie stellte sich das geradezu leuchtende Kind vor, das sie sich gewünscht, jedoch nie empfangen hatten. Das wilde blonde Haar. Den olivenfarbenen Teint. Das Lächeln. Zwei Elternteile, die es geradezu anbeteten.

Sie suchte nach Worten. »Warst du überhaupt schon mal in irgendeinem Fanclub?«, erkundigte sie sich, krümmte sich jedoch zugleich innerlich, da diese Frage dermaßen lächerlich klang.

Überrascht zog Gus die Augenbrauen hoch und musste lachen. Er ließ sein Haar los, sodass es ihm fast wieder über die Augen fiel. »Ehrlich gesagt schon. Aber es war eher wie ein normaler Club.«

»Ach ja? Worum ging es denn da?«

»Um Strepsils.«

Amy verzog das Gesicht. »Was, die Hustenbonbons? Dafür gibt es doch keinen Fanclub.«

»Jedenfalls nicht, bis ihn mein Freund Wayne Wilcox und ich in der dritten Klasse gegründet haben.«

Amy konnte nicht anders, sie musste lachen. »Warum sollte jemand einen Fanclub für Strepsils gründen?«

»Weil diese Dinger einfach der Wahnsinn sind«, erklärte er, als wäre das ganz offensichtlich. »Sozusagen der König unter den Halsbonbons.«

»Wieso das denn?«

»Wegen einfach allem. Sie sind rund, sie sind klebrig, und man schneidet sich die Zunge auf, wenn man zu lange daran lutscht.«

Amy schüttelte den Kopf. »Einfach lächerlich ist das.«

Er zuckte die Schultern.

»Ich mag andere Halsbonbons lieber, zum Beispiel Tunes«, fügte sie hinzu.

»Das soll nicht zwischen uns stehen.«

Sie saßen schweigend da. Draußen rauschte die Brandung. Dann heulte ein Fuchs auf. Frank Sinatra gab einen verängstigten kleinen Jauler von sich. Die Tür ging auf, und Amys Mutter betrat das Haus. Dabei bemühte sie sich um Diskretion, verhedderte sich jedoch in dem Plastikponcho, den Amy nicht ordentlich weggeräumt hatte, und fluchte leise. Sagte: »Bitte entschuldigt, tut mir leid«, und machte dabei eine rasche, verlegene Handbewegung. Danach schnappte sie sich ihren Wein und ihre Zeitschrift und sorgte dafür, dass der Hund schnell die Stufen emporstieg.

Wieder herrschte Schweigen im Raum.

»Warst du jemals Mitglied in einem Fanclub?«, wollte Gus wissen.

»Ja, von Mein kleines Pony«, gab Amy zurück.

Er nickte. »Das passt.«

Sie machte sich nicht einmal die Mühe, so zu tun, als wäre sie beleidigt. Es passte ja wirklich. Mit dem Fingernagel fuhr sie eine der Kerben in der Holztischplatte entlang. »Wie heißt du eigentlich mit Nachnamen?«

»Andrews.«

Amy nickte.

Ein vorüberfahrendes Auto erhellte die Küche.

Gus stand aus dem Sessel auf und ließ sich auf dem Stuhl gegenüber Amy nieder, auf dem vorher Stella gesessen hatte. Auf dem Tisch war immer noch der Abdruck eines Rotweinglases zu erkennen. »Wie hieß denn nun eigentlich die Frau?«, wollte er wissen. »Du weißt schon, die im Supermarkt.«

Amy runzelte die Stirn. »Interessiert dich das wirklich?«

Gus zuckte die Schultern. »Es treibt mich geradezu um.«

»Ethel.«

»Quasi ein Klassiker.« Gus lachte.

Amy gab es eine gewisse Genugtuung, ihn zum Lachen gebracht zu haben. »Eigentlich hieß sie gar nicht Ethel.«

Gus blickte verwirrt drein, als könnte er gar nicht glauben, dass Amy dazu in der Lage war, sich einen so gelungenen Witz auszudenken.

Herausfordernd zog Amy die Augenbrauen hoch.

Gus schaute weg, verzog die Mundwinkel nach unten und war ganz offensichtlich immer noch überrascht.

»Warum hast du mit Rosie und ihren Barbies gespielt?«, fragte Amy.

Gus tauchte einen Finger in den Rotweinfleck auf dem Tisch, weil er sehen wollte, wie viel Feuchtigkeit der Tropfen noch hergab. »Weil man bei Siebenjährigen in angenehmer Gesellschaft ist. Ich kenne hier niemanden, und es ist ziemlich unangenehm, in eine so peinliche Situation zu geraten, deswegen ...« Er schaute zu Amy hoch. »Außerdem, was soll ich sagen, bin ich ein großer Rosie-Fan.«

Amy war ebenfalls ein großer Rosie-Fan. Sie fand es einfacher, mit Rosie zusammen zu sein, als mit Erwachsenen über wichtige Dinge zu reden, über die sie mehr wissen sollte, als das der Fall war. »Hast du Geschwister?«

»Fünf«, erwiderte Gus.

Amy war schockiert. »Wow!«

»Tja, bei meinen Eltern war was los«, gab Gus mit hochgezogenen Augenbrauen zurück.

»Willst du mal eine große Familie?«

»Nicht unbedingt, nein.«

Seltsam, solche höflichen Fragen jemandem stellen zu müssen, dessen Kind sie in sich trug. Jemandem, mit dem sie bisher nur wenig Zeit verbracht hatte.

»Möchtest du ein Glas Wasser?«, fragte Gus und erhob sich, um in den Küchenbereich zu gehen.

Wäre es umgekehrt gewesen, hätte ihm Amy kein Glas angeboten, das wusste sie. »Ja, gerne.«

Er kam mit zwei der gepunkteten Emma-Bridgewater-Tassen zurück. »Die Gläser konnte ich leider nicht finden.«

»Direkt neben den Tassen.« Ungläubig schüttelte sie den Kopf.

»Ach.« Gus zuckte die Schultern, als wäre es ihm ziemlich egal, ob er sein Wasser jetzt aus einem Glas oder aus einer Tasse trank.

Amy nippte an ihrem Wasser. Es war lauwarm. Er hatte den Hahn nicht lange genug aufgedreht.

»Amy?«, sagte er.

»Ja.«

»Was machst du eigentlich?«

»Beruflich, meinst du?«

»Genau.«

Sie steckte ihre Haarspange um. »Ich bin Grafikdesignerin.«

»Wirklich?« Gus schien überrascht.

»Und du?«

»IT.«

Das klang extrem langweilig, fand Amy, deswegen fragte sie nicht weiter. Stattdessen wollte sie wissen: »Was hast du denn gedacht, was ich mache?«

Gus zuckte die Schultern. »Eigentlich habe ich gar nicht weiter darüber nachgedacht.«

Amy überprüfte in der Fensterscheibe ihr Spiegelbild und nahm ihre Spange aus dem Haar, weil sie nicht richtig saß. »Doch, hast du«, sagte sie, mit dem Teil zwischen den Zähnen.

Gus wirkte ein wenig verlegen. »Ich denke, ich, äh …«

»Was denn?« Sie knipste sich die Spange ins Haar und studierte wieder ihr Spiegelbild. Dann lehnte sie sich zurück und starrte ihn an.

Gus wurde knallrot. »Ehrlich gesagt habe ich, äh … Ich glaube, ich konnte mir gar nicht richtig vorstellen, dass du einen Job hast.« Er räusperte sich. »Ich habe dich falsch eingeschätzt.«

»Das soll vorkommen«, sagte sie und tat das Ganze ab, als wäre es ihr egal. Aber es nagte doch an ihr, weil sie in den vergangenen Jahren zeitweise wirklich nicht gearbeitet hatte.

Als Amy einfach nicht schwanger geworden war, hatte Bobby vorgeschlagen, es würde vielleicht helfen, wenn sie eine Weile pausierte. Vor allem, da sie sich die ganze Zeit über ihren Job in einer Werbeagentur beschwerte und meinte, er wäre zu stressig. Wegen seiner Sponsoren verdiente Bobby viel Geld. Genug, um sie beide davon zu ernähren. Damals hatte dieser Vorschlag auf Amy gewirkt, als würde ein Traum wahr.

Bobby gelang es häufiger, ihre Träume wahr werden zu lassen – mit dem Flug nach Teneriffa als Geburtstagsüberraschung, als er das Kofferpacken und alles andere erledigt hatte. Am Strand, wo plötzlich Fußabdrücke im Sand die Frage »Willst du mich heiraten?« ergaben – er hatte immer dafür gesorgt, dass sich Amy wie eine Prinzessin fühlte. Zufälligerweise vermittelte ihr auch Gus das Gefühl, eine Prinzessin zu sein, allerdings auf ganz andere Art und Weise. Sie war sich selbst noch nie so peinlich gewesen.

Amy musste an ihren Job bei der isländischen Fischereigesellschaft am Leicester Square denken. Daran, dass ihr die Arbeit eigentlich ziemlichen Spaß machte, seit sie sich damit abgefunden hatte, wie langweilig das Produkt an sich war. Eigentlich ging es aber darum, dass ihr die Komplimente gefielen, die sie für ihre Arbeit bekam. Im Moment liefen Gespräche darüber, ob man sie von einem befristeten in einen unbefristeten Vertrag übernehmen könnte. Ihr wurde bewusst, dass sie hoffte, dazu würde es kommen. Das Gefühl, irgendwo hinzugehören und etwas zu leisten, bedeutete ihr mehr, als sie sich selbst hatte eingestehen wollen. Vielleicht lag es ja daran, dass sich ein Teil von ihr wie eine Verräterin fühlte. Als würde sie damit zum Ausdruck bringen, dass es nicht reichte, Bobbys Frau zu sein.

Gus schob seinen Stuhl zurück. »Ich finde«, meinte er und steckte die Hände wieder in die Hosentaschen, während er unbehaglich von einem Fuß auf den anderen trat, »das war ein gutes Gespräch.«

Amy musste halb lachen. Sie war sich nicht ganz sicher, ob sie ihre Unterhaltung so beschrieben hätte. »Ja.«

»Gut, na ja, dann gehe ich jetzt mal schlafen.«

Amy nickte. »Okay.«

Er machte sich auf den Weg durch das Wohnzimmer und die Treppe hoch, wobei er zwei Stufen auf einmal nahm. Dann, als sie dachte, er wäre schon in seinem Schlafzimmer, streckte er den Kopf übers Geländer. »Weißt du, ich bin froh, dass du es allen erzählt hast. Es war seltsam, dass sie die ganze Zeit überhaupt nicht wussten, was ich hier eigentlich tue.«

Amy hatte keine Sekunde darüber nachgedacht, wie sich das wohl für ihn angefühlt hatte. »Ach stimmt, so was. Tut mir leid.«

Gus schüttelte den Kopf. »Ich habe das nicht gesagt, damit du dich bei mir entschuldigst, nur – ich fühle mich erleichtert, weil es jetzt kein Geheimnis mehr ist.«

Sie nickte. Es war tatsächlich eine Erleichterung. Kein unausgesprochener belastender Druck mehr. Keine Angst vor den Reaktionen, die man sich ausmalte. Einfach weniger schlimm. Sie spürte, wie sich ihre Schultern ein wenig entspannten, als sie ausatmete. »Gute Nacht«, sagte sie.

Er blieb kurz stehen. »Ja. Gute Nacht.«

15. Kapitel

Im Schlafzimmer flüsterten Jack und Stella mit vielen dramatischen Gesten miteinander, als sie ihm von Amys Schwangerschaft erzählte. Jack war gerade aus der Wanne gestiegen und saß im Bademantel auf der Bettkante, völlig verblüfft. »So hätte ich ihre Beziehung am allerwenigsten eingeschätzt.«

Stella strahlte zufrieden, wie jemand, der gerade ganz besonders interessanten Klatsch von sich gegeben hatte. Sie saß auf der anderen Seite des Bettes und zog sich die Jeans von den Beinen. »Ich weiß, stimmt.«

Jack schüttelte den Kopf. Dann drehte er sich um, stützte eine Hand auf die etwas zerknäulte Tagesdecke und sagte: »Es war schön, dich vorhin so mit Sonny zu sehen.«

Stella nahm Halskette und Ohrringe ab, stand nur noch in einem weißen Unterhemd und im Slip da. »Er hat mir leidgetan«, erklärte sie und dachte an das Gefühl, wie er seinen Kopf an ihre Brust gelegt hatte. Daran, wie sein Haar gerochen hatte.

Jack sah sie an und analysierte ihren Gesichtsausdruck. »Das ist keine Schwäche, Stel – wenn man seinen Sohn liebt.«

»Weiß ich!«, sagte sie. »Weiß ich doch.« Sie ging in Richtung Badezimmer. An der Tür blieb sie stehen und fügte hinzu: »Aber dass man jemanden liebt, bedeutet nicht, dass man ihm erlaubt, sich unmöglich aufzuführen. Jack, er ist immer schlecht gelaunt, und es kommt gar nicht so selten vor, dass Rosie und ich bloß das Haus verlassen, um ihm zu entkommen.«

Jack nickte. »Er ist ein Teenager.«

»Gut, aber das entschuldigt noch lange nicht alles.«

Stella fing an, sich die Zähne zu putzen. Von ihrem Platz am Waschbecken aus sah sie zu, wie Jack aus dem Fenster in den dunklen Himmel blickte. Er seufzte, als würde er gern alles regeln, was aber unmöglich war. Sie spülte sich den Mund aus und ging zu ihm hinüber. Legte ihm eine Hand in den Rücken.

»Da oben sind so viele Sterne«, meinte er und öffnete das Fenster weiter, sodass sie beide die Köpfe hinausstrecken und den Himmel besser sehen konnten.

Stella war mit diesen Sternen aufgewachsen, mit dem tiefschwarzen Himmel, den unzählige weiße Punkte übersäten. Das hier war kein Londoner Nachthimmel. Das hier war die Unendlichkeit. Eine Aussicht, die ihr früher vermittelt hatte, dass alles in Ordnung war – die Welt erstreckte sich über dieses Schlafzimmer hinaus, über dieses Dorf, diese Erwartungen. Es gab mehr.

Jetzt löste die Unendlichkeit des Universums jedoch ein Unbehagen in ihr aus. Sie fühlte sich klein und unbedeutend. Vielleicht lag das ja nur an dem Geständnis ihrer Mutter, dass sie ihren Mann verlassen wollte. Daran, wie leicht Dinge aus dem Gleichgewicht geraten konnten, die genau festgelegt schienen. Doch als sich Stella nun ihrem Mann zuwandte und sein Profil sah, das von den Nachttischlampen beschienen wurde, verspürte sie den Drang, etwas zu sagen.

Stella war nie besonders gut darin gewesen, ihre Gefühle in Worte zu fassen. Darin, große Dinge laut auszusprechen – vielleicht eine Nebenwirkung der Tatsache, dass es so schwer gewesen war, Pete oder ihrem Vater ein Lob zu entlocken. Oder vielleicht war sie viel mehr Stella mit dem Schandmaul als gedacht. Aber dann schluckte sie und setzte an: »Ich habe dir noch gar nicht gesagt, was ich an dir schätze.«

Sie sah, wie Jack lächelte. »Schon in Ordnung, Stel.«

Sie schaute in den dunklen Garten hinaus, auf die riesigen Hortensienbüsche, die der Mond beschien, auf den Klippenrand, auf die Wellen, deren Schaumkronen in diesem Licht wie Zuckerguss wirkten. »Ich schätze an dir, dass du so viel Stabilität in unsere Familie bringst.«

Jack sah sie an.

Stella begegnete seinem Blick und schenkte ihm ein halbes Lächeln. »Ich schätze an dir, dass du das heute alles hinbekommen hast, mit diesem langen Stab und dem ganzen widerlichen Zeug. Dass du es einfach getan hast. Und ich denke, ich schätze an dir, dass du immer anständig bist. Aber auf eine gute Art und Weise.« Sie fuhr sanft mit einem Finger über seine Hand, die er auf den Fensterrahmen gelegt hatte. »Ich schätze an dir, dass du einer von den Guten bist.« Sie wandte sich um und lehnte jetzt am Fensterbrett. Ihre Augen funkelten. »Wie in einem Western. Der Beste von allen. Du bist John Wayne.«

Jacks Wangen röteten sich, er schaute verlegen drein.

»Du wirst ja ganz rot«, sagte sie lachend und fuhr ihm über die Wangen.

Er legte seine Hand auf ihre. »Na ja …« Er hustete verlegen und wusste nicht, was er sagen sollte. »Ich, äh …«

»Da ist noch mehr«, unterbrach sie ihn, »was ich an dir schätze. Dass du Rücksicht auf andere nimmst, nie lügst und nicht wütend wirst. Und du kommst mit meiner Familie zurecht. Das wäre es für den Moment. All das habe ich heute empfunden.«

Jack nickte. Anschließend wandte er sich vom Fenster ab. »Das klingt alles sehr schön.«

Stella fühlte sich plötzlich verlegen. Wie ein Schulmädchen. Als hätte sie zu viel von sich preisgegeben. »Gut.«

Er lächelte.

Sie lächelte auch. Dann, als Jack die Bettdecke zurückzog, sagte sie: »Vielleicht sollten wir die Sache mit diesem Sex probieren, den wir haben sollten.«

»Wie war das noch gleich, wie viel Sex sollte das sein?«, fragte Jack und stemmte unter dem Bademantel die Hände in die Hüften.

Stella legte den Kopf schief. »Genau genommen sollten wir es täglich tun.«

»Täglich!« Jack pfiff durch die Zähne.

Stella grinste.

»Na dann«, sagte er. »Umso besser, dass ich der John Wayne des realen Lebens bin, oder?« Er zog Stella abrupt an sich, wie ein Cowboyheld. Sie stolperte fast über den unteren Teil des Vorhangs.

»Oh, entschuldige, alles in Ordnung?«, erkundigte er sich, ließ sie sofort los und bückte sich, um ihren Zeh zu begutachten, den sie sich gestoßen hatte.

»Ja, alles klar.«

Jack schnitt eine Grimasse. »Das wäre John Wayne wohl nicht passiert, oder?«

Stella schüttelte lachend den Kopf. »Mach dir keine Gedanken, ich bin nicht wirklich scharf auf John Wayne.«

»Okay, das ist gut. Sehr gut.« Jack nahm sie bei der Hand, sanft und höflich. »Lass uns lieber ins Bett gehen, bevor es zu weiteren Verletzungen kommt.«

Es war guter Sex. Guter Sex im Bett. Sie hatten immer guten Sex gehabt – wenn es denn dazu gekommen war. Diesmal hatte das Ganze allerdings ein bisschen seltsam gewirkt – wie für eine Filmszene inszeniert. Jack war ungewöhnlich aufmerksam und zärtlich gewesen, hatte ihr Dinge ins Ohr geflüstert, über die Stella eigentlich hatte lachen wollen, doch weil er alles wirklich ernst zu meinen schien, hatte sie sich das verkniffen. Es war die Sorte Sex, die man im Fernsehen gezeigt bekam. Als würde sich Jack bemühen, der Person zu entsprechen, als die ihn seine Frau gerade beschrieben hatte. Aber dennoch, trotz ihres unterdrückten Kicherns, war es guter Sex. Stella sagte sich, sie sollten es öfter tun. Sex war dann doch meistens weniger Aufwand, als man vorher glaubte.

16. Kapitel

»Autsch! Was machst du denn?« Stella öffnete die Augen. Sie fühlte sich desorientiert. Jack stieß ihr in die Schulter, damit sie aufwachte. Es musste mitten in der Nacht sein. »Was ist denn los? Ist was mit den Kindern?«

»Nein, mit den Kindern ist alles okay. Mach dir keine Sorgen, es ist nichts passiert.« Neben ihr saß Jack aufrecht im Bett, in einem zerknitterten T-Shirt.

»Wie spät ist es?« Stella sah auf ihre Armbanduhr. »Jack, es ist vier Uhr nachts. Was ist denn?«

»Ich muss mit dir reden«, erklärte er mit entschlossener Miene, als hätte er schon eine Weile darauf gewartet.

Stella blinzelte und starrte ihn an. Mit Mühe setzte sie sich auf. Sie spürte förmlich ihre Erschöpfung, erinnerte sich sogar noch schwach daran, was sie geträumt hatte.

»Ich lüge *doch*«, sagte er und wandte sich ihr zu. Dann schluckte er.

Stella war verwirrt. Noch im Halbschlaf fühlte sie sich auf dem falschen Fuß erwischt. »Ich ziehe mir erst mal was an«, meinte sie. Danach band sie sich das Haar zusammen und setzte sich neben ihren Mann. »Wovon redest du überhaupt?«

»Du hast gesagt, ich lüge nicht, und bei mir ist alles in Ordnung. Aber ich lüge sehr wohl, und bei mir ist nicht alles in Ordnung. Ich bin ein Betrüger.«

Stella rieb sich die Augen. Nun war sie wach. »Was meinst du damit, du bist ein Betrüger?« Sie versuchte sich auf das vorzubereiten, was jetzt kam. Darauf, dass er sich von ihr scheiden lassen wollte, ihr gestand, eine Affäre zu haben, zugab, dass er heimlich ihre Unterwäsche trug, irgendetwas. Irgendetwas, das die bisherige Ruhe in Chaos verwandelte – es war gar keine Ruhe gewesen, aber im Vergleich zu diesem Moment schon.

Jack hielt den Blick gesenkt und knetete mit beiden Händen das Bettlaken.

Stella musste an den Sex voller Komplimente und Liebesgeflüster denken. Plötzlich erschien ihr das Ganze wie eine nur zu offensichtliche Einleitung zu einem Schuldeingeständnis. Er hatte sie zum Narren gehalten.

Womöglich wusste er ja, wo sich ihr Vater aufhielt. Vielleicht hatten die beiden miteinander telefoniert, alles zusammen geplant. Vielleicht ging es bloß darum, dass Jack die Geheimnistuerei nicht mehr ertrug.

Das wäre gar nicht so schlimm gewesen. Damit würde sie umgehen können. Ja. Das musste es sein.

»Ich habe meinen Job verloren«, sagte er und ließ das Bettlaken los.

»Wann?«, fragte sie stirnrunzelnd.

»Vor etwa zwei Monaten.«

»Vor zwei Monaten!« Stella konnte es gar nicht glauben.

Jack nickte.

»Scheiße, Jack. Warum hast du mir das nicht gesagt?«

Er schwieg.

Stella rieb sich die Stirn. »Ich verstehe das nicht ... Ich verstehe nicht, warum du ... Zwei Monate. Was hast du denn die ganze Zeit gemacht?« Sie war völlig verblüfft. Sie sah nur vor sich, wie er sich morgens seine Käsebrote machte, einen Apfel und eine kleine Tüte Chips in seine Frühstücksbox packte und pünktlich um Viertel vor acht das Haus verließ. »Scheiße. Warum weiß ich davon nichts? Wie viel Geld haben wir denn? Haben wir genug Geld?«, wollte sie wissen.

»Es wird ziemlich eng«, gab er zurück.

Stella fasste ihr Haar zusammen und machte sich einen Dutt ganz oben auf dem Kopf. Sie dachte an ihr wunderschönes Haus im Süden Londons, daran, wie es auf einen Schlag mit der Familienidylle vorbei wäre. Sie holte tief Luft. »Das ist okay. Wir kriegen das hin. Wir werden einfach das Haus verkaufen müssen. Das ist in Ordnung. Hat man dir eine Abfindung gezahlt? Hast du schon nach einem neuen Job gesucht? Hat man noch jemandem gekündigt? Oder bloß dir?«

»Stella, hör auf.« Er hob beide Hände.

Stella hörte auf. Sie schloss den Mund. Sie sah ihn an, sah ihn wirklich an. Sein braunes Haar – normalerweise perfekt gekämmt und mit geradem Mittelscheitel – wirkte zerrauft, in seinen Augen nahm sie eine Müdigkeit wahr, die sie sonst nur aus der Zeit kannte, als die Kinder noch ganz klein waren. In T-Shirt und Boxershorts wirkte er unzureichend angezogen – ohne Rüstung, ohne die Schutzvorrichtungen, in denen sie ihn erwartete. Er sah nicht aus wie jemand, bei dem alles in Ordnung war. Er sah aus wie jemand, der völlig erschöpft war.

Nun knetete Stella am Bettlaken herum. »Sag mir einfach, ob wir das Haus verkaufen müssen.«

»Ich weiß es nicht. Vielleicht. Aber jetzt noch nicht.«
Er fuhr sich mit beiden Händen durchs Haar. »Ich weiß es nicht.«

Stella nickte. Ihr war klar, sie würde ihn wieder fragen müssen, warum er ihr nichts erzählt hatte, doch das wollte sie nicht. Alle Anzeichen sprachen dafür, dass ihr die Antwort nicht gefallen würde. Dass es zwar um ihn ging, sie aber auch ihren Teil abbekommen würde.

Nach einem kurzen Schweigen fragte sie: »Jack, wieso hast du mir nichts gesagt?« Er ließ die Hände sinken, sodass sie auf seinen angezogenen Knien landeten. »Ich weiß es nicht.«

Für den Augenblick war es in gewisser Weise einfacher, so zu tun, als würde das stimmen. »Nun«, fuhr sie fort, »dann müssen wir uns einen Plan überlegen.«

Jack nickte.

Stella sah auf ihre eigene Hand und stellte fest, dass diese zitterte.

Dann sprach Jack: »Ich glaube, das war der Grund, warum ich dir nichts erzählt habe.«

»Wieso? Weil ich dann einen Plan machen würde?«

Er nickte. »Weil ich wusste, dass du mich zum Handeln zwingen würdest. Dazu, etwas zu tun. Ich wollte aber nichts tun.« Resigniert starrte er sie an. »Ich glaube, ich kann verstehen, warum dein Dad verschwunden ist. Es ist nur, weil …« Er stieß die Luft aus, hielt verwirrt inne, als könnte er es nicht ganz erklären. »Weil er eine Pause braucht. Eine Pause vom Leben. Von den Erwartungen. Stella, du magst mich, weil ich Verantwortung übernehme.«

»Das stimmt nicht.« Sie spürte, wie sich ein Gefühl der Panik flatternd in ihr erhob.

Er zuckte die Schultern, als wäre es sinnlos, darüber zu streiten, als wüsste er jedoch, dass seine Worte der Wahrheit entsprachen.

Stella sah auf ihre Hände und auf das wie eine Harmonika zusammengeschobene Laken. Es hatte ihr Sicherheit vermittelt, zu wissen, dass Jack ihrer Familie die Basis gab. Das hatte sie selbst gesagt. Er sorgte für Stabilität, für ein regelmäßiges Einkommen – sie schlug sich ebenfalls gut, aber was auf ihrem Konto einging, war weniger verlässlich, weniger regelmäßig. Er sorgte dafür, dass sie eine finanzielle Grundlage hatten. Er war ein hingebungsvoller Vater, spielte mittwochs Squash, räumte die Spülmaschine aus und brachte den Müll raus. Und er kannte sich mit Wein aus. Er war in allen Bereichen ein verlässlicher Typ.

»Und du willst immer alles unter Kontrolle haben«, fügte er hinzu, mit weit ausgebreiteten Armen und einem Gesichtsausdruck, der besagte, nun hätte er angefangen, also könnte er auch genauso gut weitermachen. »Du hättest versucht, das Ganze in Ordnung zu bringen.«

»Ich will gar nicht immer alles unter Kontrolle haben.«

»Ach, jetzt komm, Stella.«

»Was habe ich denn bitte unter Kontrolle? Mein Leben ist doch ein totales Chaos. Ich habe eine eigene *Kolumne* darüber, dass mein Leben ein totales Chaos ist.«

»Ja, und die Hälfte von dem, was da drinsteht, denkst du dir aus!«, gab er zurück und hob dabei die Stimme, weil er das Ganze nicht mehr ertrug. »Stella, allein die Tatsache, dass du überhaupt eine Kolumne hast, beweist doch, dass das Ganze kein totales Chaos ist.«

Nun verschränkte Stella die Arme vor der Brust. »Nenn mir *ein* Beispiel dafür, dass ich immer alles unter Kontrolle haben will«, verlangte sie, mit hochgezogenen Augenbrauen und einem Gesichtsausdruck, der ihren Mann zu einer Antwort herausfordern sollte.

»Okay, wird gemacht«, zischte Jack. »Denk doch mal an Sonny. Was ihn betrifft, willst du alles unter Kontrolle haben. Du übernimmst seine ganze Erziehung. Es muss so laufen, wie du das willst, oder gar nicht. Und manchmal hast du zu hohe Erwartungen an Leute, da du zu hohe Erwartungen an dich selbst hast.« Er unterstrich das Ganze mit Handbewegungen, die er wohl in einem Präsentationsworkshop gelernt hatte. Stella verdrehte die Augen – vor allem, um sich von seinen Vorwürfen zu distanzieren. »Vielleicht will ich das mit der Erziehung ja gar nicht so handhaben wie du«, fuhr Jack fort und zeigte auf sich selbst. »Ich habe allerdings keine andere Wahl. Und ehrlich gesagt ist es sogar in Ordnung für mich, dass du dabei die Führung übernimmst, aber dann musst du auch die Verantwortung dafür übernehmen, wenn Fehler passieren. Es war nicht nötig, Sonny wegzuschicken – das war übertrieben. Wir hätten die Sache daheim regeln können, als Familie. Du hast nur zu schnell reagiert und konntest keinen Rückzieher machen.«

Als Jack fertig gesprochen hatte, klangen die Worte in ihr nach.

»Wow.« Stella blinzelte. »Das Ganze ist also meine Schuld?«

»Nein, das meine ich damit gar nicht.« Seufzend schaute

er zu den Vorhängen und dann wieder zu seiner Frau. »Ich weiß nicht genau, was ich meine.«

Er wirkte ein wenig verängstigt. Und Stella fühlte sich ganz eindeutig ein wenig verängstigt.

Draußen war die Nacht bereits einer dämmrigen Dunkelheit gewichen, der Sonnenaufgang wartete schon in den Kulissen.

»Ich habe das alles nicht so gemeint«, ruderte Jack sofort zurück.

Jetzt war Stella damit an der Reihe, ihn einfach bloß anzustarren. Vor kurzer Zeit hatte sie noch tief und fest geschlafen. »Das Ganze ist ein einziger Albtraum«, erklärte sie und sah auf die Kissen herunter. Dabei wusste sie genau, dass sie heute Nacht wahrscheinlich nicht mehr schlafen würde. Sie sah ihren Mann an und lachte kurz auf, bevor sie sagte: »Weißt du noch, was der nächste Punkt auf der Liste für den Ehe-TÜV war? ›Fressen Sie nichts in sich hinein.‹ Da warst du wohl ein bisschen voreilig.«

Jack verzog keine Miene.

Auch Stella nicht.

Sie zog sich das Gummi aus dem Haar. »Sieht so aus, als würde der Ehe-TÜV ergeben, dass wir beide reif für die Schrottpresse sind.«

»Es tut mir leid«, erwiderte Jack. »Ich hätte das alles nicht sagen sollen. Ich bin einfach müde. Gestresst.« Er rieb sich das Gesicht. »Trotzdem bin ich froh, dass ich es dir gesagt habe. Das mit der Kündigung. Das wollte ich die ganze Zeit tun. Es ging nur einfach nicht.«

Ein wenig kam er ihr vor wie ein Fremder. Nicht wie ihr Ehemann und der Vater ihrer beiden Kinder.

»Ich glaube, ich muss jetzt schlafen«, sagte er.

Stella nickte. »Okay.«

Eigentlich wollte sie sagen: *Du Arschloch. Das Ganze war dein Problem. Deine Lüge. Und nun ist es plötzlich irgendwie alles meine Schuld.*

Jack war zwischen die Laken gerutscht, hatte die Augen bereits beinahe geschlossen, versuchte vergeblich wach zu bleiben. Stella beobachtete ihn dabei, wie der Schlaf ihn übermannte. Wie sie das bei Sonny und Rosie getan hatte, als sie Babys waren.

Sie saß da und starrte ihn an. Diesen schlafenden Mann, der sie gerade von oben bis unten durchgeschüttelt hatte und jetzt hängen ließ.

Langsam begriff auch sie, warum ihr Vater verschwunden war. Alles in ihr schrie danach, aufzustehen und zu gehen. Sich von diesem Chaos abzuwenden, von den Vorwürfen. Alles war zu schwer, zu verwirrend, zu kompliziert.

Durch den Spalt zwischen den Vorhängen sah sie, wie sich der Himmel aufhellte. Sie konnte den Gesang der Vögel parallel zum Rauschen der Wellen hören. Eine Weile betrachtete sie ihren Mann, fassungslos darüber, dass er sein Doppelleben vor ihr verborgen hatte. Sein Arm bewegte sich, hin zu ihrem. Stella entzog sich der Berührung. Versuchte die Augen zu schließen, ertrug jedoch die Dunkelheit nicht. Schließlich stand sie auf, zog sich ihre Shorts an und verließ das Zimmer.

17. Kapitel

Der frühmorgendliche Himmel hatte die Farbe zartblasser Rosen. Dunst schwebte über dem Wasser. Die gelbe Sichel der Sonne am Horizont sah aus wie Butter, und der gestrige Regen war bereits bis auf die letzte Spur getilgt. Stella spürte, wie der feuchte Sand zwischen ihren Zehen hervorquoll. Es war Ebbe, und das Meer hatte alles mögliche Strandgut zurückgelassen: Muscheln, Algen, Flaschendeckel, Meerglas. Im Gehen hob sie ein glänzend blaues Stück auf. Die abgerundeten Ecken fühlten sich in ihrer Hand weich an, wie ein von der Zeit zurechtgeschmirgelter Stein. Dann warf Stella das Meerglas so weit von sich, wie sie nur konnte. Die Morgenkühle ließ sie schaudern, die Härchen auf ihrem Körper stellten sich auf, das Salz in der Luft brachte mit jedem Atemzug Erinnerungen zurück.

Immer weiter ging Stella der See entgegen und ließ deutliche Fußabdrücke in einer schnurgeraden Linie hinter sich zurück. Sie blieb erst stehen, als ihr das Wasser bis zu den Waden reichte und die winzigen weißen Schaumkronen der kleinen Wellen ihre Knöchel umspielten. Die Kälte kroch ihr unter die Haut, grau und scharf, doch wenn sie sich an die Umgebung gewöhnte, nahm diese Empfindung sofort ab, und dieses Muster wiederholte sich mit jedem Schritt.

Stella versuchte, nicht an Jack zu denken, während sie

an den Horizont starrte. Sie hob beide Hände vors Gesicht, bedeckte ihre Augen. Es fühlte sich beinahe so an, als hätte er eine Affäre gehabt. Ein Doppelleben geführt, das alles zu einer Lüge werden ließ, was sie in den vergangenen Monaten zusammen getan hatten. Wie hatte sie bloß die letzten Wochen in so selbstsicherer Arroganz verbringen können, so ohne jeden Verdacht? Sie fragte sich, ob das wohl das Ende ihrer Ehe bedeutete. Stellte sich vor, wie sie ihre Sachen packte und sich Rosie dabei an ihr festklammerte. Sonny würde sich wahrscheinlich dafür entscheiden, bei Jack zu bleiben. Und der Graben zwischen ihnen würde immer breiter werden. Es würde sich anfühlen, als wäre sie nicht mehr so sehr befugt, Sonny an sich zu ziehen, wenn er den Tränen nahe war. Stella nahm die Hände vom Gesicht. Sie fühlte sich grau. Müde. Wie der Sand, der ihr zwischen den Füßen hindurchrutschte, während sich die Wellen zurückzogen und wieder nach vorn warfen. Sie versuchte, den Sand mit den Zehen festzuhalten, doch vergeblich.

Sie starrte zum weißen Horizont der in der Sonne bleich erscheinenden See hinaus. Sie hatte überdeutliche Erinnerungen daran mitgebracht, wie Stella jeden Morgen um sechs Uhr mit ihrem Vater hier gestanden hatte. Jeden Morgen, bei jedem Wetter. Mit einer Plastiktüte voller Marmite-Brote und einer Thermoskanne mit Tee. Zwei Handtücher hatten sie dabei. Zwei Bademäntel. Sie stand in den Wellen, setzte ihre Badekappe auf, spuckte in ihre Schwimmbrille, damit diese nicht beschlug, spülte sie im Salzwasser aus und rückte sie zurecht, und neben ihr tat ihr Dad dasselbe. Das sommerliche Meer umspülte ruhig und träge ihre Knöchel, ihre Arme fuhren über die glasklare Oberfläche, auf dem Rücken spürte sie die warme Sonne. Und dann die bittere Drohung des Winters. Der Druck der Wellen. Wie man nach Luft rang, ganz außer Atem durch eisgraue Wogen tauchte.

Als Stella jetzt hier stand, konnte sie kaum glauben, dass sie das getan hatte. Die Kühle des Wassers an diesem frühen Sommermorgen reichte aus, um das Bedürfnis in ihr zu wecken, wieder zurückzuweichen. Ihr Teenager-Ich hätte sich über sie lustig gemacht, sie als alt und verweichlicht bezeichnet. Aber Stella hätte nicht sagen können, was es ihr gebracht hätte, sich in ein Meer zu stürzen, das nichts anderes war als ein geschmolzener Eisblock.

Stellas Gehirn unterzog sie einem kleinen Test, versuchte sie zum Eintauchen zu bringen, doch ihr Körper blieb, wo er war.

Dieses Gefühl schleuderte sie in eine andere Zeit zurück, als sie ebenfalls stehen geblieben war. Bei den nationalen Wettkämpfen, der Endrunde für die Auswahl ins olympische Team. Auch damals war sie zum Sprung bereit gewesen, hatte versucht, ihren Körper gegen dessen Willen zum Eintauchen ins Wasser zu bringen. Sie sah den Pool wieder vor sich, an dem sie auf dem Startblock gestanden hatte. Das Türkis des Wassers. Und sie nahm den Chlorgeruch wahr. Spürte die nervöse Anspannung der Leute neben sich, den Stress der Mädchen, die sie Jahr für Jahr in Wettkämpfen geschlagen hatte. Spürte, wie aufgeregt ihr Vater neben ihr war. Wusste, dass er sich bereits das Olympiastadion vorstellte, den Tourbus, die Anzeigetafel mit den Punkten, das Podium und die Medaillen. Hier ging es für ihn um alles – das wäre kein normaler Trainerjob. Damit würde er den olympischen Traum zurückbekommen. Den Ruhm. Durch sie würde er ihn noch einmal erleben. Stolz, der aus den Banden des Blutes geboren wurde. Seine Tochter, und deswegen kein geringer Teil seiner selbst. Sie konnte genauso gut sein wie er, sogar besser, das sagten jedenfalls die Leute. Und nur eine Runde trennte sie von diesem Ziel. Ein Sprung in dieses leicht bewegte Türkisblau. Vor ihr lag alles, wofür sie beide gearbeitet hatten. Jeden Morgen. Jeden Abend. Mit jeder ernährungstechnisch optimal zusammengestellten Mahlzeit. Mit jedem Urlaub – immer in Portugal, denn dort gab es neben attraktiven Stränden für ihre Mutter ein Schwimmbad mit einem Becken von olympischen Dimensionen. Jede Verletzung war Teil des Weges gewesen. Jede Physiotherapiesitzung. Jeder Tag im Trainingscamp. Jedes Wochenende.

Stella zog sich aus den Wellen zurück und setzte sich ans Ufer. Sie schlang die Arme um die Knie. Das Meer umspülte kalt ihren Hintern.

Sie schloss die Augen. Das Knallblau des Poolwassers flackerte hinter ihren Lidern wie die Sonne. Sie erinnerte sich daran, dass sie völlig cool und überhaupt nicht nervös gewesen war. Nichts hatte sie empfunden. Sich vor dem Rennen nicht übergeben, nicht gezittert, nicht gespürt, wie ihr die Angst tief in die Knochen kroch. Kein Funken Adrenalin raste an diesem Tag durch ihren Körper. Deswegen wäre sie in der Lage gewesen, nicht wie sonst auf das Wasser hinabzustarren und sich den entsetzlichen Schmerz vorzustellen, der gleich kommen würde, sich daraus Energie zu holen, sich wie ein Roboter auf sie zu fokussieren und die anderen, die neben ihr um den Sieg kämpften, völlig zu ignorieren, weil sie wusste, dass der Erfolg ihr gehörte. Stattdessen hätte sie sich dem Mädchen auf dem Startblock neben sich zuwenden können, das mit gesenktem Kopf und zitternd vor Nervosität dastand. Und sie hätte sagen können: »Warum nimmst du das hier so ernst?«

Stella hatte die wilde, beißende Gier zu gewinnen verloren. Sie war ihr entglitten, hatte sie im Nachhinein begriffen, und zwar während der zwei Monate, in denen sie sich kurz vor ihrem achtzehnten Geburtstag von einer Rotatorenmanschettenruptur hatte erholen müssen. Damals hatte es sich allerdings so angefühlt, als wäre die Veränderung über Nacht eingetreten. Als hätte sie eines Morgens beim Aufwachen festgestellt, dass der Impuls nicht mehr da war. Stella durchforstete ihr Gehirn, wollte den Funken wiederfinden, suchte im Dunkeln verzweifelt nach ihrem Sportsgeist, ihrem auf Großes ausgerichteten Ehrgeiz. Sie flehte ihren Körper an, den unbedingten Siegeswillen wieder zu aktivieren. Doch das war ihr nicht gelungen. Wenn sie im Bett lag, litt sie wegen des entsetzlichen Gefühls, das ihrem Vater sagen zu müssen. Das musste sie tun, oder sie musste so tun, als wäre nichts passiert. So tun als ob, während ihre Gliedmaßen mit jedem Schwimmzug langsamer wurden, weil sie solchen Widerwillen empfand. Sie würde im Umkleideraum stehen müssen und nichts empfinden als eine Blase nervösen Lachens. Auf den Startblock klettern und abwarten, was wohl geschehen würde.

Jetzt am Strand schaute sich Stella um, da sie sicher sein wollte, dass niemand sie so in Shorts und Hemd in den Wellen sitzen sah. Da war niemand. Nur eine Meile gelber Sand, ockerfarbene Klippen und Möwen, die durch die Gegend stolzierten wie Generalmajore. Stella wandte sich wieder dem Wasser zu. Schluckte. Sie spürte, wie viele Versionen ihrer selbst sie festhielten: Stella die Tochter, Stella die Schwimmerin, Stella mit dem Schandmaul, Stella die Ehefrau und Mutter. Und ganz plötzlich wollte sie einfach nur Stella sein. Stella, die nicht von Enttäuschungen, Erwartungen, Verantwortungsbereichen, unerfüllt gebliebenen Hoffnungen oder Kontrollwahn niedergedrückt wurde.

Plötzlich stand sie aufrecht da. Und dann rannte sie unelegant und mit vielen Spritzern ins Wasser, durch die Wellen. Ihr Gehirn war ihrem Körper kein bisschen voraus. Und schließlich tauchte sie ins Wasser. Ihre Hände durchschnitten die Oberfläche, sie spürte die Stiche im Gesicht, das eiskalte Wasser schlug bebend über ihr zusammen wie eine glänzende Scheibe. Hart und unbarmherzig, schmerzhaft und zugleich wunderbar angenehm.

Ihr Kopf hämmerte vor Kälte. Ihre Wangen färbten sich rosig, ihr Herz klopfte wie wild. Ihre Muskeln befanden sich auf Autopilot, sorgten dafür, dass Stella das Wasser durchpflügte – jahrelang hatten sie eine unendliche Sehnsucht nach diesem Gefühl empfunden, jetzt kamen sie in Schwung und sprudelten förmlich über vor Freude. Stella schwamm, mitten durch die gläserne Stille des Wassers. Und dann kam der Moment – wie jedes Mal, obwohl sie das vergessen hatte –, in dem Kälte und Adrenalin sie förmlich abheben ließen. Wenn sie das Majestätische jeder einzelnen Welle spüren konnte. Wenn die Welt zu diesem kurzen Stück Meer zusammenschmolz. Wenn der Körper vor Kälte brannte und sie das Salz stechend auf der Haut spürte, ihre Muskeln aufschrien und ihr Herz seinen Rhythmus fand, wenn sie spürte, wie dieser Rausch sie durchlief wie Champagnerbläschen.

Stella schwamm. Sie dachte an gar nichts. Sie dachte an alles. Sie sah den Gesichtsausdruck ihres Vaters vor sich, als sie bei diesem entscheidenden Rennen nicht ins Wasser gesprungen war – die Sekunde der Besorgnis, etwas sei nicht in Ordnung, dann der Schock und die kaum verhaltene Wut. Sah vor sich, wie er sich rasch zwischen den Plastikstühlen zum Komitee bewegt hatte, die Jury hatte überzeugen wollen, ihr eine zweite Chance zu geben, wie er protestierte und wie die Juroren zu Stella gekommen waren. Wie sie stumm die Köpfe geschüttelt hatten. Die erstaunten, nervösen Gesichter, als der laute Fluch ihres Vaters in der Schwimmhalle erklang. Sie hörte den enttäuschten Seufzer ihrer Mutter, den Ausdruck in ihren Augen, der die Zeitverschwendung beklagte. Sie sah vor sich, wie sie die Tür des uralten Fiat Uno zuschlug, in dem ihre Sachen für die Uni waren. Sie hatte in allerletzter Minute im Nachrückverfahren einen Studienplatz bekommen und stand jetzt auf der Auffahrt, während ihr Vater im Haus blieb und sich weigerte, sich von ihr zu verabschieden, und ihre Mutter ihr leise bedeutete, es wäre besser, wenn sie nun einfach fuhr. Schließlich wollte sie hier keine Szene machen, oder?

Stella schwamm immer weiter, bis sie das Gefühl bekam, die Lungen müssten ihr gleich platzen. Dann rollte sie sich auf den Rücken, in einer Bewegung, wie ein Seehund, rang nach Luft. Mit ausgestreckten Armen trieb sie auf dem Wasser und starrte in den Himmel empor, der aussah wie eine Tüte voller blauer und rosafarbener Bonbons.

Mit geschlossenen Augen ließ sie sich dann sinken, und das Wasser schloss sich über ihr, ihr Haar trieb wie Fangarme an die Oberfläche. Sie musste daran denken, wie sie und ihr Dad am Strand gesessen hatten, in ihre Handtücher gewickelt, wie sie Tee getrunken und ihre Brote gegessen, schweigend aufs Meer hinausgestarrt hatten. Über ihnen am Himmel trieben Möwen. In diesem Moment war sie ganz allein gewesen und doch auch wieder nicht. Die Welt hatte sich zurückgezogen. Und ihr Vater sah sie an und sagte: »Der beste Moment des Tages.« Und sie grinsten einander an, fühlten sich frei, als hätten sie das Geheimnis des Lebens für sich entschlüsselt, während andere einfach bloß existierten.

Sie fragte sich, wohin sich dieses Gefühl verflüchtigt hatte. All diese Liebe. Und warum es, wenn es denn verging, so ganz und gar verschwinden musste. Sie befand sich unter Wasser. Warum hatte sie diesen kleinen Teil nicht retten können – das Schwimmen, das Meer, die Ruhe, das Lebenselixier? Warum hatten sie beide es nicht bewahren können?

Jetzt musste Stella doch an Jack denken. An den Mann, den sie nicht nur geheiratet hatte, weil er so verlässlich und anständig war. Es ging ihr auch um seine Ausgeglichenheit. Seine Rationalität. Darum, dass ihn nichts aus der Ruhe brachte. Im Gegensatz zu ihrem Vater würde Jack niemals derart außer sich geraten, dass er zu ihr sagte: »Ich schäme mich so sehr für dich, dass ich dich nicht einmal ansehen kann.« Sie hatte ihn nicht als Gegenmittel zu ihrem Vater geheiratet, sondern weil er ihr eine Art Leben gezeigt hatte, die anders war als die, die sie bisher gekannt hatte. Ein Gleichgewicht, eine Partnerschaft, eine Ebenbürtigkeit.

»Hallo? Alles in Ordnung? Brauchen Sie Hilfe?« Mit einem Ruck kehrte Stella in die Realität zurück, als sie eine tiefe Stimme laut vom Strand her anrief.

Desorientiert sah sie sich um, trat Wasser und schirmte die Augen mit einer Hand ab. Da entdeckte sie einen hochgewachsenen Mann mit weißen Haaren, der in einer weiten gelben Hose und einem schwarzen T-Shirt im Sand stand. Zwei Hunde schnüffelten in seiner Nähe herum, und neben ihm befand sich eine Frau, die verblüffende Ähnlichkeit mit Stellas Mutter hatte.

»Alles bestens!«, schrie sie zurück. »Vielen Dank!«

Er nickte.

»Ach, das ist ja Stella!« Sie nahm die Überraschung in der Stimme ihrer Mutter wahr und hatte den Eindruck, dass sie beide sich dasselbe wünschten – Moira sollte einfach mit den Hunden und ihrem Begleiter weitergehen und Stella bleiben, wo sie war. Doch der Mann – Stella nahm an, dass es sich um Mitch handelte, den Hippie – machte nicht den Eindruck, als würde er so bald weitergehen wollen. Er stand einfach da und hatte ein Lächeln auf dem Gesicht, das Stella nicht gefiel. Als wäre es ganz wunderbar für ihn, sie schwimmen zu sehen.

Stella wollte nicht, dass er sie beobachtete. Doch da er sich nicht von der Stelle zu rühren schien, blieb ihr nichts anderes übrig, als an Land zu schwimmen. Plötzlich empfand sie die Strecke als ziemlich lang und erschöpfend. Weil sie jetzt dieser Fremde und ihre Mutter so genau im Blick hatten, machte ihr das Schwimmen keine Freude mehr.

Als Stella ins Flache kam, ging sie den Rest zu Fuß, spürte den Sog der kaum wahrnehmbaren Wellen an den Beinen. Sie war sich sehr der Tatsache bewusst, dass sie bloß Shorts und Hemd trug und kein Handbuch dabeihatte. Es war allzu deutlich, dass sie spontan ins Wasser gegangen war, und das war ihr peinlich.

»Stella, du trägst ja ganz normale Sachen.« Ihre Mutter runzelte die Stirn.

»Ja, ich weiß.«

Mitch lächelte immer noch. Die Hunde jagten inzwischen einem Ball hinterher, den er für sie geworfen hatte. »Es tut mir leid, wenn wir Sie beim Schwimmen unterbrochen haben, aber es ist noch so früh, und da wollte ich einfach sicher sein, dass Sie nicht in Gefahr sind.«

»Kein Problem«, gab Stella zurück und zerrte an ihrem nassen Zeug. Der Stoff klebte ihr am Körper.

»Stella, das ist Mitch«, stellte ihre Mutter sie vor, und auf ihren Wangen zeigte sich eine leichte Röte.

Stella drückte sich das nasse Haar aus. »Hallo«, erwiderte sie ein wenig zurückhaltend. Das war also der Typ, der ihre Mutter dazu gebracht hatte, dem Buchclub beizutreten. Dazu, sich von ihrem Vater scheiden lassen zu wollen und eine Jeans mit Stickereien zu tragen.

Mitch streckte ihr seine kräftige Hand hin, zwei seiner Finger zierten Silberringe, am Handgelenk trug er Lederarmbänder und auf dem Oberarm ein Buddha-Tattoo.

Innerlich verdrehte Stella die Augen.

»Ihre Mutter und ich führen unsere Hunde zusammen

aus«, erklärte er, gerade in dem Moment, als ihm ein strubbeliger Mischling einen speicheldurchtränkten Ball vor die Füße fallen ließ. Neben ihm hechelte Frank Sinatra, der es offensichtlich kaum erwarten konnte, dass Mitch den Ball wieder warf.

Stella hätte Mitch und Moira am liebsten gefragt, ob zwischen ihnen etwas lief.

»Hast du denn gar nichts dabei, Stella?« Stirnrunzelnd sah sich ihre Mutter am Strand um, um herauszufinden, wo Stella ihre Sachen gelassen hatte.

»Nein, aber das macht nichts.« Mit einer Handbewegung wischte Stella die Besorgnis in der Stimme ihrer Mutter weg.

»Aber so wirst du dich erkälten.«

»Moira«, mischte sich Mitch ein und warf ihrer Mutter einen Blick zu, »Stella ist durchaus in der Lage, auf sich selbst aufzupassen. Das weißt du doch.«

Ihre Mutter holte tief Atem, durch die Nase. »Ja«, sagte sie. »Ja, ich denke, da hast du recht.«

Stella konnte nicht verhindern, dass sich ihre Mundwinkel leicht nach oben verzogen und sie ein wenig verblüfft dreinschaute, als sie das Paar vor sich genauer betrachtete. Noch nie hatte jemand so etwas zu ihrer Mutter gesagt. Jedenfalls nicht, ohne danach entsprechend abgefertigt worden zu sein.

Die Hunde kamen wieder herangesprungen. Mitch schleuderte den Ball endlos weit den Strand hinunter. »Immer noch keine Nachricht von Graham?«, erkundigte er sich, als hätte er gefragt, ob der Briefträger schon da gewesen sei.

Stella schüttelte den Kopf. »Nicht, dass ich wüsste.«

»Nein«, bekräftigte Moira.

Mitch nickte. »Ich bin sicher, er taucht bald wieder auf.«

»Wir wollen es hoffen«, gab Stella mit einem halben Lachen zurück. Fast fand sie Mitch sympathisch. »Dann können wir endlich alle zur Normalität zurückkehren.« Das hatte sie gesagt, ohne nachzudenken. Ihre Mutter ging ein paar Schritte und hob einen Stein auf, den sie dann ins Meer warf.

Mitch beobachtete Stella, die wiederum Moira beobachtete. Dabei spielte ein leichtes Lächeln um seine Lippen, das Stella ärgerte. »Sie werden nie zur Normalität zurückkehren, Stella«, meinte er. »So etwas wie Normalität gibt es nicht.« Die Hunde waren wieder zurück, stupsten seine Füße an, wollten weitermachen. Mitch warf den Ball, der mit einem lauten Klatschen im schaumigen Wasser landete, und die Tiere warfen sich mit Schwung in die Wellen.

Stella erwiderte nichts.

Mitch wirkte selbstgefällig. »Das habe ich auch schon zu Moira gesagt. Wenn alles wieder normal wird, sagt niemand mehr, was er wirklich empfindet. Wir alle lügen aus Höflichkeit.«

Stella wollte gerade eine verächtliche Bemerkung über dieses grauenhafte Psychogeschwätz machen, aber dann musste sie an Jacks Beichte von heute Nacht und an die höflichen Lügen in ihrer Ehe denken.

Diesmal war es ihre Mutter, die den Ball warf. Aus einer Bewegung des Unterarms heraus, hoch in den Himmel, und die Hunde kauerten voller Erwartung am Boden. Stella sah dabei zu, wie Mitch ihre Mutter flüchtig am

Rücken berührte. »Wollen wir weiter?«, fragte er. Ihre Mutter wandte sich ihm zu und nickte. Als Stella die sanfte Intimität ihrer Bewegungen wahrnahm, spürte sie eine gewisse Übelkeit in sich aufsteigen. Sie konnte sich gar nicht mehr daran erinnern, wann ihr Vater ihre Mutter zuletzt angefasst hatte.

»Im Wäscheschrank liegen frische Strandhandtücher, Stella.«

»Moira!« Mitchs Ton klang warnend – humorvoll, aber zugleich bestimmt.

»Jaja, ich weiß schon. Sie kann auf sich selbst aufpassen.« Moira schüttelte den Kopf. »Gut, dann sehen wir uns später, Liebes«, verabschiedete sie sich und küsste Stella kurz auf die Wange.

»Es hat mich gefreut, Stella«, sagte Mitch und schüttelte ihr noch einmal die Hand, wobei seine Ringe klackerten. Schon im Weggehen fügte er hinzu: »Und nicht vergessen, man sollte sich nie die Normalität zurückwünschen.« Diese selbstsichere Äußerung wurde von einem frechen Augenzwinkern begleitet.

18. Kapitel

Stella stand still da und sah zu, wie sich die beiden entfernten. Die Kälte, vor der ihre Mutter sie gewarnt hatte, kroch ihr langsam unter die Haut. Weil sie nicht in der Lage war, den Blick abzuwenden, blieb sie trotz Gänsehaut auf den Armen, wo sie war. Dann hörte sie eine Stimme: »Mum! Mum!«

Als sich Stella umwandte, entdeckte sie Sonny, der ein wenig schneller als sonst am Strand entlang auf sie zugelaufen kam. Er trug eine Pyjamahose und ein graues T-Shirt, und sein Handy hielt er am ausgestreckten Arm vor sich. »Mum, das musst du dir ansehen!«

Nach der Begegnung mit Mitch und ihrer Mutter war sein Anblick eine Erleichterung, allerdings auch eine Überraschung. Stella ging ihrem Sohn entgegen. Beim Näherkommen stellte sie fest, dass er gerade erst aufgewacht war; das Haar stand ihm zu Berge, und im Gesicht hatte er noch den Abdruck des Kissens.

Er reichte ihr das Mobiltelefon.

»Was ist denn?«, wollte sie wissen.

Sonny war außer Atem, eher vor Aufregung als vor Anstrengung. »Instagram. Er hat etwas auf Instagram geschrieben.«

»Wer?«

»Grandpa.«

»Du machst Witze.«

Doch Sonny nickte bestätigend; grinsend stand er neben seiner Mutter und gab sein Passwort ein. »Ich habe schnell einen Screenshot gemacht, falls er seinen Post wieder löscht. Ich glaube aber nicht, dass er überhaupt weiß, wie das geht. Es war also nur eine Vorsichtsmaßnahme.«

»Gut mitgedacht«, sagte Stella mit einem raschen Seitenblick auf ihren Sohn.

»Danke.« Er warf den Kopf zurück, da ihm das Haar in die Augen fiel. In Stellas Brust zog sich etwas zusammen, weil sie sich so zwanglos austauschten. Dann, fast als wollte er seine gute Laune wieder wettmachen, fügte Sonny hinzu: »Ich glaube, er hat das bloß aus Versehen gepostet, Mum...«

Stella schaute sich das Foto von Neptune013 gründlicher an. Was sie erwartet hatte, hätte sie nicht genau sagen können – vielleicht ein Bild von ihrem lächelnden Vater im Liegestuhl oder eine feierlich wirkende Landschaftsaufnahme. Tatsächlich war das Foto an sich eine gewisse Enttäuschung, ein wenig unscharf und aus einer seltsamen Perspektive aufgenommen, als wäre das Ganze nur ein Versehen gewesen. In der Mitte befand sich eine Haltestange, wie in einem Zug oder einem Bus; außerdem war da ein unebener grauer Boden und verschiedene Paar Füße, und ein in eine Jeans gehülltes Bein – blassblauer Stoff, ein wenig zu kurz, weiße Tennissocken und ein paar alte Nike-Turnschuhe. Ganz ohne Zweifel das Bein ihres Vaters. Auf dem Boden befand sich ein rotes Dreieck – eine Ecke oder eine Schachtel. Stella zoomte das Bild heran, um vielleicht mehr erkennen zu können, doch die Aufnahme war zu pixelig.

Sonny blickte über ihren Arm hinweg auf das Display. »Das da ist sein Bein, oder?«

»Ja, ich glaube schon«, stimmte ihm Stella zu.

»Und schau mal, da.« Sonny beugte sich vor und stellte den Zoom neu ein. »Eine Treppe.«

»Meinst du?« Stella war sich nicht sicher.

Sonny zuckte die Schultern. »Vielleicht auch nicht.«

»Nein, nein, du könntest recht haben. Vielleicht ein Doppeldeckerbus? Und was ist das rote Ding da?«

»Weiß ich auch nicht.«

Stella stieß die Luft aus. »Wie blöd, dass man nichts erkennen kann.«

»Na ja, wenigstens haben wir ein paar Anhaltspunkte«, erwiderte er und sah mit hoffnungsvollem Blick zu ihr auf.

Stella musste lächeln, weil es sie immer noch erstaunte, wie sehr Sonny das Ganze am Herzen lag. Es stimmte sie milde, dass er sofort nach ihr gesucht hatte, als er das Foto entdeckte. Ohne es zu wissen, hatte ihr Vater sie beide mit seinem versehentlichen Instagram-Post zusammengebracht.

Sie konnte spüren, wie sich Sonny an ihren Arm lehnte, schaute dabei zu, wie er mit den Fingern das Foto heranzoomte, und fragte sich, wann sie zuletzt einem gemeinsamen Interesse nachgegangen waren, wann sie überhaupt zuletzt irgendetwas getan hatten, was nichts damit zu tun hatte, dass sie seufzend an die Decke starrte, während Sonny irgendwelchen Blödsinn in sein Mathematikheft schrieb.

»Das bedeutet, er schaut in seinen Instagram-Account«, meinte Sonny.

Stella nickte.

»Vielleicht sollten wir etwas posten?«, fuhr Sonny fort. »Und ihm sagen, er soll nach Hause kommen?«

Stella schüttelte den Kopf. »Ich weiß nicht, Sonny. Ihm muss doch klar sein, dass sich die Leute Sorgen machen, und trotzdem kommt er nicht zurück.«

»Stimmt, Mum«, sagte Sonny und nahm sein Handy entgegen. »Du hast recht.«

Sie gingen ein paar Schritte. Innerlich fühlte sich Stella ganz überwältigt von ihrem Gespräch. Es fühlte sich an wie ihre allererste Unterhaltung zwischen Erwachsenen. Das war das Time-out, das Jack gemeint hatte, und es war einfach so passiert. Jetzt, wo sie das begriff, wollte sie es geradezu verzweifelt andauern lassen. Aus Sonnys Zustimmung schloss sie, dass er auch wusste, was da gerade vor sich ging. Die Unterhaltung war nun wie ein sportlicher Wettkampf, ein Hin und Her, da keiner von ihnen den Ball fallen lassen wollte, nachdem sie schon so viele Ballwechsel geschafft hatten.

Sonny blieb plötzlich stehen. »Vielleicht müssen wir etwas posten, damit er merkt, was er hier verpasst. Und nicht sagen, dass wir ihn vermissen.«

Stella überlegte kurz und lächelte dann. »Die Idee gefällt mir.« Sie fragte sich, ob sie wohl jemals selbst darauf gekommen wäre – Sonny sah ihren Vater als Person. Sie selbst sah ihn als Objekt mit der Bezeichnung »Mein Vater«. Als Objekt, das sie nur zurückhaben wollte, um Cornwall verlassen zu können, sich um ihre eigenen Probleme zu kümmern. Zurück zur Normalität – Mitch der Hippie hatte dieses Motto für immer für sie zerstört. Vielleicht war ihr bisheriger Fehler gewesen, dass sie versucht hatten, auf pragmatische Weise herauszufinden, wo sich ihr Vater aufhielt. Sie alle kannten ihn und seinen Charakter zu gut, als dass ihnen irgendetwas anderes eingefallen wäre. Sonny hingegen besaß genug jugendliche Hoffnung, um mit dem Herzen zu denken, davon auszugehen, dass auch ihr Vater Gefühle hatte.

Die Sonne stand inzwischen höher am Himmel, der nun blauer und weniger rosa war. Während sie weiterliefen, trockneten Stellas Kleidungsstücke langsam. »Ihr habt euch also gut verstanden, ihr beiden, oder?«, erkundigte sie sich.

Sonny wirbelte mit den Füßen Sand auf. »Kann man so sagen.«

Stella zog ihr nasses Haar zurück und drückte es aus. »Worüber habt ihr denn so gesprochen?«, wollte sie wissen, versuchte jedoch gleichzeitig, sich nicht zu eifrig zu geben.

»Weiß nicht. Über alles Mögliche«, antwortete er. Dann hob er ein Stück Treibholz auf und warf es vor sich. »Manchmal über dich«, fügte er hinzu. »Als du ein Teenager warst.«

»Ach?« Stella war schockiert. »Was habt ihr denn gesagt?«

»Er meinte, du hättest Olympia gewinnen können.« Sonny hob noch einen Stock auf. »Ich wusste gar nicht, dass du damals beim entscheidenden Wettkampf nicht gesprungen bist. Ich habe einfach geglaubt, du wärst, na ja, einfach nicht gut genug gewesen.«

Stella schnaubte. »Ich *war* auch nicht gut genug.«

Sonny sah zu ihr auf. »Grandpa sagt, du warst es.«

Stella hockte sich hin, um eine große blaue Muschel aufzuheben; sie brauchte einen Moment, weil es sie ärgerte, dass ihr Vater nach wie vor an diesem Mythos festhielt. »Es ist einfach so«, meinte sie im Aufstehen, während sie mit dem Daumen über die pockennarbige Oberfläche der Muschel strich, »dass man gewinnen wollen muss, um eine Goldmedaille zu bekommen. Alles muss passen, es passiert alles im Kopf.« Sie zeigte auf ihren Schädel. »Es reicht nicht, einfach nur gut zu sein. Und ich wollte es eben nicht so sehr wie er.« Sie ließ die Muschel fallen.

Sie liefen ein Stück weiter, und Sonny wirbelte wieder mit seinen bloßen Füßen den Sand auf. »Ich kann gar nicht glauben, dass du nicht ins Wasser gesprungen bist! Das ist doch verrückt. Grandpa war bestimmt stinksauer.«

Stella sah ihn an. Seine Augen waren weit aufgerissen und leuchteten vor Unglauben, aber darin lag noch etwas anderes, etwas, das sie nie zuvor in seinem Blick gesehen hatte. Respekt vielleicht. Oder möglicherweise auch nur Interesse. So wurde aus der Sache etwas viel weniger Dramatisches. Viel weniger der Moment, in dem ihr Vater aufgehört hatte, ihre Existenz wahrzunehmen, oder der Moment, in dem sie wirklich befürchtet hatte, Pete würde sie ins Gesicht schlagen. Eher eine coole Anekdote für ihren Sohn.

»Möchtest du, dass ich ein Bild von dir mache und auf Instagram poste?«, fragte Sonny.

Stella schüttelte den Kopf. »Nein, jetzt kein Foto von mir. Ich mache eins von dir.«

Auch Sonny schüttelte den Kopf. »Neeee, mein Haar sieht scheiße aus.«

Da sie den brüchigen Frieden zwischen ihnen nicht gefährden wollte, unterdrückte Stella das fast automatische »Sonny!«. Eigentlich war es ja sogar ganz erfrischend. Dann fragte sie sich, warum es überhaupt wichtig war, ob er fluchte oder nicht – in ein paar Jahren würde er das sowieso ständig tun. Wenn ihre Mutter bei ihnen gewesen wäre, hätte Stella ihren Sohn bestimmt ermahnt, weil sie wusste, dass Moira sich beleidigt gefühlt hätte, wenn ein Jugendlicher Kraftausdrücke verwendete. Stella fragte sich, wie oft sie ihre Kinder wohl zurechtwies, weil sie wirklich glaubte, dass es richtig war, oder weil es darum ging, was sich gehörte. Dabei musste sie wieder an Jack denken, dessen Stillschweigen über die Kündigung seine Ursache darin hatte, dass sie ihn dann womöglich geringschätzen würde. Eine schleichende Gefahr, diese Annahmen – wie Fäden, die sich zusammenzogen.

Stella bemerkte, dass Sonny das Handy hochhielt und darauf wartete, sie werde einen Vorschlag für ein Motiv machen. »Knips doch einfach den Horizont, ein bisschen Rosa.« Sie zeigte auf das rosige Nachspiel des Sonnenaufgangs und die scharfe, flache Linie des Meeres.

»Nee, schon okay. Ich habe eins gemacht.« Ihr Sohn wartete ganz offensichtlich nicht auf ihre Ratschläge, wenn es ums Fotografieren ging. Er reichte ihr das Handy, damit sie sich das Resultat anschauen konnte.

»Mein Gott, Sonny!«, japste Stella, als sie das Bild sah: ihr halber Rücken war drauf, ihr Hemd, ihr Haar in nassen Wellen, und darunter »Mum war schwimmen«. Drei einfache Worte, jedoch mit einem ganzen Leben aufgeladen. Als Stella die kurze Enttäuschung in seinem Gesicht wahrnahm, mitbekam, wie sich seine Schulterhaltung veränderte, zwang sie sich zu einem »Das gefällt ihm bestimmt«.

Und Sonny nahm das Telefon entgegen, nickte dazu bekräftigend. Als sie die Stufen erreichten, die zum Haus emporführten, murmelte er zögernd: »Können wir noch hierbleiben, Mum? Weißt du, bis wir ihn gefunden haben?«

Stella hätte am liebsten Nein gesagt. Aber etwas an der Tatsache, dass sie ganz normal miteinander gesprochen hatten – und das auch noch über ein so wichtiges Thema wie ihren verschwundenen Vater –, ließ sie erwidern: »Vielleicht. Mal sehen.«

Und als Reaktion sagte ihr Sohn kaum hörbar: »Yesss!«

19. Kapitel

Jack trank draußen Kaffee, als Stella und Sonny die Stufen zum Pfad an den Klippen entlang emporstiegen und den Garten erreichten. Er wirkte so verlassen wie die knorrige Palme, die dünn und vom Wetter gegerbt neben dem Tisch stand. Und er wirkte nicht überrascht, sie zusammen zu sehen. Stella fragte sich, ob er sie am Strand beobachtet hatte. Er schien erschöpft – die Tränensäcke waren aufgequollen wie Marshmallows, das Hemd hatte er nur halb zugeknöpft, und sein Haar stand so wild in alle Richtungen ab, wie das bei der Kürze möglich war. Sonny ging sofort zu Jack und zeigte ihm die pixelige Instagram-Aufnahme von Neptune013 auf seinem Handy. Stella gesellte sich zu ihnen, etwas weniger enthusiastisch, und zog sich einen Stuhl Jack gegenüber heran.

»Was glaubt ihr, wo er steckt?«, wollte Jack wissen. »Kann man ihn über Instagram lokalisieren? Über Geotagging?«

»Mann, Dad!«, sagte Sonny spöttisch. »Was weißt du denn über Geotagging?«

»Ich bin zwar alt, lebe aber nicht in der Steinzeit, Sonny.«

»Dad, dir folgen auf Instagram fünfzehn Leute. Und da ist Rosie mitgezählt.«

»Vorsicht, Vorsicht, junger Mann«, gab Jack lächelnd zurück. Er nahm einen Schluck von seinem Kaffee. Die ganze Zeit hatte er mit einem Auge Stella angeschaut. »Ich weiß schon, was Geotagging ist.« Dann sagte er mit deutlich weniger Selbstvertrauen: »Ich habe in der Zeitung darüber gelesen. Damit kann man sehen, wo jemand steckt, oder?«

»Stimmt genau.« Sonny nickte. »Aber das geht nicht automatisch, man muss sich selbst taggen. Und das hat Grandpa nicht getan.«

»Ach«, erwiderte Jack, der ganz offensichtlich keine Ahnung hatte, wovon sein Sohn sprach. »Ja, richtig.«

Gus erschien in der Tür. »Da bist du ja«, wandte er sich an Sonny. »Dein blödes Spiel hat mich die ganze Nacht wachgehalten. Das kann man doch gar nicht schaffen.«

Sonny grinste. »Kann man wohl. Du bist nur einfach zu MIES dafür.«

Gus gab sich große Mühe, beleidigt zu wirken. Er trug Shorts und ein verwaschenes grünes T-Shirt mit Figuren aus McDonald's-Produkten darauf – einem Milchshake und einer Tüte Pommes mit Augen, Armen und Beinen, die miteinander tanzten. »Warum sprecht ihr übers Geotaggen?«, wollte er wissen, und Sonny ging zu ihm hin und zeigte ihm sein Smartphone, damit Gus die Aufnahme sehen konnte. Gus kniff die Augen zusammen und schaute angestrengt aufs Display. »Ist das ein Bein?«

Sonny nickte. »Von Grandpa.«

Gus griff sich an den Kopf. »Hurra, die Suche ist vorbei. Wir haben sein Knie gefunden.«

Stella musste gegen ihren Willen lachen.

Sonny boxte Gus freundschaftlich in den ·Arm, der daraufhin zusammenzuckte. »Also los, du Loser«, meinte

Sonny und trat durch die Tür ins Haus. »Dann lass mal sehen, welchen Score du geschafft hast.«

Gus holte sein eigenes Smartphone hervor und rief das Spiel auf, an dem er so gnadenlos gescheitert war.

Am Tisch sah Stella Jack an. Und Jack sah Stella an.

Jack wirkte nervös oder besser gesagt ratlos. »Das mit heute Nacht tut mir leid«, flüsterte er. »Es war nicht fair von mir, überhaupt mit der Erziehungssache anzufangen.«

Die Luft schmeckte nach meersalziger Brise, und der Sonnenschein färbte den Himmel zartorange. Stella versuchte die Farbsplitter auf der Tischplatte zu entfernen. »Ja.«

Sie saßen beieinander wie Fremde.

»Ich weiß doch, dass du das meiste von den schwierigen Sachen mit den Kindern übernimmst«, fuhr Jack fort. »Und ich weiß auch, dass ich abends erst heimkomme, nachdem du dich um die ganzen schwierigen Sachen gekümmert hast. Deswegen ist es ja so leicht für mich, einfach zu urteilen.«

Stella hörte ihm zu, nahm jedoch nichts wirklich auf. Sie hatte sich nach ihrem morgendlichen Schwimmen ganz munter geben und erklären wollen, alles sei okay, auch zwischen ihnen, und sie sollten einfach ruhig alles besprechen. Aber als Jack jetzt davon anfing, war sie immer noch wütend auf ihn. Sie wollte fragen, wie er es wagen konnte, auch ohne Job erst abends um halb acht heimzukommen und dann ganz harmlos zu tun, während sie sich stundenlang mit Sonny rumgeärgert hatte, der einfach nicht sein Smartphone weglegen und endlich seine Hausaufgaben machen wollte. Abendessen hatte sie auch noch gekocht.

Von der Tür her war ein Jubelruf zu hören, weil Gus gerade mit Sonnys Hilfe das nächste Level erreichte.

Jack sah auf, mit seinen übergroßen Augen und traurig verzogenem Mund, und das löste in Stella den Wunsch aus, ihm eine Ohrfeige zu verpassen. Sie wollte aufstehen, sich einen Kaffee machen und einfach allein dasitzen.

Doch als sie gerade im Aufstehen begriffen war und sich mit beiden Händen auf dem Tisch abstützte, bemerkte sie den ihr früher so vertrauten Anblick des getrockneten Meersalzes auf ihrer Haut. Und da sie dadurch ganz plötzlich an ihre Schwimmrunde erinnert wurde, blieb sie, wo sie war. Sie dachte an das Adrenalin von der Kälte und an die Anstrengung, an das Endorphin-High, an die Erinnerungen, die sie sonst kaum zuließ. Dadurch hatte sich etwas verändert. Das konnte sie spüren. Sie hatte sich lebendig gefühlt. Sie musste daran denken, wie Jack letzte Nacht geseufzt hatte, als er sagte: »Ich glaube, ich kann verstehen, warum dein Dad verschwunden ist. Es ist nur, weil er eine Pause braucht. Eine Pause vom Leben. Von den Erwartungen.« Wenn Stella die Augen schloss, hatte sie die herrliche Aussicht in den Himmel vor sich, wie vorhin, als sie sich auf dem Rücken hatte treiben lassen. Diese weite Fläche aus rosa und blauen Flecken. Und kurz überlegte sie, dass das wohl Jacks Gefühlen entsprach. Dass er deswegen gelogen hatte. Um dieser Freiheit willen.

Ihr wurde bewusst, dass sie immer noch aufstehen und nach drinnen gehen konnte, und dann würde sich das Ganze wie ein Geschwür in ihrer beider Leben ausbreiten. Oder sie konnte das tun, was ihr Vater nie für sie getan hatte. Erkennen, dass dieses Verhalten nicht Jacks normale Persönlichkeit entsprach. Sich daran erinnern, dass sie ihren Mann liebte, und versuchen, Nachsicht zu üben. Sich zwingen, zu bleiben und ihn zu verstehen versuchen.

»Mummy, Amy sagt, ich darf zum Frühstück Chocopops *und* Nutella essen! Rosie erschien in der Tür, in der Hand eine Schale und darauf einen Teller mit Toast.

Amy hinter ihr wirkte ein wenig schuldbewusst. Sie trug blassrosa Velourshorts und ein weißes T-Shirt mit einem Rolling-Stones-Motiv. »Aber ich hatte nicht mitbekommen, dass ihr hier seid«, erklärte sie, als hätte sie in diesem Fall nicht das Okay für Rosies Frühstücksauswahl gegeben.

Stella wusste, normalerweise hätte sie sich einen Kommentar zu den täglich konsumierten Zuckermengen nicht verkneifen können. Aber in diesem Moment zählte das einfach nicht zu ihren dringendsten Problemen, und ihren angeblichen Kontrollwahn wollte sie auch nicht demonstrieren. Deswegen sagte sie stattdessen: »Da hast du aber Glück, Rosie.« Abgelenkt schaute sie zu Jack hinüber, der missmutig in die Kaffeetasse in seinen Händen starrte. Den Moment, in dem sie hätten weiterreden können, hatten sie verpasst – das Elternsein bestand aus unzähligen unterbrochenen Unterhaltungen.

Als Rosie an ihm vorbeiging, schnappte sich Sonny ein Stück von Rosies Toast. Dann berichtete er Amy von dem Instagram-Post. Und die ganze Zeit stand Gus lang und schlaksig im Türrahmen und versuchte immer noch, das Spiel zu knacken. Mit gesenktem Kopf, wie wild wirbelnden Daumen und zusammengezogenen Augenbrauen.

Als Amy zu Stella hinüberging, weil sie mit ihr über

das Foto sprechen wollte, blieb sie kurz stehen und sagte »Morgen« zu Gus. Dieser blickte leicht schockiert auf, um sich zu vergewissern, dass sie auch wirklich mit ihm sprach, und gab dann zurück: »Ja, Morgen.« Bevor er sich wieder seinem Smartphone zuwandte, sah er, wie sie kurz nickte und sich an den Tisch setzte.

»Sonny meint, wir sollten den ganzen Tag Fotos machen.« Amy hatte den Mund voller Chocopops. »Ich finde, das ist eine richtig gute Idee.«

Wie auf Kommando rief Sonny: »Sagt mal alle Cheeeeeeeeeeeeeese«, und machte ein Foto für Instagram. Alle wandten sich ihm überrascht zu. »Ach, Sonny, mitten beim Essen – da sehe ich doch bescheuert aus«, rief Amy entsetzt und schüttelte sofort ihr Haar auf. »Das nächste Mal sagst du uns aber vorher Bescheid. Zeig schon her.«

Sonny hielt seiner Tante das Telefon hin, damit sie schauen konnte, anfassen durfte sie das Gerät allerdings nicht.

»Warum willst du mir denn das Smartphone nicht geben?«, wollte Amy wissen und versuchte es ihm aus der Hand zu nehmen.

»Damit du nicht aus Versehen irgendwelche Likes anklickst.«

»Also weißt du!« Amy riss ihm das Handy aus der Hand. »Was die sozialen Medien angeht, bin ich Profi.«

Vom Türrahmen her grunzte Gus verächtlich.

Amy tat, als hätte sie es nicht gehört.

Stella schaute ihr über die Schulter, weil sie das Foto sehen wollte. Da waren sie alle, mit einem Maximum an psychedelischen Farbeffekten.

Unter dem Foto stand *Sxnny.x1.x2. Chillen mit der Family*.

Während sie die Aufnahme betrachtete, musste Stella plötzlich daran denken, was Mitch am Strand gesagt hatte – über die Lügen aus Höflichkeit als Teil der Normalität. Und das quälte sie. Das, was ungesagt blieb. Über den Tisch hinweg sah sie Jack an und zog die Augenbrauen hoch. Fragend legte ihr Mann den Kopf schief und runzelte seinerseits die Stirn. Sie deutete mit einer Kopfbewegung auf die »Family«. Jack schüttelte kaum merklich den Kopf. Mit aufgerissenen Augen nickte Stella.

»Was macht ihr denn da?« Amy schaute zwischen den beiden hin und her wie bei einer Tennispartie. »Stella, du siehst aus, als hättest du einen nervösen Tic.«

»Gar nichts«, gab Stella zurück. Sie starrte immer noch mit verschränkten Armen zu ihrem Mann hin.

Gus gab die Sache mit dem Handyspiel auf und klickte sich durch Instagram. »Du liebe Zeit, Stella, du bist im Meer geschwommen?« Er zeigte auf die Wellen in der Ferne. »Du bist ja wahnsinnig!«

Jack zog die Augenbrauen hoch. »Du bist geschwommen?«

Stella zuckte die Schultern.

Sonny schlenderte wieder zu seinem Vater und meinte: »Ja, da ist sie, schau mal...« Er zeigte seinem Vater die Fotos von Stella, wie sie danach am Ufer stand.

Andächtig starrte Jack auf das Foto.

Dann gab er Sonny das Mobiltelefon zurück.

»Ich bin noch nie im Meer geschwommen«, meinte Gus.

Alle starrten ihn entsetzt an. Sogar Rosie, die sich über ihren Nutella-Toast hergemacht hatte, hielt im Kauen inne. »Noch nie?«, vergewisserte sie sich mit vollem Mund.

Gus trat einen Schritt zurück, als hätten es wirklich alle auf ihn abgesehen. »Nein. Jetzt macht daraus doch keine große Sache. Meine Familie war eben nicht so oft am Strand.«

»Wohin seid ihr denn in den Ferien gefahren?« Amy hörte sich an, als spräche sie mit einem Außerirdischen.

»Keine Ahnung.« Langsam bewegte sich Gus wieder vorwärts. »Irgendwohin, wo man wandern konnte. Meine Mutter mag die Berge.«

Die kleine Rosie konnte es nicht glauben. »Warum sollte man denn in den Ferien *wandern* wollen?«

Gus zuckte die Schultern. »Um an der frischen Luft zu sein. Und weil Bewegung gesund ist?« Er dachte weiter nach. »Damit man aus Thermosflaschen Kaffee trinken kann, der so schmeckt, als hätte ihn schon mal jemand ausgespuckt? Und damit man durchweichte Eiersandwiches bekommt? Und dicke Blasen, die durch die Socken durchbluten?«

Sonny musste lachen.

Rosie runzelte die Stirn. »Das kapiere ich nicht.«

»Er redet Quatsch«, meinte Amy. »Hör gar nicht zu.«

Gus zog eine Grimasse. »Ach, komm schon, das war doch witzig.«

Amys Gesichtsausdruck signalisierte ihm, er solle sich da nicht so sicher sein.

»Ich fand es gar nicht witzig«, flüsterte Rosie ihrer Tante zu.

»Ich auch nicht.« Amys Flüstern konnte man nicht wirklich als solches bezeichnen.

»Ach, jetzt kommt schon, es war *wohl* witzig«, insistierte Gus. »Aber gerade habt ihr es kaputtgemacht, weil ihr so viel Aufhebens davon gemacht habt.«

Amy schnaubte nur. Rosie kicherte.

Jack, der einen ganz glasigen Blick bekommen hatte, als er von der morgendlichen Schwimmrunde seiner Frau erfuhr, räusperte sich und sagte: »Es… Es gibt da etwas, das ihr alle wissen solltet.« Er räusperte sich noch einmal. »Ich… Mir ist gekündigt worden, und das bedeutet, ich habe keinen Job mehr. Sonny, Rosie – ihr braucht euch deswegen keine Sorgen zu machen.« Er fing Stellas Blick auf und fügte hinzu: »Das Ganze ist bereits eine Weile her.«

Rosie, die alles glaubte, was man ihr sagte, und sich deswegen auch keine Sorgen machte, wenn man ihr riet, das nicht zu tun, reagierte bloß mit einem »Ach, okay«. Dann kaute sie weiter an ihrem Nutella-Toast.

Sonny steckte beide Hände in die Hosentaschen und schaute unter seinem Haar hervor, das ihm in die Stirn fiel, seine Eltern an. Er konnte seine Panik nicht verbergen. »Warum hast du uns das nicht erzählt?«

Unbehaglich rückte Jack auf seinem Stuhl herum. »Ich… Äh… Ja.«

Bei dieser Antwort runzelte Sonny die Stirn.

Wieder einmal zog sich Gus in die sichere Zone des Türrahmens zurück, weil er spürte, dass es einen weiteren peinlichen Familienmoment geben würde.

Amy schaute zu Stella hinüber, die ihren Blick mit einem resignierten Gesichtsausdruck erwiderte.

Jack stotterte. Das hat er sonst nie. Flehentlich sah er Stella an, sie solle ihm zu Hilfe kommen. Fast hätte sie sich zurückgelehnt und ihm einen »Mach du mal schön alleine«-Blick zugeworfen, doch nach ihrer Diskussion von vorhin konnte sie ihm das nicht antun. Deswegen wandte sie sich an Sonny und erklärte: »Weil man manchmal eben Zeit braucht, um allein mit bestimmten Dingen fertigzuwerden.«

Sonny sah auf den Boden und löste mit der Fußspitze ein wenig Moos, das zwischen den Fliesen der Terrasse wuchs. »Gehst du jetzt weg?«, murmelte er.

Stella runzelte die Stirn. »Warum sollte Dad denn weggehen?«

»Wie Grandpa.«

Jack riss sich zusammen. »Nein.«

Nervös sah Sonny auf.

Dann trat Gus aus dem Schatten des Türrahmens heraus und erzählte: »Ich bin auch mal gefeuert worden. Bei Cineworld. Das war nicht meine Schuld. Die Mädchen da sind immer zum Rauchen rausgegangen, und wenn sie zurückkamen, haben sie die Hände zum Aufwärmen ins Popcorn gesteckt. Als sie erwischt wurden, wurden wir alle entlassen – weil keiner was gesagt hatte.« Er grinste.

»Das ist ja eklig!« Sofort wirkte Sonny besser gelaunt. »Dad, hast du auch so was gemacht?«

Jack räusperte sich noch einmal. »Weißt du, Sonny, wenn man seinen Job verliert, ist das etwas ganz anderes, als wenn man wegen so etwas gefeuert wird.«

Amy unterbrach ihn, total entsetzt. »Ich kaufe mir im Kino immer Popcorn. IMMER! So etwas Widerliches habe ich noch nie gehört. Ich finde das absolut eklig, so widerlich.« Sie wiederholte es: »So widerlich.«

Gus schnaubte nur. »Jetzt stell dich nicht so an. Das wird ja wohl kaum das Schlimmste sein, was du je gehört hast? Da kann ich dir aber noch eine ganze Menge mehr erzählen.« Er sah sich zwischen den anderen um und entschied sich offensichtlich dagegen.

Sonny meinte: »Ein Kumpel von mir macht in der Drogerie immer die Shampoos auf und spuckt rein.«

»Ach, Sonny!« Stella schnitt eine Grimasse.

»Was denn? *Er* macht das, nicht ich!« Anklagend zeigte Sonny auf sich selbst, als wäre ihm gerade ein schreckliches Unrecht geschehen. Dabei musste er sich zusammenreißen, um nicht laut zu lachen.

Amy schaute völlig entsetzt drein. »Igitt! Ich werde nie wieder Shampoo kaufen können.«

Gus zwinkerte Sonny zu.

Stella stieß hörbar die Luft aus. Ganz unerwartet verspürte sie Erleichterung darüber, dass die Atmosphäre so fröhlich geworden war.

Verstimmt wandte sich Amy von allen ab. Dann streckte sie ihre vom Selbstbräuner leicht streifigen Beine vor sich aus und sagte: »Erzähl doch mal, Jack, was hast du denn die ganze Zeit getrieben?«

Ruckartig hob Stella den Kopf, weil diese Direktheit sie überraschte. Sie hätte sich das wohl kaum getraut. Jack hustete noch einmal nervös. Auf seinem Hals erschienen rote Flecken, und die Verlegenheit rollte ihm förmlich über die Wangen.

Sogar Gus kam einen Schritt näher.

»Ich glaube«, verkündete Jack, wobei sich sein Gesichtsausdruck veränderte, als wäre die Aufgeregtheit stärker als
all seine Verlegenheit und Scham, »ich glaube, es wäre am
besten, wenn ich euch das zeige.«

20. Kapitel

Bis sie es endlich nach draußen schafften, war strahlend blauer Himmel und es war knallheiß. Kondensstreifen zogen sich kreuz und quer über den Himmel.

Sonny trug eine rote Sonnenbrille der Marke Wayfarer. Dann erschien Gus mit einem azurblauen Modell.

»Hey, schau mal, unsere Brillen!«, rief Sonny.

Gus hielt in der Bewegung inne. »Nein«, erklärte er kopfschüttelnd und nahm die Sonnenbrille ab. »Das ist einfach zu peinlich.«

Mit einer Grimasse setzte sich Sonny auf die Gartenmauer.

»Wo ist denn euer Auto?«, fragte Amy, die in einem riesigen Hut und Flip-Flops mit Sonnenblumen das Haus verließ.

»Scheiße!« Stella warf den Kopf zurück und starrte in den Himmel. »Das steht Meilen entfernt, und der Tank ist auch leer.«

Damit war der Plan ganz plötzlich ruiniert. Alle standen ratlos herum, und allen war zu heiß.

»Mummy, du hast Scheiße gesagt«, meldete sich Rosie zu Wort.

»Stimmt«, gab Stella zurück, »tut mir leid.«

Rosie zuckte die Schultern, als hätte sie einfach nur alle darauf aufmerksam machen wollen, es wäre ihr aber eigentlich egal. Dann rannte sie zum Ballspielen in den Garten.

Fette Fliegen summten faul in der Hitze. Jack, der seinen ganzen Schwung verloren hatte, versuchte über sein Smartphone herauszufinden, wo sich die nächste Tankstelle befand. »Sonny, komm doch mal. Wie berechnet man die Entfernung?« Sonny schlenderte zu seinem Vater hinüber, um ihm zu helfen.

Gus kickte mit dem Fuß einen Stein von der Ausfahrt und entschuldigte sich, als er Amys Blumen-Flip-Flop traf. Im Aufblicken nickte er in die Richtung der riesigen Rolling-Stones-Zunge auf ihrem T-Shirt und meinte: »Ich wusste gar nicht, dass du Stones-Fan bist.«

Amy kniff die Augen zusammen. »Bin ich auch nicht.«

»Aber du trägst doch ihr Shirt«, gab Gus verwirrt zurück.

Amy schaute an sich herunter. »Ach wirklich?«

»Das ist ihr Logo.«

»Ach. Das habe ich bei Primark gekauft.«

Gus zog die Augenbrauen hoch und schob sich dann die Sonnenbrille vor die Augen, um seinen Spott zu verbergen.

Amy schüttelte den Kopf. »Du bist so unglaublich herablassend. ›Ich wusste gar nicht, dass du Stones-Fan bist‹«, machte sie ihn nach.

»*Das* war nicht herablassend.« Gus öffnete weit beide Arme. »Ich stelle einfach eine Tatsache fest. Herablassend war höchstens mein Blick, als du gesagt hast, du wusstest gar nicht, dass das ihr Logo ist.«

Amys Lippen kräuselten sich. »Natürlich wusste ich, dass das ihr Logo ist.«

»Wusstest du nicht.«

Amy zuckte die Schultern, als wäre es ihr egal, was er dachte.

»Also gut«, redete Gus weiter. »Dann nenn mir doch mal den Titel von einem Stones-Song.«

Amy hielt inne und schaute kurz alarmiert drein. Doch dann sagte sie: »Ich muss dir überhaupt nichts beweisen.«

Gus schnaubte verächtlich und ging in Richtung der halb verfallenen Garage, um hineinzuspähen.

Stella hatte den Wortwechsel von der schattigen Stelle am Gartentor verfolgt. Ganz unerwartet empfand sie Mitleid für Amy. Spürte, wie hilflos ihre Schwester war, wenn niemand sie beschützte.

Kein Bobby, der sie in seine Arme gezogen und einfach die richtige Antwort gegeben hätte. Keine Moira, die Gus hätte zurechtweisen können.

Als die beiden Teenager gewesen waren, hatte Stella die Aufgabe gehabt, Amy zu beschützen. Sie wegzubringen, wenn ihr Vater wütend wurde, weil das Auto eine Panne hatte. Bei Amy zu bleiben, wenn sie im Pool die Schwimmflügel abnahm. Stella erklärte Amy die Hausaufgaben. Zeigte ihr, wie man auf dem Handrücken einen Zungenkuss übte, und lieh ihrer Schwester ihr Glätteisen. Aber dann war Stella ausgezogen, und Bobby hatte völlig mühelos ihre Rolle übernommen. Und Amys ganzes Leben gleich mit. Bei Familienbesuchen sprach Stella manchmal kaum zwei Worte mit Amy, da Bobby das ganze Reden zu übernehmen schien. Und Stella machte Bobby nicht einmal einen Vorwurf – er vergötterte Amy. Außerdem war er genauso lieb und nett, wie alle immer sagten. Amy war es, die sich aus Bequemlichkeit stets im Hintergrund hielt. Und nach Bobbys Tod wurde Amy weiterhin in Watte gepackt – wenn sie schluchzend aus dem Zimmer rannte, sprang Moira sofort auf und folgte ihr, während sie den anderen bedeutete, sie sollten bleiben. Dann kam Amy zurück und setzte sich stumm neben ihren Vater aufs Sofa.

Bei ihrem Besuch letzte Weihnachten, so erinnerte sich Stella, war ihr der Gedanke gekommen, dass sich die drei mit ihrer gegenseitigen Abhängigkeit geradezu stützten. Niemand von ihnen trat aus dem Haus in die Welt hinaus; sie fachten die Flammen der Trauer an, weil sie vor dem Leben verborgen bleiben wollten.

Jetzt, wo sie wusste, wie unglücklich ihre Mutter in ihrer Ehe gewesen war, begriff Stella auch, wieso. Außerdem hatte Mitchs Erscheinen viel dazu beigetragen, die fast schockierende Tatsache zu erklären, dass Moira zu Amy gesagt hatte, es wäre vielleicht an der Zeit, ein neues Leben anzufangen.

Doch so erfreut Stella auch darüber war, dass man Amy zurück in die Welt gescheucht hatte – sie konnte nicht anders, Amy tat ihr leid, wie ein dreißigjähriger Teenager, dem das Erwachsensein schwerfiel, der sich fast immer verunsichert fühlte. Darum beugte sie sich vor und flüsterte: »›Satisfaction‹.«

Amy schaute ihre Schwester verwirrt an.

»›Satisfaction‹«, flüsterte Stella noch einmal, »ein Song«, und plötzlich begriff Amy, war durch ihre Dankbarkeit abgelenkt. Stella bedeutete ihr, den Titel Gus gegenüber zu wiederholen.

»Satisfaction««, verkündete Amy laut und sehr selbstgefällig.

Über die Schulter schaute Gus die beiden an und schüttelte enttäuscht den Kopf. »Ich habe Stella gehört.«

Amy wurde rot, Stella versuchte ein Kichern zu unterdrücken. Es fühlte sich an wie damals in ihrer Kindheit.

Jack schaute von seinem Handy auf und meinte: »Sieht so aus, als wäre die Tankstelle an der Straße wegen Renovierung geschlossen. Das bedeutet, wir müssen zu Sainsbury's.«

»Aber das ist meilenweit weg!«, rief Stella.

»Genau 7,6 Meilen«, erwiderte Sonny. »Das sind über zwei Stunden zu Fuß oder vierzig Minuten mit dem Fahrrad. In die entgegengesetzte Richtung zum Auto. Fünfzehn Fahrradminuten von hier. Wenn es wirklich da steht, wo Dad glaubt.«

Die Sonne entschied sich dafür, genau in diesem Moment durch die Wolken zu brechen.

Gus spähte durch die Garagentüren. »Wessen Maschine ist denn das?« Er umschloss mit beiden Händen einen Spalt im Holz. »Wir können doch den Tank anzapfen.«

»Nein!« Amy schnappte nach Luft. »Das gehört Bobby. Das rührt keiner an.«

21. Kapitel

Amy wurde sofort verlegen. Alle starrten sie an, und sie selbst war von ihrer eigenen Reaktion völlig verblüfft.

»Sorry.« Rasch zog sich Gus zurück.

»Nein, ist schon in Ordnung.« Abwehrend hob Amy die Hände. »Ich weiß auch nicht, warum ich gerade so geschrien habe. Das war blöd von mir. Tut mir leid.«

Peinlich berührt schaute Gus auf den Kies vor sich.

Jack und Sonny tauschten wissende Blicke und vertieften sich dann in ihre Displays.

Stella ging zu ihrer Schwester. »Amy, halb so wild. Mach dir keine Sorgen. Wir rühren das Motorrad nicht an.«

»Nein.« Amy setzte ihren peinlichen Hut ab und legte ihn auf den Hortensienbusch. Sie biss sich auf die Unterlippe. Das Sonnenlicht war gleißend hell. Amy zog eine Grimasse. »Ich glaube, ich ...« Gerade wollte sie sagen, sie würde vielleicht kurz ins Haus gehen, ins kühle Wohnzimmer. Doch als sie darüber nachdachte, wurde ihr klar, dass sie nicht allein dort drinnen sein wollte, nicht einmal, wenn Stella betont harmlos in der Küche herumhantieren und ihr einen Tee kochen würde. Wenn der Ausflug nicht stattfinden oder vielleicht nur die Hälfte von ihnen fahren würde. Sie hatte sich doch darauf gefreut.

Stella legte ihrer Schwester einen Arm um die Schultern. »Was möchtest du denn tun?«, erkundigte sie sich.

Amy schluckte. »Ich glaube, ich will mir das Motorrad anschauen.«

Stella riss die Augen auf. »Bist du sicher?«

Amy nickte. »Ja.«

»Ich komme mit«, verkündete Stella.

»Nein.« Amy schüttelte den Kopf. »Nein. Ich glaube, ich will das allein machen.«

»Meinst du wirklich?« Stella sah sich verunsichert um.

Amy nickte.

Als sie auf die Garage zuging, sah Gus auf. Er machte ihr den Weg frei, trat ein paar rasche Schritte beiseite, um das Gras zu erreichen. Stella saß vor dem Hortensienbusch auf der Gartenmauer und wartete.

Amy spürte, dass alle sie in einer verlegenen Stille beobachteten, dabei aber so taten, als wäre das nicht der Fall. Sie bückte sich herunter, holte den Schlüssel unter einem Stein an der Regenrinne der Garage hervor und schloss die Tür auf.

In den Raum schlüpfen zu können, erfüllte sie mit Erleichterung. Hier drinnen war es dunkel und kühl. Das Sonnenlicht kämpfte sich seinen Weg durch die Ritzen in den Wänden. Es roch nach Kerosin, Politur und warmem Holz. An der Decke hing das alte Surfbrett ihres Vaters, zusammen mit einigen weiteren Exemplaren und ein paar verrosteten alten Rennrädern. Auf der Bank an der hinteren Wand lagen Werkzeuge verstreut. Über die Jahre angesammeltes Zeug quoll förmlich von den Regalen. Doch da an der Seite, auf seinem Ständer, wartete Bobbys Motorrad. Schwarz und Silber. Das Metall war abgenutzt.

Amy machte ein paar Schritte und stellte sich daneben.

Legte eine Hand auf den Sitz. Sie erinnerte sich daran, wie sie es nach Bobbys Tod fast wie ein Kuscheltier umarmt, das Gesicht ganz fest ins Leder gepresst hatte. Abgesehen von seinen Surfbrettern fühlte es sich an, als könnte sie Bobby so am nächsten kommen. Sie setzte sich mit dem Rücken an die Garagenwand, steckte die Füße unter das Motorrad. Hin und wieder berührte sie mit den Zehen das Pedal und fuhr daran entlang. Dabei sah sie vor sich, wie Bobby im Sommer in Jeans und T-Shirt unterwegs gewesen war, wie es sich anfühlte, sich an weichem Stoff festzuklammern, wenn er eine Kurve nahm und das mit Absicht so schnell tat, dass sie Angst bekam. Die kurze Grimasse des Schmerzes, als er auf dem großen Strandparkplatz seine Freunde beeindrucken wollte und auf dem Kies ausgerutscht war. Wie er die Zähne zusammenbiss und tapfer blieb, während Amy völlig aufgelöst nach ihrer Mutter rief, die sich um alles kümmern sollte. Sie musste lächeln, als sie daran dachte, wie Moira mit ihrem gesamten Medizinschränkchen aus dem Badezimmer erschienen war, Bobby verarztet und mit ihm geschimpft hatte, weil er beim Fahren nie eine Jacke trug. Amy war ihm nicht von der Seite gewichen, hatte Panik gehabt, er würde Wundstarrkrampf bekommen und beide Arme verlieren, obwohl sie nicht einmal genau wusste, was das war. Sie hatte ihre Mutter angemeckert, da sie so grob zu Bobby war, doch dieser hatte das Ganze nur mit einer Grimasse und einem Grinsen quittiert.

Amy quetschte sich um das Motorrad herum, setzte sich wie so viele Male vorher daneben, rutschte mit dem Rücken an der Wand herunter und stellte ihre Füße in den Blumenschuhen auf der Stütze ab. Sie spürte den Zeitdruck. Wusste, dass draußen alle auf sie warteten. Fragte sich, was sie gerade taten. Ob sie wohl über sie sprachen?

Amy verschränkte die Arme vor der Brust und starrte das Motorrad an. Wie schon so unzählige Male zuvor beim Anblick von Bobbys Besitztümern fragte sie sich, wie es dazu hatte kommen können, dass die Maschine einmal von einem Mann benutzt worden war, den sie überlebt hatte. Wie konnte es sein, dass das Motorrad hier war und er nicht?

Ihre Hände wanderten zu ihrem Bauch. Zu dem Baby. Zu dem Baby, das sie plötzlich als Eindringling empfand. Wie etwas, das sie von Bobby wegführte. Als würde sie durch diese Hand auf ihrem Bauch seiner Erinnerung untreu. Weil sie das Kind haben wollte. Sie sah vor sich, wie er als Reaktion darauf mit der Hand an die Wand geschlagen oder der Tür einen Tritt verpasst hätte. All das verschlimmerte sich noch durch den Umstand, dass sie beide niemals ein Kind bekommen hatten. Sie wollte sagen, dass es ihr leidtat. »Ich…« Doch dann hielt sie inne.

Wenn sie sich entschuldigt hätte, hätte sie Bedauern über das kleine Leben in ihr zum Ausdruck gebracht. Aber sie empfand kein Bedauern. Sie durfte nicht zulassen, dass das Dasein dieses kleinen Wesens mit einer Entschuldigung begann.

Sie schluckte und schaute zur Seite. Ihre Emotionen bildeten einen verwirrenden Cocktail aus Schuldgefühlen und Trotz. Sie starrte auf den schmutzigen Betonboden neben sich, auf dem sie bereits so viele Stunden gesessen hatte, mit rot geweinten Augen, Schutz suchend, zitternd, während die Kälte ihren Hintern gefühllos werden ließ.

Sie stemmte sich hoch, umrundete das Motorrad und berührte noch einmal den Sitz. Ihr Körper forderte, sie solle sich bewegen, sich vorbeugen und das Gesicht in dem abgewetzten Leder verbergen, Nase und Mund dagegenpressen. Aber etwas hielt sie zurück. Es war, als würde das Wissen um das Baby sie daran hindern. Sie von Bobby wegholen. Das fühlte sich traurig und Furcht einflößend an. Und, wenn sie sich das einzugestehen wagte, zugleich auf seltsame Weise befreiend.

Etwas bewegte sich kratzend über das Dach. Wahrscheinlich bloß eine Möwe, die auf dem Metall gelandet war und sich nun krächzend hin und her bewegte. Doch das Geräusch ließ Amy aufspringen. Sie zog sich von dem Motorrad in Richtung Tür zurück. Das Licht blendete sie fast. Sie hielt die Augen gesenkt und mied die Blicke der anderen. Sie ließ das Schloss klicken, war verunsichert wegen dem, was sie gerade empfunden hatte.

Stella wartete schon auf sie. »Alles in Ordnung?«

Amy sah zu ihrer Schwester auf, in ihren abgeschnittenen Jeansshorts und dem knallblauen Seidenshirt, mit ihrer scheinbar mühelosen Eleganz im Kontrast zu Amys riesigen Schriftzügen und Slogans und den großen Blumenschuhen. Das war immer wie ein Kampf zwischen ihnen gewesen. Wie eine spitze, geistreiche Bemerkung, die während jeder Unterhaltung plötzlich geäußert werden konnte. Außer in diesem Moment. Stella schaute sie an, wie sie das mit ihren Kindern getan hätte – die Sorge war größer als jedes andere Gefühl. Sie umklammerte Amys Hut und wartete darauf, ihn ihr zu geben. Die schlichte Zärtlichkeit dieser Geste ließ Amy still dastehen. Kaum merklich schüttelte sie den Kopf.

Eine Sekunde später spürte sie Stellas Arme um sich. »Alles gut«, flüsterte ihre Schwester ihr zu, als Amy ein ganz klein wenig weinen musste. Als sie schniefend die Nase hochzog, nahm Amy durch die Sonnencreme und das Parfum den Duft von Stellas Haut wahr. So hatte es in ihrer Jugend in Stellas Zimmer gerochen. Und noch lange, nachdem Stella ausgezogen war. Der Duft hatte sich nie verflüchtigt, bis ihre Mutter die neue Tapete mit den grünen Papageien hatte haben wollen.

Mit dem Handrücken wischte sich Amy die Augen und streckte danach die Hand aus, um sich ihren Hut zu nehmen. »Mir geht's gut«, erklärte sie.

Stella sah sie unsicher an, während sie nach einem Taschentuch suchte.

»Nein, wirklich«, wiederholte Amy und putzte sich die Nase. »Das hat mir gutgetan, glaube ich. Es zu sehen. Das Motorrad.«

Stella nickte. »Okay. Wir sind jedenfalls alle da drüben«, fügte sie hinzu und zeigte ans andere Ende des Gartens. »Wir holen uns das Benzin einfach aus dem Rasenmäher.«

Amy musste lachen, als sie sich zum zweiten Mal die Nase putzte. »Das ist doch total albern.«

»Gus hatte die Idee.«

Amy verdrehte die Augen. Dann sah sie, wie Gus und Jack die Plane vom Rasenmäher zogen.

Zusammen liefen die beiden Schwestern durchs Gras, und Stella legte Amy ganz kurz den Arm um die Schultern und drückte sie. Weil das so ungewohnt war, empfanden beide die Geste als ein wenig peinlich, aber das machte Amy nichts aus. Es war in Ordnung. Als Jugendliche hatte sie auf Stellas Bett gelegen und sich gewünscht, ihre Schwester wurde zurückkommen.

Gus sah auf, als die beiden näher kamen. »Ich wollte nicht, dass du traurig wirst«, sagte er.

Verlegen schüttelte Amy den Kopf. »Ist schon okay, wirklich. Mach dir keine Sorgen deswegen.« Dann schaute sie sich den Rasenmäher an, um von sich abzulenken, und fragte: »Woher weiß man überhaupt, wie man so ein Teil anzapft?«

Gus warf ihr einen Blick zu, als wäre das das Offensichtlichste von der Welt. »Ich zum Beispiel weiß es.«

Amy schnaufte verächtlich. »Ja, alles klar.«

»Wirklich! Das geht ganz einfach, so wurde das auf der Farm die ganze Zeit geregelt.«

Die kleine Rosie musterte ihn von oben bis unten. »Sind Bauern normalerweise nicht groß und haben dicke Muskeln?«

Gus seufzte. »Auf dich kann man sich wirklich immer verlassen, Rosie.«

Amy wandte sich ab, damit niemand ihr Lächeln bemerkte. Es verschaffte ihr Erleichterung.

»Also«, verkündete Gus und gab sich kundig, »wir brauchen einen Plastikschlauch, einen Benzinkanister und ein altes Handtuch – am besten eines, das man danach wegwerfen kann.«

Zehn Minuten später blies Gus Luft in einen transparenten Plastikschlauch, während Jack ein altes Hundehandtuch in die Tanköffnung stopfte, um sie möglichst luftdicht abzuschließen. Das so entstehende Vakuum drückte die Flüssigkeit über einen zweiten Plastikschlauch direkt in den Kanister. Sonny und Stella knieten davor und überwachten alles. Amy und Rosie sahen bloß zu und wirkten nicht besonders überzeugt.

»Ich glaube, das wird nicht funktionieren«, meinte Amy.

»Das glaube ich auch.« Rosie schüttelte den Kopf.

Mit vor der Brust verschränkten Armen standen beide da.

Dann war plötzlich zu hören, wie Flüssigkeit auf den Boden des alten grünen Metallkanisters traf. Den Kanister hatten sie irgendwo ganz hinten in der Garage gefunden. Alle jubelten vor übergroßer Aufregung. Sonny hielt Gus einen hochgestreckten Daumen hin, woraufhin dieser aufhörte, in den Schlauch zu blasen.

Gus trat ein paar Schritte zurück, weil er die Benzindämpfe vermeiden wollte, und holte tief Atem. »Verdammt noch mal«, sagte er und rang ein wenig nach Luft, während er überrascht den Kanister betrachtete. »Es hat tatsächlich funktioniert!«

Amy runzelte die Stirn. »Du hast doch gesagt, du hast das bereits ganz oft gemacht.«

»Ich habe gesagt, auf der Farm wurde das immer so geregelt. Ich habe nicht gesagt, dass *ich* die Sache geregelt habe. Du musst mir schon genau zuhören, Amy.«

Amy zog eine Grimasse. »Du hast gesagt, du hast es gemacht.«

»Habe ich nicht.« Gus hob abwehrend die Hände. »Ich habe gesagt, ich weiß, wie das geht. Alles eine Frage der

Formulierung. Da kann das kleinste Detail entscheidend sein.«

Amy schnaufte bloß. Stella lachte. Jack schüttelte den Kopf und tippte Sonny auf die Schulter, um ihm zu signalisieren, sie beide sollten sich zwei der Fahrräder aus der Garage holen. Rosie verkündete: »Ich verstehe nicht mal die Hälfte von dem, was Gus sagt.«

Amy zog die Augenbrauen hoch. »Das liegt daran, dass alles totaler Quatsch ist, Rosie.«

Gus tat, als hätte er den Kommentar überhört, und holte stattdessen tief Atem. Dann wandte er sich an Rosie: »Es bedeutet nur, dass ich ein paar große jüngere Brüder mit dicken Muskeln hatte, und die haben ständig irgendwo Benzin gezapft.«

Rosie schaute immer noch verwirrt drein.

Jack und Sonny kamen mit zwei Fahrrädern aus der Garage. Weil sie beide letzte Weihnachten viel Zeit damit verbracht hatten, diese auf Vordermann zu bringen, waren sie in einem ziemlich guten Zustand. Jack und Sonny hatten die Ketten geölt und die Reifen aufgepumpt – sie brauchten einfach ein Projekt, um der unbehaglichen Familienszene zu entgehen, die entstand, wenn alle Mitglieder des Whitethorn-Clans zusammenkamen.

»Gut, dann her mit dem Benzin«, rief Jack, als sie die Straße erreichten. Er setzte seinen Helm auf. Gus überreichte ihm den Kanister.

Sonny schoss ein Foto für Instagram. *Gus klaut Grandpa das Benzin*, fügte er hinzu, während er das Fahrrad zwischen beiden Beinen festhielt.

»Na, herzlichen Dank auch!« Gus holte sein eigenes

Smartphone heraus, um sich den Post anzusehen. »Jetzt wird er endgültig begeistert von mir sein, was?«

Amy warf ihr Haar zurück und sagte mit einem boshaften Grinsen: »Darum würde ich mir an deiner Stelle keine Sorgen machen. Begeisterung hast du sowieso nicht zu erwarten.«

»Amy, sei nicht so gemein!« Stella schlug mit dem schmutzigen alten Hundehandtuch nach ihr, mit dem Jack die Öffnung im Benzinkanister abgedichtet hatte.

»Au!« Amy rieb sich den Arm. »Der Lappen da ist doch widerlich. Und er stinkt.«

»Okay, wir fahren dann mal«, rief Jack. Alle standen vor dem Haus.

»Passt gut auf«, rief Stella.

Jack nickte. »Dann bis in etwa zwanzig Minuten.«

Amy fiel auf, dass sich die beiden nicht zum Abschied küssten. Stella winkte bloß kurz.

Dann riefen alle: »Tschüss.«

Amy setzte sich auf die Gartenmauer. Stella ließ sich neben ihr nieder und sah zu, wie ihr Mann und ihr Sohn in der Ferne verschwanden.

Gus stellte sich vor die Schwestern. »Kein Problem, euer Vater wird mich mögen«, verkündete er auf ziemlich selbstbewusste Art.

»Meinst du?« Skeptisch zog Amy die Augenbrauen hoch.

Gus zuckte die Schultern. »Alle Eltern mögen mich. Ich habe einfach das gewisse Etwas.«

»Was denn für ein gewisses Etwas?«

Gus hielt kurz inne. »Meinen Charme.«

»Also, ich bitte dich.« Mit geschlossenen Beinen hockte

Amy neben Stella auf der Mauer. Letztere musste über Gus' Bemerkung lächeln. Danach sprang Rosie hoch, um sich zu ihnen zu setzen. Als Nächster folgte Gus, und weil Sonny ja gerade nicht da war, zog er seine azurblaue Wayfarer-Sonnenbrille hervor.

Sie saßen da wie Vögel auf einer Hochspannungsleitung. Dann war der Moment vorbei, in dem jemand etwas hätte sagen können. Die Sonne brannte unbarmherzig auf sie herunter. Man hörte das leise Summen der Hochspannungsleitungen. Rosie trat mit den Fersen gegen die Mauer. Auf der Straße tanzten Vögel auf und ab.

Nach einer Weile fragte Stella: »Wie lange sind sie denn schon weg?«

Gus sah auf seine Uhr. »Ungefähr eine Viertelstunde.«

Stella atmete aus, ganz langsam. Amy schielte zu ihr hinüber, und Gus beugte sich vor, um zu sehen, ob er das Auto nicht schon entdeckte. Eine seltsame nervöse Aufregung entstand, als säßen sie hier und wollten herausfinden, wie das Ende der Welt aussehen würde.

22. Kapitel

Das Auto bog in eine Vorstadtstraße ein. Überall waren nur Bungalows und Mütter mit Kinderwagen zu sehen. Stirnrunzelnd warf Stella Amy einen Blick zu, und deren Gesichtsausdruck besagte, dass auch sie keine Ahnung hatte, wo sie sich gerade befanden. Draußen wurde es immer heißer. Die Sonne knallte auf den Bürgersteig, der sich bereits sehr aufgeheizt hatte. Der Belag der Nebenstraßen flirrte. Stella, Gus und Amy saßen zusammengequetscht auf dem Rücksitz, Rosie war bei Gus auf dem Schoß, und Sonny war auf dem Beifahrersitz geblieben. Dann hatten sie die Räder vom Dach geholt und rasch in der Garage abgestellt. Stella war ziemlich froh darüber, nicht neben Jack sitzen zu müssen, weil sie im Moment überhaupt nicht wusste, wie sie sich ihm gegenüber verhalten sollte. Als würde eine Glasscheibe sie voneinander trennen. Sie waren nicht länger zwei Hälften eines Ganzen.

»So, da wären wir.« Jack blinkte und bog auf ein Stück Ödland am Straßenrand ein.

Mit zusammengekniffenen Augen nahm Stella ihre Umgebung in sich auf. In der Ferne erkannte sie ein Gebäude – vielleicht eine Art Cricketpavillon. Wenn Jack mit Cricket angefangen hatte, wäre das nach dem ganzen Drama eine Enttäuschung gewesen. Cricket spielte er schon manchmal im Sommer.

Sie stieg aus dem Auto, setzte die Sonnenbrille auf und fächelte sich Luft zu, da die Bruthitze durch die freie Fläche um sie herum noch verstärkt wurde. Man fühlte sich wie im australischen Outback.

Amy war alles andere als begeistert. Sie lugte unter ihrem riesigen Sonnenhut hervor. »Wo zum Teufel sind wir?«

Amüsiert sah Sonny dabei zu, wie Gus großzügig Sonnencreme auf seinem ganzen Körper verteilte. »Ich bekomme sonst ganz schnell einen Sonnenbrand«, erklärte er. Sein Gesicht war voller weißer Streifen.

Bei seinem Anblick zog Amy eine Grimasse.

In der Ferne war ein traurig wirkender Spielplatz zu erkennen. Die große Schaukel war aus dem Rahmen gebrochen, und die Teile lagen einfach übereinander, der Sitz für die Seilbahn fehlte, und die kleinen Holzhütten hatte man mit unzähligen Schimpfwortgraffiti verziert. Rosie konnte das nicht erschüttern. Sie stapfte los, um alles zu inspizieren.

»Was sollen wir denn hier?« Die Krempe von Amys Hut traf Stella im Gesicht, als sie sich nach vorn beugte, um das ihrer Schwester zuflüstern zu können.

Stella zuckte die Schultern.

Jack war mit irgendetwas im Kofferraum beschäftigt.

Gus warf die Sonnencreme zurück ins Auto und gesellte sich zu den anderen. Neunzig Prozent der weißen Creme hatte er einmassiert, sein Gesicht war jedoch immer noch gestreift wie bei einem Tiger.

»Du hast da einen Teil vergessen«, kommentierte Amy seufzend.

»Ach, danke schön, meine Liebe«, erwiderte Gus mit

zuckersüßer Stimme, während er den Rest gleichmäßig im Gesicht verteilte.

Amy verdrehte die Augen, was Gus mit einer Grimasse quittierte. Anschließend erschien Jack, und sie musste laut lachen.

Stella sah auf, da sie den Grund dafür wissen wollte. »Ach, du liebe Zeit.«

Gus breitete die Arme aus. »Klasse.«

Jack wagte nicht, irgendeinem der Anwesenden in die Augen zu sehen. Er ging einfach weiter, als würde er den nächsten Schritt nur machen, damit die Sache erledigt war. Auf dem Kopf trug er einen grünen Helm. An den Füßen türkisfarbene Adidas-Skaterschuhe. Auf Ellbogen und Knien prangten schwarze Schützer, und er hatte fingerlose Handschuhe an. Unter seinem Arm befand sich ein einfaches Skateboard aus Holz.

»Großer Gott«, murmelte Stella, als die anderen ihm folgten. Wie hatte ihr auf diesem öden Gelände nur der Skatepark auf der anderen Seite des Spielplatzes entgehen können?

»Dad hat ein Skateboard?« Sonny joggte los, um seinen Vater einzuholen. Die Hitze, die von dem brodelnden Asphalt emporstieg und unter ihren Füßen förmlich brutzelte, war jetzt sichtbar.

»So was Seltsames habe ich noch nie gesehen.« Amy unterdrückte ein Kichern, als sie sich durch die Lücke quetschten, an der einmal das Tor zu einem Skatepark voller Rampen und riesiger Halfpipes gewesen war. Auf der anderen Seite des Platzes sahen ein paar Teenager von ihren Smartphones auf. Sie beäugten Jack misstrauisch.

Dieser ließ sich jedoch nicht beirren. Er lief immer weiter, bis er die Spitze der höchsten Rampe erreicht hatte. Die anderen stellten sich neben eine Betonbank. Stella wusste nicht ganz, wie sie sich verhalten sollte, während sie dabei zusah, wie sich Jack über den Rand der Halfpipe beugte. Sie war froh, dass er sich kein völlig komisches oder perverses Hobby gesucht hatte, aber als sie nun zu ihm hochstarrte, fand sie einfach bloß, dass er völlig lächerlich aussah. Er war ein erwachsener Mann. Und trotzdem stand er da oben, in seinen Spezialskaterschuhen, er hatte sein Gesicht in diesen Helm gequetscht, trug diese Schutzpads und hatte ein nagelneues Board. Er sah aus wie ein Vollidiot.

»Das ist schon ganz schön hoch«, kommentierte Gus und schirmte mit einer Hand die Augen ab, weil sich die Sonne im Stahl der Rampe brach.

»Meinst du nicht, er sollte mit einer kleineren Halfpipe anfangen?«, fragte Stella. »Auf der da bricht er sich doch garantiert den Hals.«

Gus zuckte die Schultern. »Keine Ahnung. Da kenne ich mich nicht aus.«

»Jack!«, rief Stella ihrem Mann zu. »Jack, Schatz! Bist du dir wirklich sicher, dass das nicht ein bisschen hoch ist?«

Jack tat ganz offensichtlich so, als hätte er nichts gehört.

Sonny krümmte sich fast vor Verlegenheit. »Mum, mach doch Dad nicht seine ganze Coolness kaputt.« Er deutete mit einem Nicken in die Richtung der Gruppe Jugendlicher in der Ecke, die das Ganze deutlich amüsiert beobachteten.

Stella wollte einfach nur, es wäre vorbei. War Jack während der Arbeitszeit etwa immer zum Skateboarden gegangen?! Ein wenig verzweifelt schüttelte sie den Kopf.

Neben ihr lächelte Gus. »Das hier ist was Gutes«, meinte er. »Und was Aufregendes.«

»Du hast leicht reden«, gab Stella zurück.

Amy ließ sich auf der Bank nieder. Mit ihrem riesigen Hut sah sie aus, als wäre sie auf dem Weg zum Pferderennen in Ascot falsch abgebogen.

Von der Schaukel sah sich Rosie alles ganz genau an.

Jack schwankte ein wenig auf der Plattform hin und her.

Stella hielt den Atem an.

Und plötzlich legte er los. Zischte die Rampe runter. Flog auf der anderen Seite hoch. Stella schnappte nach Luft. »Bitte bleib am Leben«, murmelte sie. Doch er langte wohlbehalten auf der anderen Seite an.

Gus applaudierte ihm. »Klasse, Jack!«, schrie er.

Die Jugendlichen mit ihren Handys mussten über den alten Knacker lachen, der da zu skateboarden versuchte. Das Sonnenlicht brach sich auf der Rampe. Allen lief der Schweiß den Rücken herunter. Jack machte einige tiefe Atemzüge, weil er sich fokussieren wollte.

Sonny, der sein Bestes tat, um vor den anderen Gleichaltrigen cool zu wirken, zuckte peinlich berührt zusammen, doch gleichzeitig schien ihn sein Vater zu faszinieren, denn in seinen Augen war noch immer ein Glitzern.

Als sich Jack zum zweiten Mal in die Tiefe stürzte, flog er auf der anderen Seite etwa dreißig Zentimeter in die Höhe. Normalerweise war dieser Move coolen Typen in Cola-Reklamespots vorbehalten. Stella riss überrascht die Augenbrauen hoch. Gus pfiff durch die Zähne. »Wow.«

Aber dann kam das Skateboard nicht ganz richtig auf und knallte auf das gleißende Metall. Da er sein ganzes Gewicht auf die Hinterräder verlagert hatte, gelang es Jack nicht gut, das Gleichgewicht zu halten, und das Board kippte nach vorn, als würde er auf einer Bananenschale ausrutschen. Die Panik stand ihm ins Gesicht geschrieben, und plötzlich fiel er hin, stieß mit den Schultern schmerzhaft gegen die Rampe. Das Skateboard klapperte, und der Helm verursachte einen dumpf klingenden Ton, als er auf das Metall schlug.

Stella riss entsetzt beide Hände vor den Mund. »Mein Gott, Jack. Alles in Ordnung?«

Amy sprang von der Bank auf, Gus machte einen Schritt nach vorn. Rosie kam von der Schaukel zu dem Geländer gerannt, das den Spielplatz vom Skatepark trennte.

Doch Jack stand schon wieder aufrecht. »Alles gut«, verkündete er und hob beide Hände, um zu signalisieren, alle sollten Abstand halten. »Nichts passiert.«

Die coolen Kids hatten die Köpfe gesenkt, und ihre Schultern zitterten, weil sie so lachen mussten.

Jack nahm sein Skateboard, überprüfte eines der Räder und stieg dann sofort wieder auf die Halfpipe hinauf.

»Er versucht es doch wohl nicht etwa noch mal?«, wandte sich Stella an Gus. »Das geht doch nicht. – Jack«, rief sie, »bitte lass es, es ist doch in Ordnung, wir haben es alle gesehen. Du musst wirklich keinen zweiten Versuch machen.«

Aber Jack hörte gar hin. Diesmal übersprang er das tiefe Atemholen und die Fokussierung. Er stellte sich einfach aufs Board und fuhr los. Warf sich auf das gleißende Metall.

Dann, ganz oben, machte er einen weiteren Sprung, ein bisschen schnell und ein wenig unsicher in der Landung, doch als er diesmal den Halt verlor, fing er sich in letzter Sekunde wieder. Der Ausdruck der panischen Konzentration auf seinem Gesicht wich der Entspannung, als er ein wenig wackelig auf dem Belag zum Stehen kam.

Erleichtert führte Stella eine Hand an die Brust.

Sonny jubelte. Rosie jauchzte von ihrem Sitzplatz auf der Mauer. Gus schlug vor Begeisterung mit der Faust in die Luft. Amy pfiff auf zwei Fingern. Gus schaute zu ihr hinüber – er war beeindruckt, weil sie das konnte. Amy tat, als hätte sie nichts gesehen.

Jack deutete eine Verbeugung an.

Die Teenager gaben immer noch ein spöttisches Gelächter von sich.

Und dann startete Jack den nächsten Versuch. Höher diesmal. Raffinierter. Mit einem ausgestreckten Arm, als er ganz oben förmlich in der Luft stand. Es wirkte ein wenig angeberisch, und diesmal gelang ihm auch die Landung ganz ohne Probleme. Er lächelte. Grinste. Von einem Ohr zum anderen. Danach wischte er sich mit einem übertriebenen Seufzer die Stirn ab, als er den obersten Teil erreichte. Er lachte. Alle lachten. Amy pfiff noch einmal. Gus klatschte Beifall. Sonny tippte begeisterte Kommentare und machte mit seinem Smartphone Fotos.

Jetzt, wo Jack immer besser wurde, langweilten sich die Skaterkids und wandten ihre Aufmerksamkeit wieder YouTube zu.

Aber Stella schaute genau hin. Sah zu, wie Jack immer wieder auf die Halfpipe stieg. Wie er mit jedem Mal besser wurde. Wie er in seinem Helm und mit seinen Knieschonern immer weniger peinlich wirkte. Und entspannter. Je länger sie ihm zusah, desto mehr wandelte sich ihre Perspektive: Es war, wie wenn jemand mit einer gewissen Sonnenbräune aus dem Urlaub wiederkommt. Seine Beine sahen ziemlich wie die von Jack aus, die Wadenmuskeln waren angespannt, die Oberschenkelmuskeln standen ein wenig hervor. Die Arme waren wie seine, der Hals wie sein Hals. All die einzelnen Teile, die einem bei Fremden auffallen, anders als die einem so vertrauten Gliedmaßen und Körperteile des Ehemannes. Sie betrachtete sein Gesicht, sein Kinn, seine Wangen, während er lächelte. Und seine Augen, während der Luftzug der Bewegung an seiner Haut vorbeipeitschte.

Wann hatte sie Jack eigentlich zuletzt wirklich angesehen? Nicht einmal am Vortag, als sie nebeneinander in den Spiegel geschaut hatten. Stattdessen hatte sie sich auf ihren eigenen Anblick konzentriert.

Sie starrte Jack an, als er oben innehielt. Er hatte einen schönen Kiefer. Eine attraktive Nase. Und ein kleines Grübchen im Kinn. Seine Koteletten waren auf geradezu lächerliche Weise supergerade gelungen. Er sah gut aus, das war schon immer so gewesen. Jack wischte sich mit dem T-Shirt den Schweiß von der Stirn. Er grinste. Wirkte regelrecht high. Er hatte für nichts anderes einen Blick als für die schimmernde Metallkurve vor ihm.

Stella empfand eine unmittelbare Panik, sie könnte ihn verlieren. Dass er plötzlich total hip und cool würde und Skaterbuddies fand. Der Anblick der Kids, die da am anderen Ende des Parks über ihre Smartphones gebeugt standen, vermittelte ihr, dass das irrational war. Das wusste sie auch, aber sie stellte sich vor, wie er von einem Skatergirl erobert würde. »Du machst Witze, oder? Du hast nicht mal gewusst, dass er seinen Job verloren hatte? Das ist ja uuun-glaub-lich.«

Nach jedem gelungenen Kunststück klatschte Gus Beifall. Voller Verblüffung sah sich Amy das Ganze mit weit aufgerissenen Augen an. »Er ist richtig gut, was?«, sagte sie zu Stella.

Stella nickte, erwiderte jedoch nichts. Sie fühlte sich seltsam. Verletzlich. Als wäre sie nur noch eine Randfigur in Jacks Leben. Sie wollte sich für ihn freuen, doch weil sie sich zugleich hintergangen und vergessen fühlte, brachte sie das nicht fertig.

Gus kam zu ihr hinüber. »Ein richtig cooler Typ, dein Mann.«

Stella setzte ihre Sonnenbrille auf. »Ja«, gab sie zurück. Aber Jack war nicht cool. Er trug immer spießige Sweatshirts.

Eine Zeit lang standen alle schweigend da und schauten zu. Dann sagte Stella: »Was glaubst du, warum hat er mir nichts erzählt?« Wäre ihr Gesprächspartner nicht Gus gewesen, hätte sie diese Frage nicht gestellt – mit ihm befanden sie sich auf neutralem Gebiet.

Gus runzelte die Stirn. »Das hast du vorhin selbst gesagt«, meinte er schließlich, »manchmal muss man einfach allein mit etwas fertigwerden.«

Er sagte das, als hätte ihn ihre rationale Coolness im Zusammenhang mit Jacks Täuschung beeindruckt. Als hätte sie in einem eleganten Schwung die perfekte Antwort gefunden. Jetzt war sein Gesichtsausdruck zögernd, als machte er sich Sorgen, er habe sich vielleicht zu leicht beeindrucken lassen. Als würde sie ihn nun enttäuschen, indem sie mit ganz gewöhnlicher Verärgerung reagierte.

Und damit hätte er recht gehabt. Stella hatte es nicht ernst gemeint. Das war einfach irgendwelcher Blödsinn, den sie von sich gegeben hatte, damit sich Sonny keine Sorgen machte. Doch Gus' Gesichtsausdruck ließ sie innehalten. Sie erinnerte sich an ihr Versprechen, Jack nicht vorschnell zu verurteilen.

Anschließend dachte sie wieder an ihre Morgenschwimmrunde, überlegte sich, wie anders diese wohl verlaufen wäre, wenn da Jack am Ufer gestanden und etwas wie »Du kannst doch nicht angezogen ins Wasser. Warum holst du uns kein Handtuch und Badezeug? Ich will nicht, dass du traurig wirst, so ganz allein da draußen. Vielleicht sollte ich mit dir kommen, nur zur Sicherheit…« gesagt hätte.

Stella musste allein schon bei der Vorstellung dieser heuchlerischen Unterhaltung ihre Frustration herunterschlucken. Dann unterbrach eine Stimme ihre Überlegungen. »Dad, darf ich auch mal?«

Auf der Halfpipe atmete Jack schwer. »Rosie«, gab er zurück, »warte auf mich, wir suchen uns eine kleinere Halfpipe aus.« Rasch stieg er die Treppenstufen hinunter.

Stella wusste nicht genau, was sie davon halten sollte, dass Rosie auch nur eine der Installationen betrat. Diese sahen aus wie Todesfallen, doch Jack machte erst einige Trockenübungen mit Rosie.

»Kann ich auch mal?« Sonny gesellte sich zu den beiden. Stella beobachtete Jack mit den Kindern, und ihr wurde bewusst, dass es war, wie er gesagt hatte – Rosie würde erscheinen, mit Sonny im Schlepptau. Sie korrigierte sich selbst, so wäre es nicht abgelaufen, denn um nichts in der Welt wäre sie damit einverstanden gewesen, dass er zum Skaten ging, statt sich einen neuen Job zu suchen. Und sie bezweifelte, dass daraus jemals mehr geworden wäre als ein hingeworfener Kommentar – wenn er sein Interesse überhaupt jemals laut bekundet hätte. Sie und die Kinder hätten ihn mit ihrem Lachen zum Schweigen gebracht – und damit hätte sich der vorsichtig geäußerte Wunsch schnell wieder im sicheren Versteck verkrochen.

Zugegebenermaßen war die von Jack mit Heimlichkeiten verbrachte Zeit ein wenig länger gewesen als ihr morgendliches Schwimmen – aber wie schön wäre es gewesen, dachte Stella, wenn sie in ein paar Wochen zufrieden an dieses Schwimmen hätte zurückdenken können. Was für ein Luxus, diese Erfahrungen ganz ohne jeden Kommentar machen zu dürfen. Allein die Vorstellung, dass sie jeden Morgen unentdeckt und ohne dass jemand sie vermisste allein aus dem Haus geschlichen wäre. Plötzlich empfand Stella Eifersucht auf Jacks kurze Phasen des Alleinseins.

Rosie wagte sich an die Rampe. Jack umklammerte fest ihre Taille. »Nein, du musst das Gleichgewicht halten, Rosie. Dich in die Bewegung lehnen, nicht an mich. Konzentriere dich. Jetzt hast du's fast geschafft.« Die Beine hatte er rechts und links vom Skateboard aufgestellt. Dadurch sah Jack aus wie eine watschelnde Ente, als er hinter seiner Tochter die Halfpipe herunterrannte. Auf halbem Weg rutschte Rosie weg und landete auf dem Hintern.

Als Stella das sah, wurde ihr bewusst, dass sie Jack einen

längeren Moment im Hier und Jetzt gönnte, auch wenn hinter seiner Entscheidung, ihr dieses Abenteuer zu verschweigen, sicher einiges steckte. Wäre die Situation umgekehrt gewesen, hätte sie sich gewünscht, dass er mit den Kindern Eis essen ging, während sie auf dem Rücken im Meer lag und zur Sonne an ihrem pinkfarbenen Himmel emporstarrte.

Deswegen machte Stella einen Schritt nach vorn und verkündete: »Rosie, Sonny! Daddy soll uns ein bisschen mehr von dem zeigen, was er so draufhat. Setzt euch mal hier drüben hin.«

Rosie kam sofort zu ihrer Mutter; sie wirkte fast erleichtert darüber, es nicht noch einmal versuchen zu müssen. Sonny folgte ihr bedeutend langsamer. »Kannst du schon irgendwelche Tricks?«, wollte er wissen und kickte eine Dose durch die Gegend, während er sich auf die Bank zubewegte.

Jack nickte. »Ein paar«, sagte er, doch sein forschender Blick ruhte auf Stella. Er war überrascht, dass sie die Kinder zu sich gerufen und ihn ermutigt hatte, ihnen noch mehr vorzuführen.

Stella nickte kurz, als sei das ganz selbstverständlich. Jack zog die Augenbrauen hoch, und sie erwiderte die Geste. Er runzelte die Stirn, wie als Frage, was sie im Schilde führte. Als würde er sich fragen, was sie wohl gerade dachte. Lächelnd senkte sie den Blick und lächelte, wandte sich dann um, um sich auf eine kleine Grasnarbe an der Seite zu setzen. Sie streckte die bloßen Beine vor sich aus, stützte sich mit den Händen ab, und dabei spürte sie das glänzende Sonnenlicht auf der Haut.

Betont lässig stieg Jack auf die Halfpipe.

Stella schaute weg, herunter aufs Gras, und überlegte sich, dass er wohl eine Pause vom Leben brauchte, allein sein musste. Gleichzeitig hatte sie wieder das Gefühl, ihn zu verlieren – vielleicht nicht unbedingt an einen anderen Menschen, sondern an sich selbst. Sie hatte Angst, er hätte ohne sie Zufriedenheit erlangt. Der Gedanke, dass er nicht ohne jede Anstrengung und Komplikation ihr gehörte, war zwar beängstigend, aber zugleich auch auf seltsame Weise aufregend. Es bedeutete, dass sie an dieser Sache würde arbeiten müssen. Sie warf sich das Haar aus dem Gesicht, fummelte an ihrer Halskette herum, tat ihr Bestes, um sexy zu wirken. Innerlich empfand sie jedoch dieselbe nervöse Aufregung wie ein Teenager.

Jemand räusperte sich. Sie sah auf und entdeckte Jack, der hoch oben darauf wartete, dass sie ihm ihre Aufmerksamkeit zuwandte. Er wollte sie beeindrucken. Und ihr wurde bewusst, dass das auf Gegenseitigkeit beruhte.

Stella biss sich auf die Unterlippe, hob sich das Haar aus dem Nacken und schaute betont träge und mit vorgetäuschter Gleichgültigkeit zu, wie sich Jack in die Halfpipe fallen ließ. Wer hätte gedacht, dass es so sexy wirkte, wenn ein Mann mittleren Alters plötzlich das Skateboarden für sich entdeckte?

23. Kapitel

Moira nahm im Gemeindezentrum an Mitchs Yogakurs teil. Normalerweise machte ihr das großen Spaß, aber heute war es einfach zu heiß. Stickig, trotz der geöffneten Fenster. Das Etikett ihrer neuen Leggins kratzte. Sie sah auf die Uhr und verlor dadurch mitten in der Krieger-2-Pose das Gleichgewicht. Mitch erschien an ihrer Seite. »Du hast nicht auf deine Atmung geachtet, Moira. Seinen Fokus findet man durch das Aaaaaaatmen«, erklärte er und zog dabei das Wort »Atmen« in die Länge, bewegte eine Hand in der Luft hin und her, um seinen Worten Nachdruck zu verleihen.

Moira atmete, als gäbe es kein Morgen, ließ die Schultern kreisen und versuchte, in die Position zurückzufinden. Dabei sah sie sich unauffällig im Raum um, um zu überprüfen, ob irgendjemand anders mitbekommen hatte, dass sie gewackelt hatte. Das war aber nicht der Fall. Alle lagen nun auf dem Rücken, zogen das linke Knie mit beiden Händen zu sich heran und starrten an die Decke. Mitch ging durch den Raum, rief ihnen weitere nützliche Tipps zur Atmung zu und korrigierte behutsam verschiedene Arm- und Schulterhaltungen.

Moira absolvierte die Übung, und in ihrer ungewohnten Position starrte sie auf die Risse an der Decke. Mitch hatte gemeint, Yoga würde Moira helfen, einen Teil ihres

Zorns zu überwinden. Seiner Ansicht nach trug sie diesen ganzen Ärger in ihrem Oberkörper mit sich herum, der vor lauter Anspannung schon ganz verhärtet war. Sie hatte erwidert, sie sei nicht wütend. Mit einem Lächeln hatte er ihr empfohlen, ihre Atmung einzusetzen, um eine Verbindung zu ihrem Herzen herzustellen.

Moira hatte noch nie daran geglaubt, dass die Beatles mit ihrem *All You Need Is Love* richtiglagen, und sehr häufig überlegte sie während der Yogastunden, was sie noch im Supermarkt besorgen musste. So überzeugend fand sie dieses ganze Getue.

Doch heute schien sie außerstande zu sein, überhaupt in irgendeine Stimmung zu finden – nicht einmal genug Abstand für die Einkaufsplanung konnte sie gewinnen. Stattdessen musste sie daran denken, wie sich alle Familienmitglieder nach dem Abenteuer mit der Faulgrube zu Wort gemeldet und die Verantwortung für Grahams Verschwinden übernommen hatten. Und daran, wie sie mit ihren Töchtern am Esstisch gesessen hatte und die sie beschworen, sie könne Graham doch nicht verlassen. Heute Morgen hatte Stella geäußert, sie wünsche sich, alle sollten wieder normal werden, wie früher – als wäre ihre Familie ein Puzzle, dessen Teile man einfach so wieder zusammenfügen konnte, wenn man nur das fehlende wiederfand. Niemand hatte gesagt, dass es vielleicht *an ihm* lag. Dass es möglicherweise *sein* Fehler war. Dass das verlorene Puzzleteil ja vielleicht *in den Staubsauger* gekommen war und man dafür sogar dankbar sein sollte!

Deswegen passierte etwas, als Mitch am Ende der Stunde mit den Worten »Sagt euch selbst, dass ihr euch okay findet« alle die Augen schließen, die Arme vor der Brust kreuzen und die Hände auf den Rücken legen ließ, damit sie sich selbst ordentlich umarmten: Moira brach in Tränen aus. Sie konnte sich gar nicht mehr an das letzte Mal erinnern, als jemand sie umarmt hatte. Selbst hatte sie das durchaus getan – Amy umarmt, als diese um Bobby trauerte, und ihre kleine Enkelin mit einer Umarmung begrüßt. Doch es war Jahre her, dass jemand Moira herzlich umarmt hatte, einfach bloß um ihrer selbst willen.

Sie wischte sich die Tränen an ihrem Yoga-Outfit aus dem Supermarkt ab – das war genauso gut wie die teureren – und meinte: »Du liebe Güte, ich weiß gar nicht, was plötzlich mit mir los ist.« Mitch lächelte ihr ermutigend zu. Moira war sehr verlegen und verkroch sich auf der Damentoilette.

Diese verließ sie erst wieder, als sie sicher sein konnte, dass alle anderen gegangen waren. Sie hatte die fröhlichen Stimmen gehört und auch mitbekommen, wie Autos ansprangen. Moiras Tasche und ihre Sandalen befanden sich immer noch im großen Raum. Sie schlich sich hinein. Mitch saß an einem der langen Tische an der Seite des Saals, die benutzt wurden, wenn sich die Senioren am Mittwoch zum Mittagessen trafen. Er las Zeitung.

Moira schnappte sich ihre Tasche und warf sie sich über die Schulter. »Tut mir leid, das gerade eben.«

Mitch wandte sich um. Er hatte das weiße Haar mit Gel zurückgestrichen. Herzlich lächelte er Moira an. »Dir sollte nie etwas leidtun, Moira. Es ist gut so. Ein Schritt in die richtige Richtung.«

»Ich habe schon seit Jahren nicht mehr geweint.«

Er machte eine Geste. »Ich weine ständig.«

Moira ertappte sich bei einer Grimasse.

Er zog die Augenbrauen hoch. »Bist du etwa der Ansicht, Männer sollten nicht weinen?«

»So meine ich das nicht. Ich denke nur ... Ich weiß nicht ...« Sie zwang sich zu schweigen. Mitch schaffte es immer wieder, dass sie sich so fühlte. Er ging bis an die Wurzeln ihrer Überzeugungen und riss sie dann mit einem kräftigen Ruck aus.

Mitch lächelte.

Moira seufzte.

»Möchtest du mit zu mir kommen? Dann trinken wir einen Kaffee«, bot er an.

Moira zögerte. Sie hatte ihn noch nie zu seinem Wohnmobil begleitet. Und er war noch nie in ihrem Haus gewesen. Sie trafen sich mit den Hunden am Meer. Manchmal tranken sie im Strandcafé zusammen einen Tee, aber sie betraten das Territorium des anderen nicht. Insgeheim fand Moira den Gedanken aufregend. Vor allem im Kontrast zu dem Chaos zu Hause. »Ja, sehr gern«, gab sie zurück.

Mitch nickte und wirkte erfreut, als wüsste er, dass sie endlich ihrem Instinkt nachgegeben hatte.

Es war nicht weit vom Gemeindezentrum zu dem Campingplatz, auf dem Mitchs Wohnmobil stand. Von dort aus konnte man direkt aufs Meer schauen, einen grauen Steinpfad entlang, zu dessen beiden Seiten Kiefern standen. Diese entfalteten im Sonnenschein ihren Duft. Etwa einen Meter vor Mitch und Moira trotteten die Hunde den Weg entlang; sie entfernten sich nicht weiter. Während der Sommermonate gab es rechts vor dem Zaun zum

Campingplatz eine kleine Bäckerei. Dort kaufte Mitch frisches Brot und zwei Croissants. Das Mädchen hinter der Theke kannte ihn beim Namen, denn er lebte bereits seit einigen Monaten hier. Mitch klemmte sich die Papiertüte unter den Arm, öffnete das Tor und bedeutete Moira mit einer Geste, sie solle zuerst hineingehen.

Sie spürte, wie sie errötete. Dass sie hier einen Kaffee trank, fühlte sich an wie etwas Verbotenes. All ihre anderen männlichen Freunde waren Teil eines Paars, und bei den seltenen Gelegenheiten, zu denen Graham und sie zusammen ausgingen, sprach sie vor allem mit den Ehefrauen.

»Bist du okay?«, erkundigte sich Mitch. Er hatte eine Hand auf den Torpfosten gelegt und wartete.

»Ich mache mir nur ein wenig Sorgen wegen der Leute. Du weißt schon, das Gerede immer.« Moira warf einen Blick zurück zu dem Mädchen in der Bäckerei, das die beiden überhaupt nicht mehr beachtete.

Mitch lachte schallend. Mit weit ausgebreiteten Armen stand er da. »Moira, es ist mitten am Tag. Wir sind zwei erwachsene Menschen, die miteinander Kaffee trinken. In deinem Leben gibt es wirklich eine ganze Menge Regeln.«

Sofort fühlte sich Moira wie eine Idiotin. Sie nickte kurz und glitt durch das Tor, verfolgt von Mitchs Gelächter.

Er wohnte in einem alten senffarbenen VW Westfalia T3. Im Dach gab es ein Ausziehbett und unten eine kleine Küche mit unechtem Laminat und ein Sofa mit rot-grünem Schottenmuster. An den Fenstern baumelten Kristalle neben Traumfängern mit ihren Federn, und am Hinterrad lehnte ein Buddha-Kopf aus Stein. Das Wohnmobil stand fast ganz für sich unter einer Gruppe Kiefern. Man hatte eine unverstellte Aussicht über ein Feld mit Osterglocken, und dahinter kam das Meer. Moira ging um das Wohnmobil herum und wartete, bis Mitch die Schiebetür an der Seite geöffnet hatte. Dann zündete er den Gaskocher an und klappte zwei Liegestühle mit lila Blumenmuster auseinander, deren Bespannung schon ganz ausgefranst war und die aussahen, als wären sie mindestens dreißig Jahre alt. Mitchs Hund mit dem Namen »Hund« rollte sich auf dem Veloursofa zusammen, während sich Frank Sinatra neben Moira im Gras ausstreckte. Diese ließ sich vorsichtig auf einem der alten Liegestühle nieder. Jetzt, wo sie sich vor der Welt versteckt hatten und völlig von der Natur umgeben waren, fühlte sich Moira ungewöhnlich entspannt. Wenn sie das laut ausspräche, würde Mitch bestimmt sagen, dass das an der heilenden Energie seiner Kristalle lag, doch Moira wusste, es war das Entkommen von sich selbst, von ihren Verantwortungsbereichen, ihren Regeln, wie Mitch das so direkt benannt hatte.

Sie schloss die Augen und lauschte Mitchs einfachen Bewegungen beim Kaffeemachen – er beeilte sich nicht, betrieb keinen unnötigen Aufwand. Zwischendurch kraulte er Hund zwischen den Ohren. Im Hintergrund lief leise das Radio. Nach dem Zehnfachen von Moiras Durchschnittszeit standen zwei Tassen mit extrastarkem Kaffee und ein Teller mit einem Croissant für jeden auf einem wackligen Korbklapptisch.

Mitch setzte sich neben Moira, streckte die Beine aus, sodass seine gebräunten Füße das dürre lange Gras vor ihnen berührten. Sein Hemd trug er halb offen, und man erkannte gerade so ein rundes Medaillon mit einem Om-Symbol. Seine Yogahose hatte einen Gummizug an den Knöcheln. Hund kam aus dem Wohnwagen, um sich neben Mitchs Füßen niederzulassen. Mitch schlürfte in langen Zügen von seinem Kaffee und starrte dabei direkt in die Sonne, die auf den Schaumkronen der winzigen Wellen glitzerte.

Moira trank ihren Kaffee ordentlicher. Sie nippte daran und stellte dann die Tasse wieder auf den Tisch.

Frank Sinatra schnarchte leise.

»Es war schön, Stella kennenzulernen«, meinte Mitch und wandte den Kopf, um Moira anzusehen. »Nettes Mädchen. Clever. Und wahrscheinlich mit ähnlichen Problemen wie du…« Dabei klopfte er sich ein paarmal gegen die Brust.

Moira schluckte. Plötzlich schämte sie sich dafür, ihr aggressives, geradezu despotisches Verhalten an ihre Tochter weitergegeben zu haben.

»Aber Temperament hat sie«, fügte Mitch hinzu. »Ganz offensichtlich weiß sie, was sie will. Ich mag sie.«

Moira nahm einen weiteren Schluck Kaffee und fragte sich, ob er ihr selbst wohl ebenfalls Temperament zuerkennen würde. Beim Aufsehen stellte sie fest, dass Mitch sie beobachtete, als könnte er genau nachvollziehen, was sie gerade dachte, und als machte er sich deswegen über sie lustig.

»Sie verdankt dir sehr viel«, meinte er.

»O nein«, gab Moira zurück. »Nicht mir. Ich glaube nicht, dass mir Stella irgendetwas verdankt.«

»Nicht?« Seine Mundwinkel sackten nach unten.

Moira schirmte ihre Augen von der Sonne ab und sah auf die glitzernden Wellen hinaus. »Ich glaube nicht, dass ich Stella eine sehr gute Mutter gewesen bin.«

»Ich bin sicher, das warst du.«

»Nein, wirklich.« Sie lachte kurz auf, als sie Mitch anschaute, der sie mit seinem Blick zu durchbohren schien.

»Als wir jünger waren, hatte Graham ein paar Affären, weißt du.« Sie wandte sich wieder dem Meer zu, einer Jacht in der Ferne, deren großes weißes Segel sich elegant im Wind bewegte. »Er ist jedes Mal zu mir zurückgekommen, und da war nie etwas Ernstes«, fügte sie hinzu. »Aber weißt du …« Sie hielt inne. »Ich war niemals auch nur annähernd so eifersüchtig auf diese Frauen wie auf Stella.« Mit einem Lächeln wandte sie sich zu Mitch hin. »Schrecklich, oder? Einfach schrecklich, wenn eine Mutter so etwas sagt.«

Mitch zuckte die Schultern.

»Sie hat einfach immer einen so großen Teil seiner Aufmerksamkeit beansprucht. Und das so mühelos, als wollte sie diese Aufmerksamkeit eigentlich gar nicht. Ich glaube, neben ihr habe ich sehr verzweifelt gewirkt. Sehr uncool«, sagte sie in einem Tonfall, der zu Amy gepasst hätte. Dann nahm sie mit einem Seufzer ihre Kaffeetasse in die Hand.

Mitch wartete ab, er sagte nichts. Als spielte es überhaupt keine Rolle, wie viel Zeit verging. Eine Libelle setzte zum Sturzflug an, und Hund hob träge den Kopf.

»Stella war ein ganz außergewöhnliches junges Schwimmtalent«, sagte Moira, die sich zum Weitersprechen getrieben fühlte. Als könnte sie nicht mehr aufhören, nachdem sie einmal angefangen hatte, weil sie dann nie im Leben wieder davon reden würde. »Das ist so schade, man hat ihr so viel abverlangt. Sie waren so streng mit ihr. Ich glaube, so hat man das damals gemacht. Vielleicht ist das ja sogar immer noch so? Ich weiß, dass Spitzensportler sehr angetrieben werden müssen, aber die ganze Sache muss doch auch Spaß machen, oder? Ich glaube, darin lag der Fehler – weil Stella so gut war, haben sie sie nicht mehr als ganz normales junges Mädchen gesehen. Und Stella kannte nichts anderes, deswegen hat sie einfach getan, was man ihr sagte, und dann hat sie plötzlich ein paar Wochen mit Normalsein verbracht, und ...«

Mitch musste lachen, als er das Wort »normal« hörte.

»Was ist?«, wollte Moira wissen.

»Nichts.« Er schüttelte den Kopf.

»Nun, wie auch immer«, fuhr Moira fort, »vielleicht meine ich auch gar nicht ›normal‹. Gewöhnlich eben. Sie hat sich verletzt und ist dann mit ihren Freunden ausgegangen, auf viele Partys, Festivals, solche Veranstaltungen – und ich glaube, da ist ihr plötzlich klar geworden, wie das Leben auch sein kann.«

»Hast du sie mal danach gefragt?«

Moira spürte, wie ihr die Hitze in die Wangen stieg. »Über solche Dinge haben wir nie viel gesprochen. Stella tut, was Stella möchte, und das hat sie dann auch wirklich getan. Ganz Knall auf Fall hat sie alles hingeschmissen.«

Mitch runzelte die Stirn. »Und da hat niemand etwas gesagt? Wie hat denn Graham reagiert?«

Peinlich berührt kratzte sich Moira am Kopf. »Er hat eine ganze Weile nicht mehr mit ihr geredet.«

Mitch pfiff durch die Zähne.

Wieder stellte Moira die Tasse auf den Tisch. Sie fühlte sich ein wenig angegriffen und wollte nicht weiter über die Vergangenheit sprechen. Sich nicht dem Eindruck aussetzen, man würde sie kritisieren.

Mitch nahm sich sein Croissant und riss ein Stück für Hund ab. »Hast du immer noch Eifersucht auf Stella empfunden, nachdem sie ausgezogen war?«

Moira hatte ganz vergessen, dass sie ihren Bericht damit begonnen hatte, Mitch ihre Eifersucht auf Stella zu gestehen. Außerdem erinnerte sie sich jetzt daran, dass sie Grahams Affären erwähnt hatte. Sie fragte sich, was da gerade mit ihr geschehen war – sie vertraute sich nie anderen Menschen an. Im Aufstehen ordnete sie zwei ineinander verknotete Grashalme, deren Anblick sie bereits die ganze Zeit gestört hatte. Als sie sich wieder setzte, hoffte sie darauf, die Unterhaltung würde sich einem anderen Thema zuwenden.

Aber Mitch war nicht bereit, das Begonnene ruhen zu lassen. »Sag schon, Moira«, drängte er sie. »Was ist passiert? Erzähl es mir.«

Sie presste die Lippen aufeinander. Warf Mitch einen vorsichtigen Blick zu und sagte: »Nach Stellas Auszug ist überhaupt nichts passiert. Das ist ja gerade das Dumme.« Sie schüttelte den Kopf. »Es hat sich gar nichts verändert.« Moira war immer davon ausgegangen, ohne Stella und ihr außergewöhnliches Talent würde sich Graham wieder ihr zuwenden. »Ich glaube, mir war einfach nicht bewusst, dass Graham und Stella die Rollen der Lebhaften und Temperamentvollen in der Familie einnahmen. Amy und ich waren schon immer zurückhaltend, bei allen beliebt, weil wir so nett sind. Aber in Wirklichkeit warten sie darauf, dass irgendwann alles aus uns herausbricht.« Sie fuhr mit einem Finger am ausgefransten Rand des Liegestuhlstoffs entlang. »Für langweilige Frauen interessiert sich niemand, oder?«

Als Mitch lächelte, bildeten sich Fältchen um seine Augen. »Also, ich finde diese schön gleichmäßig brennenden Kerzen eigentlich sehr hübsch.«

Moira lächelte. »Das ist nett von dir.«

Mitch zuckte die Schultern, als hätte er einfach nur seine ehrliche Meinung von sich gegeben.

Nach einem Moment der Stille meinte Moira: »Schrecklich heiß hier in der Sonne, oder?«

»Dann setz dich doch einfach in den Schatten.«

»Ach ja, natürlich«, gab sie zurück, als hätte sie überhaupt nicht darüber nachgedacht, dass sie ja ihren Liegestuhl verrücken könnte. Eigentlich ging es aber eher darum, dass sie sich nie traute, in solchen Dingen die Führung zu übernehmen. Nach all den Jahren, in denen sie sich immer dem Willen der Person mit dem stärkeren Charakter untergeordnet hatte. Sie positionierte den Liegestuhl unter dem von der Sonne durchbrochenen Schatten einer Kiefer.

Mitch erhob sich und zog seinen Liegestuhl neben ihren, dann holte er den Tisch. Danach verschwand er in seinem Wohnmobil und kam kurze Zeit später mit einer kleinen Holzkiste zurück, in die Cannabisblätter eingeschnitzt waren.

»Hast du Lust auf einen kleinen Joint, Moira?«

Moira grunzte förmlich in ihren schnell abkühlenden Kaffee. »Auf gar keinen Fall.«

Mitch musste lächeln. »Der würde dir aber guttun, glaube ich. Dich locker machen.«

»Nein.« Entschieden schüttelte Moira den Kopf. »Keine Drogen. Von Drogen habe ich schon immer die Finger gelassen.«

»Das ist doch keine Droge«, sagte Mitch, träge und ein bisschen spöttisch, während er sich im Liegestuhl zurücklehnte und den Deckel von der Kiste nahm. »In Holland ist das Zeug sogar legal.«

»Tja, typisch für die Niederländer.« Moira merkte plötzlich, dass sie ganz steif und aufrecht in ihrem Liegestuhl saß.

Mitch lachte kurz auf, und es klang wie ein Bellen. »Na los, Moira, man lebt nur einmal«, sagte er, während er sich einen Joint drehte.

»Nein.« Sie hatte die Lippen fest aufeinandergepresst.

Er sah ihr gerade in die Augen. »Wovor hast du denn solche Angst?«

»Abgesehen davon, verhaftet zu werden?«, fragte sie zurück.

»Wir sind hier auf einer Wiese, am anderen Ende einer kleinen Landstraße, am Arsch der Welt. Niemand wird dich verhaften.« Er hielt den Blick auf sie gerichtet und wandte ihn einfach nicht ab. »Wovor hast du Angst?«

Sie schluckte. Runzelte die Stirn. »Ich weiß es nicht. Vielleicht davor, die Kontrolle zu verlieren?«

»Und was wäre daran so schlimm?«

»Ich habe das noch nie gemacht.«

»Warum schaust du nicht einfach, was dann passiert?«, meinte Mitch und zog sich den Rand des Zigarettenpapiers über die Zunge. Es war ganz ausgeschlossen, dass Moira

Ja sagen würde. Völlig ausgeschlossen. Sie zog ihr Handy aus der Tasche und hoffte plötzlich, eines der Mädchen hätte vielleicht eine SMS geschickt, sodass sie eine Ausrede hatte und gehen konnte. Sie kam sich absolut verklemmt vor. Mitch zündete den Joint an, und auf seinem Gesicht erschien ein fettes Grinsen. Da war keine SMS. Nur eine Nachricht auf WhatsApp, die ihr mitteilte, dass Graham etwas auf Instagram gepostet hatte. Sie runzelte die Stirn und blickte auf die App, die Sonny letzte Woche für sie heruntergeladen hatte. Das da war wirklich Grahams Bein. Was trieb er denn nur? Außerdem gab es ein Bild von Stella nach ihrer Schwimmrunde. Als sie ihre Tochter an diesem Morgen gesehen hatte, hatte Moira nicht weiter darüber nachgedacht, dass Stella schwimmen gewesen war. Sie hatte sich eher darauf konzentriert, ein längeres Gespräch zwischen Stella und Mitch zu verhindern. Doch als sie nun das Bild sah, wurde ihr bewusst, dass das Ganze für ihre Tochter ziemlich wichtig gewesen sein musste. Stella schwamm doch überhaupt nicht mehr? Dann gab es ein Bild von Gus, der etwas ganz Seltsames mit dem Rasenmäher anstellte. Und Jack auf einem Skateboard? Und dann Amy, mit ihrem riesigen Sonnenhut, die einen Pfiff ausstieß. Jedenfalls amüsierten sich alle! Und wo blieb *sie* dabei? Sie fühlte sich wegen der ganzen dunklen Ereignisse aus der Vergangenheit schuldig, wegen der Faulgrube und weil sie sich Sorgen um ihre Töchter machte, die ihrerseits überhaupt kein Problem damit hatten, ihre Sorgen bei ihr abzuladen, gleichzeitig aber nicht im Traum daran dachten, Moira in Ruhe ihr verdammtes eigenes Leben leben zu lassen.

Als Mitch sich vorbeugte und ihr den glimmenden Joint reichte, lehnte sie deswegen nicht mit einer raschen Handbewegung ab, sondern dachte: »Warum zum Teufel eigentlich nicht? Vielleicht werde ich ja verhaftet, und dann müssen sie alle ein wenig in sich gehen und sich fragen, warum ich so ausgeflippt bin.«

Doch schon bei ihrem ersten, beißenden Zug betete Moira innerlich darum, der Verhaftung zu entgehen, weil sie sich nichts Schlimmeres vorstellen konnte als eine Nacht im örtlichen Gefängnis. Das billige Hotel hier in der Nähe wirkte ja schon grässlich genug.

Sie nahm ein paar rasche, vorsichtige Züge und schaute währenddessen ständig nach rechts und nach links, um sich zu vergewissern, dass auch wirklich niemand kam. Mitch betrachtete sie amüsiert. Moira hustete, wedelte sich den Rauch aus dem Gesicht, hustete noch einmal und gab den Joint dann an Mitch zurück, um es sich in ihrem Liegestuhl bequemer zu machen.

»In der Schule habe ich wirklich ein bisschen geraucht, weißt du?«, erzählte sie. »Gauloises. Das haben damals alle getan. Um anzugeben. Und wir kamen uns so cool dabei vor. Jede von uns war *too cool for school*. Aber so was hier haben wir nie geraucht. Wirklich nie.« Sie verzog das Gesicht zu einer Grimasse, als sie daran dachte. Ein bisschen fühlte es sich an, als wäre sie wieder in der Schule. Und dann dachte sie darüber nach, dass *too cool for school* wirklich ausgesprochen dämlich klang.

Mitch entspannte sich, völlig träge und zufrieden lag er in seinem Stuhl. Moira hätte nicht genau sagen können, wie sie sich fühlte. Eigentlich ganz normal. Aber dann verlor sie den Faden beim Nachdenken, als sie dabei zusah, wie die Sonne durch die Bäume flackerte und die Lichtpunkte auf ihrer Haut tanzten.

Mitch reichte ihr den Joint wieder.

Nach einigen weiteren Zügen fühlte sich Moira wie eine Lumpenpuppe. Als hätte jemand ihre Füllung herausgenommen und sie aus der Verpackung befreit, die ihr sagte, was sie unbeschadet äußern konnte und was nicht. Tatsächlich war es ihr plötzlich völlig egal, was sie als Nächstes sagte. »In meiner Jugend sah ich eigentlich ziemlich gut aus.«

Mitch lächelte lakonisch. »Daran habe ich nie gezweifelt.«

Mit einem Seufzer ließ Moira die Arme auf die Lehnen fallen, die Hände herunterhängen. Sie schaute zu Mitch in seinem weißen Leinenhemd hinüber. »Ach, wenn man nur wieder jung sein könnte. Ich hatte leuchtend rotes Haar und war superschlank. Und zur Arbeit bin ich in High Heels und schicken Kleidchen stolziert. So habe ich auch Graham kennengelernt, übers Fernsehen. Ich habe für *West Country Morning* den Wetterbericht präsentiert, wusstest du das?«

»Nein.«

»Habe ich aber. Und eines Tages – an einem Dienstag – war der Mann vom Sport krank, und es gab niemanden, der hätte einspringen können, also habe ich das gemacht. Dabei habe ich doch überhaupt keine Ahnung von Sport. Wirklich überhaupt keine. Plötzlich stehe ich an einem Schwimmbecken und halte diesen ganzen Kerlen in knappen Badehosen ein Mikrofon ins Gesicht.« Moira kicherte. Mitch reichte ihr den Joint. Diesmal vergaß sie ihre Vorsicht und inhalierte tiefer, hustete, lachte. Nachdem sie Mitch den Joint zurückgegeben hatte, zog sie die Füße unter den Hintern, saß da wie ein Teenagermädchen. »Graham war damals gewissermaßen der Jungstar der Sportschwimmwelt. Der aufsteigende Stern am Schwimmerhimmel. Und ich hatte keine Ahnung, wer er war.« Sie kicherte noch einmal kurz. »Aber ich bin rot geworden wie eine Tomate, weil er so klatschnass war, und so muskulös, wahnsinnig attraktiv – und seine Badehose war so knapp. Ich habe kaum ein Wort rausgebracht und irgendetwas wie »Hat es Spaß gemacht?« gefragt. Dabei hatte er gerade die British Championships um eine halbe Länge gewonnen und damit mindestens drei Rekorde gebrochen. Ich glaube, deswegen hat er sich überhaupt in mich verliebt: wegen dieser ersten Begegnung, bei der ich so gekichert habe und rot geworden bin, während er herumstolziert ist wie ein stolzer Pfau.« Sie wandte sich Mitch zu. Er beobachtete sie, lauschte ihren Worten, ließ den Joint in einer Hand baumeln und kraulte mit der anderen Hand hinter den Ohren. »Wenn Graham geschwommen ist, war er überhaupt nicht wie Stella. Die Leute konnten ihn zusammenbrüllen, und er hat es einfach von sich abgeschüttelt. Meistens hat er sowieso gemacht, was er wollte. Er hatte ein unglaublich dickes Fell. Ein arrogantes Arschloch war er, schon immer«, sagte sie. »Ich glaube, er war nicht einmal besonders scharf aufs Schwimmen, nur aufs Gewinnen. Schwimmen, Gewinnen, Schwinnen, Gewimmen … Moment mal, da stimmt doch was nicht?« Moira runzelte die Stirn.

Mitch musste lachen. »Vielleicht ist Stella ja gern geschwommen, und Graham hat gern gewonnen. Wie geschwommen, so gewonnen.«

»Ja.« Sie nickte. »Ja. Das war eigentlich wirklich sein Problem, ist es schon immer gewesen. Weißt du, kurz vor seiner letzten Olympiade hat sich einer seiner Teamkollegen am Rücken verletzt. Er konnte nicht antreten. Da wurde Graham gebeten, im Freistil über zweihundert Meter seinen Platz einzunehmen. Weißt du, was Graham gesagt hat?«

Mitch schüttelte den Kopf.

»Nein hat er gesagt.« Moira presste missbilligend die Lippen zusammen. »Und weißt du auch, warum? Weil er dachte, er würde wohl nicht gewinnen. Ihm war klar, es würden seine letzten Spiele werden. Bei den anderen vier Wettkämpfen wusste er, er hatte eine Chance auf den Sieg, deswegen wollte er beim fünften nicht antreten, um die Spiele nicht als Verlierer zu beenden. Er hat sich Sorgen gemacht, er würde als der Mann in Erinnerung bleiben, der einen Wettkampf verloren hatte, nicht als der, der vier Wettkämpfe gewonnen hatte.«

»Graham liebte also das Gewinnen«, fasste Mitch das Gehörte zusammen.

»Stimmt«, erwiderte Moira. »Genau, so war das. Er konnte den Gedanken nicht ertragen, dass niemand für immer an der Spitze bleibt. Dass da jüngere, bessere Leute nachkommen. Das hat ihn wütend gemacht. Er hatte eine unglaubliche Angst vor dem Geschlagenwerden. Ich glaube, das war der Grund dafür, dass er aufgehört hat – ja, gar keine Frage. Er wollte aufhören, solange er noch der

Beste war. Und das war ein Fehler, ganz bestimmt war das ein Fehler, denn als er dann als Trainer gearbeitet hat, war niemand seiner Sportler jemals gut genug für ihn. Graham hat immer geglaubt, er selbst hätte es besser machen können. Das stimmte vielleicht sogar auch, aber er konnte sich ja schlecht umentscheiden und in die aktive Phase zurückkehren, oder? Dann hätte er sein Gesicht verloren.« Verzweifelt schüttelte Moira den Kopf. Mitch reichte ihr den Joint. Sie sprach beim Rauchen weiter, hatte gar keine Bedenken mehr. »Ständig hat er gejammert, man hätte ihm die schlechtesten Leute zum Training zugeteilt. Aber er war einfach zu unberechenbar. Er hat sich nicht genug untergeordnet. Ehrlich gesagt hat er die Sportler bekommen, die ich ihm auch gegeben hätte, damit kam er allerdings nicht zurecht. Er wollte die Stars. Er wollte die Medaillen. Und dann, na ja, dann hat sich herausgestellt, dass in Stella ein Schwimmtalent steckte. Ein echtes Schwimmtalent. Sie war so schnell. Wie ein kleiner Fisch. Und man konnte Grahams Augen aufleuchten sehen. Er wollte sie zu seinem Star machen.« Moira nahm einen letzten Zug und verschluckte sich fast, beugte sich dann vor, um Mitch den Joint zurückzugeben. »Dabei ging es eigentlich nie um Stella, oder? Es ging darum, etwas zu beweisen. Nur um Grahams Glanz und Gloria! Ha, eine Alliteration! So heißt das doch, oder?«

Mitch schüttelte den Kopf, als wäre die Bezeichnung ganz egal. »Ich verstehe schon, was du meinst.«

»Ja«, sagte Moira und wusste dabei, dass sie sich normalerweise wegen dieser nebensächlichen Bemerkung dumm gefühlt hätte. Doch jetzt kümmerte sie das eigentlich gar nicht. Mitchs Umriss war ein wenig verschwommen. »Wie auch immer. Ich weiß nicht. Ich glaube, im Nachhinein waren wir alle gleich: ich, die Bettgeschichten, Stella – wir waren einfach bloß Accessoires für ihn, mit denen er sich schmücken wollte. Meinst du nicht auch?« Sie hielt inne.

Mitch zuckte die Schultern. »Kann sein.«

»Man konnte mich durchaus mal als eine Art ›Trophäenweibchen‹ bezeichnen.« Mit beiden Händen deutete Moira Anführungszeichen in der Luft an und runzelte die Stirn über sich selbst, weil sie das noch nie in ihrem Leben gemacht hatte. »Ich hatte dieses dicke, volle rote Haar. Das habe ich bereits erzählt, oder? Außerdem hatte ich einen wirklich fantastischen Busen. Das fanden alle.« Sie sah auf ihre Brüste herunter, die von ihrem Sport-BH eingezwängt wurden. »Jetzt sieht das Ganze nicht mehr so fantastisch aus«, fügte sie hinzu. »Die Dinger hängen ziemlich.« Dann gab sie ein ungläubiges Lachen von sich, voller Erstaunen darüber, dass sie überhaupt über ihren Busen sprach.

»Ich finde, die sehen ziemlich gut aus«, kommentierte Mitch mit einem frechen Grinsen.

»He, reiß dich zusammen!« Moira musste kichern. »Wo war ich stehen geblieben?«

»Bei deinem fantastischen Busen.«

»Das meine ich nicht.« Sie schüttelte den Kopf. »Bei Graham, meine ich. Bei der Familie. Ach ja, richtig. Wie nennt man die heute, diese berühmten Leute wie David Beckham? Und Posh Spice? Du liebe Güte, woher kenne ich denn diesen Namen? Ich hätte nie gedacht, dass ich überhaupt weiß, wer das ist.«

Mitch schüttelte den Kopf. Er war verwirrt. »Ich habe keine Ahnung, wie man die nennt.«

»Du weißt schon! Dass die alle sich selbst als Marke haben. Wie eben die Marke Beckham. Allen geht es nur um ihre Marke … Genau! Nämlich einfach nur darum, dass die größer und immer größer wird.« Moira vollzog die Geste mit beiden Armen nach, deutete einen Ballon an, der aufgeblasen wurde. »Es geht immer um sie. Um sie, um sie, nur um sie. So auch bei Graham. Das haben Stellas Siege für ihn bedeutet. Es ging um seine Marke. Nicht um ihre. Wenn ich das damals begriffen hätte, wäre ich vielleicht nicht ganz so eifersüchtig auf Stella gewesen. Vielleicht hätte ich sie mehr unterstützt. Wenn ich andere Interessen gehabt oder nicht aufgehört hätte zu arbeiten. Und all diese Boxen gefüllt hätte, die du so gern in den Sand malst. Dann hätte ich nicht so viel Zeit damit verschwendet, darauf zu warten, dass er mich bemerkt.«

Mitch schüttelte den Kopf.

Moira ihrerseits nickte, ein wenig resigniert. »Vielleicht hätte ich das aber auch trotzdem getan.«

»Es bringt nichts, dir wegen der Vergangenheit Vorwürfe zu machen, Moira. Du kannst sie nicht mehr ändern.« Mitch spielte mit dem Om-Symbol um seinen Hals. »Aber du kannst daraus lernen.«

Moira fürchtete, er würde plötzlich wieder von Liebe, Herzchakren und Yogizeug anfangen, deshalb sprach sie schnell weiter. »Nachdem Stella ausgezogen war, hat sich Graham plötzlich mehr wie ein Vater um Amy gekümmert, und das war gut. Schön war es. Und dann hat sich Amy am College mit diesem jungen Mann angefreundet, Bobby.

Bobby war ein sehr guter Surfer, und plötzlich hatte Graham ein neues Projekt. Einen neuen aufsteigenden Star, in den er seine ganze Energie investieren konnte. Um sich in seinem Ruhm zu sonnen.« Moira fuchtelte wild mit beiden Händen in der Luft herum. Sie wusste, dass sie jetzt ein wenig übertrieb, konnte das allerdings nicht verhindern.

Mich reichte ihr den Joint, und ihr kam der Gedanke, dass er das vielleicht nur tat, damit sie sich ein paar Sekunden beruhigen konnte. Sie nahm einen raschen Zug. Ein wenig jagte es ihr Angst ein, dass sie sich so unglaublich entspannt fühlte, so ungehemmt. Dann gab sie den Joint zurück. Mitch bedeutete ihr mit einer Geste, sie solle noch einmal inhalieren, also tat sie das, bloß ein winzig kleines bisschen.

Mitch seinerseits nahm lange, kräftige Züge, als saugte er die Luft der ganzen Welt in sich auf. Moira sah ihm dabei zu, wie er geübt Rauchringe blies, die perfekt ineinanderpassten und sich dann ausweiteten, bevor sie sich in Luft auflösten.

Sie ließ sich in ihren Liegestuhl zurücksinken, folgte mit dem Blick den verschwindenden Ringen hinauf in die Bäume und dachte über all das nach, was sie gerade gesagt hatte. Wehmut überkam sie. Sie war nicht gut mit ihrer Vergangenheit umgegangen. »Manchmal frage ich mich, ob Graham überhaupt jemals an Stella als Person gedacht hat.«

»Oder an *dich* als Person«, gab Mitch zurück.

Moira starrte dem Rauch nach und zuckte die Schultern.

Eine Weile saßen sie schweigend da. Weitere Rauchringe trieben davon und lösten sich auf.

»Ich war eigentlich ziemlich gut in meinem Job, weißt du?«, erzählte sie und streckte die Beine aus. Sie sah Mitch an. »Ich habe mich gut geschlagen.«

»Daran habe ich überhaupt keinen Zweifel.«

»Nach dem Einspringen durfte ich noch einige weitere Sportereignisse übernehmen. Einmal habe ich John McEnroe interviewt.«

Mitch wirkte beeindruckt.

»Das war meine liebste Anekdote aus dieser Zeit.« Dann fuhr sie fort: »Wenn ich nicht aufgehört hätte, wäre ich jetzt vielleicht wie diese Sue Dingsbums, die von den Wimbledon-Kommentaren. Oder wie diese muntere Lesbe, die man ständig im Fernsehen sieht.« Moira runzelte die Stirn. »Ist das gemein? Wenn man jemanden als Lesbe bezeichnet?«

Mitch zog die Augenbrauen hoch. »Bezeichne sie einfach als Menschen, Moira. Sexualität spielt dabei überhaupt keine Rolle.«

»Dann weißt du doch aber überhaupt nicht, von wem ich rede.«

»Das würde ich schon rausbekommen, nehme ich an.«

Moira kicherte. Genau genommen machte ihr das Ganze eine Menge Spaß. Noch nie in ihrem Leben hatte sie so offen mit einem anderen Menschen gesprochen. »Ich finde die Vorstellung, mir eine nette Freundin zu suchen, gar nicht so verkehrt, weißt du?«

»Tatsächlich?«

Moira beugte sich vor und nahm Mitch den Joint aus der Hand. Sie war nun zu allem bereit und inhalierte tief, bevor sie den Joint zurückgab. »Dann wüssten wir wenigstens, dass wir alles geregelt bekommen. Darin sind Frauen viel besser als Männer.«

»Tatsächlich?«

»Ganz bestimmt.« Plötzlich fiel Moiras Blick auf das knusprige, fluffige Croissant auf dem Tisch. »Wir sind viel unabhängiger und kriegen alles gebacken.«

Mitch musste lachen. »Du bist wirklich witzig, wenn du was geraucht hast, Moira.«

»Glaubst du, ich bin high?« Voller Stolz sah Moira, die sich gerade das Croissant nahm, zu Mitch auf. Normalerweise hätte sie das Croissant in zwei Hälften geschnitten, um es auf anständige Weise essen zu können, aber heute rammte sie es sich förmlich in den Mund. »Wahrscheinlich ist es gut, dass ich den Job aufgegeben habe, denn inzwischen hätte ich mich bestimmt in einer dieser Fernsehtanzshows lächerlich gemacht.« Während sie sprach, flogen ihr die Krümel aus dem Mund. »Oder ich müsste im Dschungelcamp Kakerlaken und Känguruhoden essen.«

Mitch platzte laut heraus.

Als Moira kicherte, kam ihr fast das Croissant aus der Nase.

Hund bellte. Frank Sinatra schnarchte.

»Ich wünschte, ich hätte das hier schon vor Jahren gemacht.« Sie lehnte sich zurück und hielt träge das Croissant in der einen Hand. »Das ist unglaublich cool, oder?«

Mitch nickte und lächelte lakonisch. »Finde ich auch.«

Plötzlich hörte man ein reißendes Geräusch, und der Stoff von Moiras dreißig Jahre altem Liegestuhl löste sich ganz und gar vom Rahmen, sodass sie mit dem Hintern direkt auf dem Boden landete. Erschrocken setzte sich Mitch auf. Moiras ganzer Körper steckte wie in einem Sandwich in dem Metallrahmen. Sie zappelte wild mit den Beinen in der Luft herum, hatte aber das Croissant noch in der Hand. Sie schaute Mitch an, und Mitch sie, und keiner der beiden brachte auch nur ein Wort heraus. Beide mussten so entsetzlich lachen, dass sie kaum atmen konnten.

24. Kapitel

Auf der Rückfahrt vom Skatepark war die Atmosphäre im aufgeheizten Auto voller Fröhlichkeit, erfüllt von einer unterschwelligen glühenden Euphorie. Als hätte jeder Einzelne von ihnen einen Adrenalinstoß mit positiver Wirkung abbekommen. Rosie und Amy sangen bei einer Beyoncé-Nummer im Radio mit. Weil das so grauenhaft klang, verbarg Gus das Gesicht in den Händen. Sonny musste über Gus' Verzweiflung lachen.

Vorne, zwischen Stella und Jack, war allerdings eine geradezu greifbare sexuelle Spannung. Beim Herunterschalten fuhr Stella mit dem kleinen Finger an Jacks verschwitztem Oberschenkel entlang. Er berührte kaum merklich ihre Fingerknöchel. Dann lehnte er sich im Sitz zurück, völlig erschöpft, und ließ den Blick abwartend auf seiner Frau ruhen. »Und, alles in Ordnung?«, erkundigte er sich.

Stella nickte. Wie sie sich abgesehen von der erotisch aufgeladenen Atmosphäre zwischen ihnen beiden fühlte, hätte sie nicht sagen können.

Auf Beyoncé folgte ein weniger rhythmischer Song. Amy lehnte sich zwischen den Sitzen nach vorn und fragte: »Jetzt erzähl doch mal, Jack – wo hast du das alles gelernt? Hattest du einen Lehrer?«

»Sozusagen«, antwortete Jack und wandte seiner Schwägerin das Gesicht zu, ließ aber seine Hand auf Stellas Oberschenkel. »YouTube war da ehrlich gesagt ziemlich nützlich. Und dann haben sich diese jungen Kerle meiner erbarmt, als ich mal so richtig hingeschlagen bin.«

»›Hingeschlagen‹ haben die aber wohl kaum gesagt, Dad«, rief Sonny aus dem Kofferraum.

»Stimmt, da hast du recht.« Jack korrigierte sich selbst. »Es hat mich total gelegt, und dann haben sie sich um mich gekümmert.«

Sonny musste lachen, da sein Vater »total gelegt« gesagt hatte.

»Megakrass war das«, fügte Jack hinzu.

Sonny hielt sich die Ohren zu. »Okay, das reicht jetzt.«

Jack lachte. Dann schaute er zu Stella hinüber, um zu sehen, ob sie sich ebenfalls amüsierte. Das tat sie. Er ließ seine Hand weiter auf ihrem Bein liegen.

»Warum ausgerechnet Skateboarden?«, wollte Gus wissen.

Jack zuckte die Schultern. »Ich habe auf einer Bank am Bahnhof gesessen und ein paar Typen auf ihren Boards beobachtet. Und da habe ich gedacht, das macht bestimmt Spaß.« Stella warf ihm einen Seitenblick zu, und er drehte den Kopf, sodass er nun hauptsächlich in ihre Richtung sprach. »Eines Tages bin ich dann hingegangen und habe einen der Typen gefragt, ob ich mir sein Skateboard leihen und das Ganze mal ausprobieren könnte. Er hat Nein gesagt.« Alle lachten. Jack lächelte. »Deshalb habe ich mir selbst eins gekauft.«

»Also nur, weil es aussah, als würde es Spaß machen?«, hakte Gus nach.

Jack schwieg. Stella wartete ab. Ihr Mann wirkte müde.

Aber anders müde als heute Morgen um vier. Zufrieden müde. »Nein. Weil es aussah wie eine gute Methode, um mein Hirn auszuschalten. Ich wollte einfach nicht mehr nachdenken müssen.«

Stella sah auf seine Hand auf ihrem Bein herunter und legte ihre eigene darauf. Nur für den Bruchteil einer Sekunde, denn dann bog sie um eine Kurve in der Landstraße und stellte fest, dass ihnen ein Traktor entgegenkam, weswegen sie sehr schnell schalten musste. Aber die Berührung hatte lange genug gedauert.

Als sie zu Hause ankamen, hing die Sonne bereits über den Bäumen, und das Nachmittagslicht war dunstig geworden. Es duftete überall nach Jasmin. Schwalben flogen pfeilschnell in das alte Nest im Giebel, und von der Türschwelle aus sah sich Frank Sinatra dieses Schauspiel fasziniert an.

»Hallo, Frank Sinatra.« Sonny kraulte den Hund hinter den Ohren und hob dann einen alten Tennisball von der Auffahrt auf. Er warf ihn quer durch den Garten, und Rosie sprintete neben dem Tier her, als es lospreschte, um zu apportieren.

Stella hatte noch nicht einmal die Haustür ganz aufgeschlossen, als Jack bereits verkündete: »Ich glaube, ich lege mich kurz hin.« Er hatte seiner Frau eine Hand in den Rücken gelegt, fuhr mit den Fingern über den Stoff ihres Oberteils. »Ich komme mit«, gab Stella zurück, und beide verschwanden im Obergeschoss.

Amy betrat das Haus, kickte sich die Flip-Flops von den Füßen. Sie fühlte sich verschwitzt und klebrig und konnte es kaum erwarten, etwas zu trinken.

Hinter ihr kam Gus hereingeschlendert, mit gesenktem Kopf, weil er auf dem Smartphone seine Nachrichten checkte. Gerade wollte er sich im Wohnzimmer hinsetzen, als er aufsah und erstaunt innehielt. »Ist das da auf dem Sofa deine *Mutter*?«

»Was?« Amy stand an der Spüle und trank in gierigen Schlucken. Dann wandte sie sich um und entdeckte ihre Mutter – im Tiefschlaf, flach auf dem Rücken, mit offenem Mund und mit einer riesigen Chipstüte, deren Inhalt sich auf ihrem Yogatop verteilte.

Amy und Gus tauschten einen Blick. »Meine Mutter schläft nie tagsüber«, verkündete Amy und schlich zu Gus. »Schon gar nicht, wenn sie genau weiß, dass Leute kommen. Und ich habe sie auch noch nie Chips direkt aus der Tüte essen sehen.«

Gus ging näher heran und beugte sich über Moira, um zu überprüfen, ob sie noch atmete.

Moira fuhr hoch. Die beiden stießen mit den Köpfen zusammen. »Du lieber Himmel! Was soll denn das?«

»Dasselbe könnten wir *dich* fragen!«, gab Amy zurück. Sie war vom Anblick ihrer Mutter völlig verblüfft: das Haar zerrauft, die Augen glasig unter den Lidern.

»Nichts. Gar nichts mache ich«, antwortete Moira, die versuchte, sich unauffällig zu verhalten, obwohl ganz offensichtlich etwas nicht stimmte – die eine Hälfte ihres Haars stand ihr wild vom Kopf ab, und ihre Mascara war ganz verschmiert.

»Alles in Ordnung mit Ihnen?«, erkundigte sich Gus.

Doch Moira war bereits aufgestanden, fegte sich die Chipskrümel vom T-Shirt und schüttelte ihre Frisur auf. »Wo seid ihr denn alle gewesen?«, wollte sie wissen. »Möchte jemand eine Tasse Tee?«

Gus warf Amy einen Blick zu. Diese zuckte einfach bloß fassungslos die Schultern.

Auf dem Weg zum Wasserkocher blieb Moira abrupt stehen. »Hat gerade jemand gesagt, er will Tee?«, fragte sie und klang dabei ziemlich verwirrt.

»Ja, für mich gern«, antwortete Gus und machte ein paar Schritte, um sich gegen die niedrige Trennwand zum Küchenbereich zu lehnen. Dann schnüffelte er. »Kann außer mir noch jemand Gras riechen?«

Auch Amy schnüffelte. »Wie riecht denn das?«

Gus verdrehte die Augen, als könnte er gar nicht glauben, dass Amy das nicht wusste. »So wie *hier*«, meinte er und machte eine große Geste.

Moira beeilte sich, zum Wasserkocher zu kommen, und murmelte etwas wie »Ich weiß gar nicht, was das sein soll«. Mit zusammengekniffenen Augen schaute Gus zu Amy hinüber. Beide tauschten einen Blick der schweigenden Verblüffung, und danach schüttelte Amy den Kopf. Schulterzuckend lief Gus in der Küche auf und ab. »Warten Sie, ich helfe Ihnen«, bot er an und holte tief Luft durch die Nase, als er sich Moira näherte. Danach nickte er eifrig in Amys Richtung, woraufhin diese schockiert auflachte und sich die Hand vor den Mund schlug.

Moira wandte sich um. »Was ist denn los?«

»Gar nichts«, erwiderten Gus und Amy im Chor.

Moira widmete sich erneut ihrem Tee und fuhr sich dabei verlegen durch die Haare.

Auf Zehenspitzen gesellte sich Amy zu Gus und stellte

sich hinter ihre Mutter, als diese Wasser aus dem Kocher in die Teekanne schüttete. Amy beugte sich vor, um das Aroma auch wirklich zu erfassen. Diesmal wurde sie allerdings erwischt. »Schluss jetzt, alle beide! Ich weiß nicht, was ihr da treibt, aber das könnt ihr auch ganz wunderbar woanders. Lasst mich in Ruhe.« Moiras Wangen glühten tiefrot.

»Ach, Mum, jetzt reg dich doch nicht auf. Wir machen uns nur ein bisschen über dich lustig«, reagierte Amy lachend auf den Rausschmiss aus der Küche. Sie und Gus ließen sich im Wohnzimmer nieder, Amy in einer Ecke am Bücherregal, weil das Sofa voll mit dem Kram ihrer Mutter war, und Gus in dem gepolsterten Sessel in der Nähe der Küche, wo Moira immer noch empört vor sich hin murmelte.

Gus begegnete Amys Blick und nickte noch einmal, mit weit aufgerissenen Augen, wie um zu sagen, er täusche sich ganz bestimmt nicht. Amy schüttelte den Kopf, weil sie einfach nicht glauben konnte, dass ihre Mutter am helllichten Tag Hasch rauchte. Schulterzuckend lehnte sich Gus in seinem Sessel zurück, und sein Gesichtsausdruck schien zu sagen, dass er wusste, er hatte recht, ob Amy das nun akzeptierte oder nicht.

Lachend schaute Amy zur Seite. Sie fühlte sich entspannt, auf angenehme Weise im Hier und Jetzt. Da fiel ihr Blick auf einen Bilderrahmen auf dem zweituntersten Regalbrett neben ihrem Sessel. Das Lachen blieb ihr im Hals stecken, als sie den ihr so vertrauten Rahmen ihres Hochzeitsfotos erkannte. Es war, als hätte man es dort verstaut, damit es nicht sofort auffiel, damit nicht jeder –

vor allem sie – sofort traurig wurde, man aber gleichzeitig zeigen konnte, dass man es nicht weggeräumt hatte. Amy langte nach unten und bewegte das Bild zu sich hin, um es besser sehen zu können. Auf dem Foto lächelte sie in ihrem weißen Satin-Etuikleid wie bescheuert. In ihrem langen, sonnengebleichten Haar trug sie einen Blumenkranz. Bobby stand in seinem blassblauen Anzug neben ihr, und im typischen Bobby-Stil hatte er aus seiner Hose Shorts gemacht.

Als sie Bobby und sich so sah, zog sich in Amy alles zusammen. Ihre Synapsen führten förmlich ein Feuerwerk der Panik auf. Sie fühlte sich einsam, weil sie einmal dieses Mädchen gewesen war, weil sie geglaubt hatte, es gäbe eine Zukunft für ihre Träume. Rasch nahm Amy das Zimmer in sich auf. Plötzlich erschien ihr nichts mehr um sie herum vertraut. Ihre Mutter rauchte Hasch. Der Fremde da drüben im Polstersessel war der Vater ihres Kindes. Wie schnell sich die Dinge doch ändern konnten! Nichts war so gekommen, wie es sich das Mädchen da auf dem Foto ausgemalt hatte. Es erschien ihr geradezu verrückt, dass sie eben noch gelacht hatte. Ihr Leben kam Amy vor wie eine wild schaukelnde Wippe, von der sie nicht absteigen konnte.

25. Kapitel

Oben im Schlafzimmer fühlten sich Jack und Stella wie nervöse Teenager. Sie konnte den Blick nicht von seinen klar definierten Muskeln abwenden, von seiner akzentuierten Taille. Als sie neulich abends ihre Falten im Spiegel begutachtet hatten, war ihr weder das eine noch das andere aufgefallen.

»Alles okay?«, erkundigte sich Jack.

Stella nickte. Sie stand mit dem Rücken fast an der Tür. Jack, der sich näher am Bett befand, schaute zu ihr hinüber.

Stella wünschte sich, sie hätte schönere Unterwäsche an.

Sie warf ihr Haar zurück.

Jack fuhr sich mit der Zunge über die untere Zahnreihe.

Keiner von beiden wusste, was er sagen sollte.

Schließlich fragte Jack: »Also, was meinst du? Wegen heute.«

»Ich finde, du bist ein blöder Wichser«, gab sie zurück, »weil du mir nichts gesagt hast.«

Für einen kurzen Moment wirkte Jack weniger selbstsicher. Als hätte er die ganze Situation völlig falsch eingeschätzt.

»Aber ich kann es verstehen«, sprach Stella weiter und ging langsam aufs Bett zu. »Irgendwie jedenfalls«, fügte sie hinzu und schüttelte sich die Schuhe von den Füßen.

Jack schluckte und nickte dann.

Sie konnte die Wärme im Zimmer auf der Haut spüren, und auch Jacks Haut glänzte vor Schweiß.

»Du hast irgendwie sexy ausgesehen da oben«, meinte sie und bewegte sich weiter auf das Bett zu.

Jacks Lippen formten sich zu einem Grinsen. »Ach, tatsächlich?«

»Ja, tatsächlich«, gab Stella zurück. Er streckte die Finger nach ihr aus und verflocht sie mit ihren. Anschließend zog er seine Frau an sich, sodass sie beide auf dem Bett landeten. Sie presste die Hände zu beiden Seiten seines Kopfes ins Laken. Als sie ihm in die Augen schaute, umfloss ihr Haar sein Gesicht, wie ein dunkler, sonnenglitzernder Schleier. »Jetzt aber bitte keine schmalzige Kinoromantik«, sagte sie.

»Keine Sorge«, erwiderte Jack grinsend. Dann streckte er eine Hand aus und schob sich einen Teil ihres Haars hinters Ohr. »Ich liebe dich, Stel.«

»Ich weiß«, antwortete sie. »Ich liebe dich auch. Manchmal jedenfalls.«

Er lachte. Dann legte er ihr eine Hand in den Nacken und zog sie an sich, drückte seine Lippen fest auf ihre. Schmalzige Kinoromantik hatte er nicht zu bieten, denn er hätte sich nicht mehr bremsen können.

★★★

Verschwitzt und ineinander verschlungen lagen sie da, mit halb geschlossenen Augen, lächelnd. Von unten konnten sie hören, wie jemand den Abwasch erledigte und die Kinder im Garten herumtobten. Das gerade eben war wahrscheinlich der beste Sex ihres bisherigen Lebens gewesen.

Und die Tatsache, dass sich ihre ganze Familie im Erdgeschoss befand und es mitten am Nachmittag war, machte ihn noch aufregender. Stella spürte förmlich, wie sie strahlte, und kurz fragte sie sich, ob sie wohl auch so jung und lebendig aussah, wie sie sich fühlte. Jack ließ seine Finger an ihrem Arm auf und ab gleiten. Völlig entspannt schmiegte sich Stella an ihn und überlegte, ob sie sich wohl ein kleines Nickerchen gönnen könnte.

Da hörte sie, wie Jack tief Luft holte, als wollte er ihr gleich etwas sagen, was ihn große Überwindung kostete. Sie spürte, wie sich ihr Körper in Erwartung seiner Worte anspannte.

Er bewegte sich und stützte sich auf einen Ellbogen. »Ich habe dir gestern Nacht die Schuld an allem zugeschoben, weil ich in Abwehrhaltung war. Ich habe mich total kindisch verhalten.«

Stella blieb still liegen, auf vorsichtige Weise fasziniert. Dass Jack einen solchen Fehler zugab, kam nur sehr selten vor.

»Die Firma muss sparen, darum hat es mich getroffen – ich war zu teuer, da ich über zu viel Erfahrung verfüge.« Er ließ sich ins Kissen fallen, wandte das Gesicht ihrem zu, und in seinem Blick lag eine gewisse Traurigkeit. »Ich habe mir da so einiges geleistet, Stel. Die Verträge, die die Firma angenommen hat, waren lukrativ, aber auch extrem langweilig. Ich habe mich so schrecklich gelangweilt.« Er starrte wieder an die Decke. »Es gibt nur eine bedingte Menge Apartmentblocks, die man mit einem niedrigen Budget entwerfen kann.«

Stella drehte sich auf die Seite und betrachtete sein Profil, während er sprach. Draußen hörte sie den Hund bellen und die Kinder lachen.

»Ich weiß, wir haben das Geld gebraucht – wir brauchen es immer noch. Und ich wusste auch, dass ich zu Hause mehr mithelfen sollte, das alles wusste ich. Aber ...« Er schüttelte den Kopf. »Als es dann passiert ist, habe ich mich wie ein totaler Versager gefühlt. Wie noch nie zuvor im Leben, Stel. Ich war völlig fertig.« Er rieb sich das Gesicht.

Sie griff nach ihm und legte ihm eine Hand auf die Brust. Nun konnte sie das Klopfen seines Herzens spüren.

»Ich wollte es dir sagen, ehrlich«, fuhr er fort, und in seinem Blick lag etwas Flehentliches. »Ich wollte es dir wirklich sagen. Du glaubst gar nicht, wie oft ich wach gelegen und darüber nachgedacht habe, wie ich es dir sagen soll. Aber ich wusste einfach nicht, wie. Dann ist die Lüge immer größer geworden, je länger ich gewartet habe, und ich dachte, ohne Job und ohne Geld bin ich nicht mehr derjenige, der ich sein sollte. Und dann hat irgendwie etwas anderes die Regie übernommen.« Er schaute zu ihr hinüber, mit seinen großen, weit aufgerissenen blauen Augen, als wäre er fast nicht dazu in der Lage, ihr alles zu erklären. Er setzte sich auf und legte die Arme über die Knie. »Ich glaube, am Anfang war da Erleichterung – darüber, dass ich den Job nicht mehr machen musste. Aber dann wurde es auch in gewisser Weise aufregend. Ich habe die Pause genossen.« Er warf ihr wieder einen Blick zu. »Natürlich nicht die Pause von dir. Von den Erwartungen, glaube ich. Vom Druck. Stella, ich habe noch nie in meinem Leben rebelliert.« Er wandte sich ihr zu, um ihr ins Gesicht sehen zu können. Sie setzte sich auf, sodass sie einander gegenübersaßen, das Laken zwischen sich. »Als Kind und Jugendlicher war ich gut in der Schule und habe mich zu Hause gut benommen. Für meine Prüfungen habe ich hart gearbeitet. Ich habe mir einen guten Job geangelt. Du lieber Gott, mein Dad ruft mich immer noch regelmäßig an, weil er hören will, wie hoch mein Bonus dieses Jahr war.« Jack bedeckte die Augen mit den Händen und musste lachen, so absurd erschien ihm dieser Gedanke. »Am Skateboarden hat mir gefallen, dass man alles auf eine Karte setzt. Ich weiß, so extrem war es gar nicht, aber für mich hat es sich so angefühlt.« Stella lächelte. Jack schüttelte den Kopf. »Außerdem fand ich es toll, dass meine Zeit wieder mir gehört hat. Es war, als wäre ich wieder so alt wie Sonny.«

Sie nickte.

»Ich weiß, ich klinge wie ein egoistisches Arschloch«, meinte er. »Und das war ich auch.« Er musste voller Unglauben über sich selbst lachen. »Ich war total egoistisch. Aber es war, als hätte ich diese kleine Chance bekommen, diese kurze Phase, in der ich völlig frei war von jeder Verantwortung. Und das hat mich unglaublich erleichtert.«

»Und jetzt?«, fragte Stella.

»Ich weiß es nicht. Ich weiß nicht, was ich machen soll. Ich bin einfach bloß froh, dass du es nun weißt.«

Stella betrachtete ihn. Dann setzte sie sich auf seinen Schoß und hüllte sie beide in das Laken. Durch das Fenster hatten sie Aussicht auf das Meer, das sich fast unendlich vor ihnen erstreckte, bis dorthin, wo sich das Blau des Himmels mit dem Horizont vereinigte. »Ich hätte versucht, eine Lösung zu finden«, sagte sie. »Ich hätte dich bestimmt gedrängt, dir einen neuen Job zu suchen. Aber ich glaube wirklich, wenn du mir alles erzählt hättest, hätte ich dir zugehört. Davon bin ich überzeugt. Und ich verstehe dich.«

Jack umschlang mit beiden Armen ihre Taille. Stella setzte sich aufrecht hin und wandte sich um, um ihm in die Augen sehen zu können. »Es war nicht fair, aus einem von uns den immer Zuverlässigen zu machen«, fuhr sie fort. »Das kann kein Mensch leisten.«

Jack nickte. Durch sein Schweigen stimmte er ihr zu.

»Vielleicht passt man sich auch einfach nur der Rolle an, die man übernehmen muss«, überlegte Stella. »Ich meine, das mit der Faulgrube hätte doch jeder von uns hingekriegt, oder? Wir haben einfach bloß gewartet, bis einer von uns sagt, er übernimmt die Sache. Wir decken quasi das ganze Spektrum an Drückebergerei ab.«

Jack runzelte die Stirn. »Ich bin nicht sicher, ob das jeder von uns hingekriegt hätte.«

Sie musste lachen. »Niemand so gut wie du«, kommentierte sie. »Außer mir vielleicht.«

Jack reagierte mit einem halben Lächeln. Er sah wieder völlig erschöpft aus. Stella küsste ihn sanft auf den Mundwinkel und wandte sich dann zum Fenster. Sie lehnte ihren Kopf an seinen, er schlang ihr die Arme fest um die Taille, und die Möwen schwebten in Richtung des unendlichen Horizonts.

26. Kapitel

Mit weit geöffneten Augen lag Stella da. Neben ihr schlief Jack tief und fest. Vor zehn Minuten hatte sie gehört, wie ihre Mutter unten verkündete, sie würde mit dem Hund rausgehen. Gus und Sonny brüllten immer wieder auf, bearbeiteten also wahrscheinlich irgendwelche Computerspiele auf ihren Smartphones, und der Fernseher gab Dialoge mit amerikanischem Akzent von sich, was entweder auf Amys oder auf Rosies Programmwahl zurückzuführen sein konnte.

Deswegen setzte sich Stella fasziniert im Bett auf, als sie leise Schritte im Flur hörte. Ihr Interesse wuchs noch, als sich die Tür zum Dachboden mit einem Quietschen öffnete. Irgendjemand versuchte da besonders leise zu sein, schaffte es aber nicht, weil die Türscharniere nicht geölt waren und die Treppenstufen ebenfalls ein Geräusch von sich gaben.

Stella stand auf, zog sich ein Hemd und Jeansshorts über und spähte aus der Schlafzimmertür nach draußen.

Da schlich sich Amy ganz langsam über die Stufen zum Dachboden. Weil die Tür so viel Lärm verursachte, hatte sie sie nicht hinter sich geschlossen.

Besorgt verließ Stella das Schlafzimmer und schlich ihrerseits den Flur entlang. Als Sonny unten laut etwas rief, zuckte sie vor lauter Schreck zusammen.

Stirnrunzelnd blieb sie stehen, fragte sich, warum sie überhaupt auf Zehenspitzen ging, und stapfte dann mit festen Schritten die Stufen hoch. »Was machst du denn hier?«

Amy, die vor einem Umzugskarton stand, wirkte, als hätte man sie soeben beim Stehlen erwischt. »Gar nichts«, gab sie zurück und nahm sofort eine Abwehrhaltung ein.

Auf dem Dachboden herrschte eine Hitze wie in der Sauna. Ein verstaubtes Giebelfenster mit Rissen in der Scheibe bündelte das Sonnenlicht wie ein Scheinwerfer. Die Holzbalken über ihnen pulsierten förmlich vor Hitze. Das wattige gelbe Isolationsmaterial wirkte, als würde einen eine zu prall gefüllte Daunendecke unter sich begraben. Stella konnte kaum atmen. »Fast nicht auszuhalten hier.« Sie fächelte sich mit einer Hand Luft zu und nahm ein Gummi vom Handgelenk, um ihr Haar zu bändigen.

Amy stand da und trommelte rastlos auf der Umzugskiste herum.

»Was ist denn da drin?«, erkundigte sich Stella.

»Nichts Wichtiges.« Amy zuckte die Schultern. »Einfach ein paar Sachen von mir.«

Stella setzte zu einer Bemerkung an, verkniff sie sich jedoch. Sie sah sich um – vielleicht fünfzehn, zwanzig Kisten standen da übereinandergestapelt. Alle sahen relativ neu aus, waren erst vor kürzerer Zeit gepackt worden als alle anderen in dieser staubigen Umgebung. Stella begriff, dass es sich dabei um den Inhalt von Amys und Bobbys Haushalt handeln musste. Ihr fehlten die Worte. Sie ging näher heran. Nie hatte sie darüber nachgedacht, was wohl mit den Sachen der beiden passiert war. Mit ihren Tassen, ihren Blumenvasen, ihren Büchern. Und hier stand alles.

Amy wandte sich ab, klappte eine der Kisten vor sich auf. »Ich habe mir überlegt, wenn Mum das Haus vielleicht verkauft, sollte ich mir die Sachen ansehen. Ich will es nicht machen müssen, wenn die ganzen Umzugsleute hier sind und alles total stressig ist, verstehst du?«

»Klar«, gab Stella zurück. Auf sie wirkte das komisch, wenn man sich überlegte, was sonst noch gerade vor sich ging. »Darf ich dir helfen?«

Amy zuckte die Schultern. Stella versuchte herauszufinden, ob das ein Nein oder ein Ja sein sollte. Ein Teil von ihr wollte wieder die Treppe hinunter und sich ins bequeme, gemütliche Bett zurückschleichen, aber sie war sich ziemlich sicher, dass Amy Nein gesagt hätte, wenn sie sie nicht hätte dabeihaben wollen. Durch ein Ja gab man sich verletzlicher. Bei Amys Schulterzucken handelte es sich um schweigende Zustimmung, entschied Stella.

Etwa eine Stunde lang arbeiteten sie nebeneinander in der Bruthitze. Schwitzend packten sie Kisten mit Küchengeräten und alten Katalogen für Sofafirmen aus, von denen Stella gar nicht glauben konnte, dass man sie überhaupt eingepackt hatte. Je länger sie jedoch sortierte, desto mehr wurde ihr bewusst, dass damals alles in großer Eile vor sich gegangen sein musste. Niemand fühlte sich wirklich dazu in der Lage, den Müll von den wichtigen Dingen zu trennen. Oder vielleicht war Amy auch einfach nicht fähig gewesen, irgendjemanden irgendetwas wegwerfen zu lassen. Stella hielt inne, setzte sich auf den rauen Holzfußboden und tat, als schaue sie irgendwelches Besteck durch. In Wirklichkeit überflutete sie eine Welle aus Schuldgefühlen, weil sie von alldem nichts gewusst hatte. Sie war nicht oft hier gewesen. Als Bobby seinen Unfall erlitt, hatte Stellas Familie im Ausland gelebt. Und ihre Rolle als Außenseiterin war so klar definiert, dass sie sich sogar auf Bobbys Beerdigung wie ein Anhängsel gefühlt hatte – mit ihrer eigenen neuen Familie war sie gekommen, um ihre alte Familie trauern zu sehen. Für Stella, Jack und die Kinder hatte es in der ersten Reihe keinen Platz gegeben, deswegen quetschten sie sich in eine der hinteren Bänke, und sie waren zu spät gekommen, weil sie die Kinder nur mit Mühe und viel Umstand aus der Pension bekommen hatten. Den größten Teil des Beerdigungsgottesdienstes verbrachten sie damit, die damals fünfjährige Rosie unauffällig mit einem *Die Eiskönigin*-Video auf dem Smartphone abzulenken. Und danach war Stella kaum in Amys Nähe gekommen – wie ein schützender Kreis hatten sich Bobbys Surferfreunde und ihre Eltern um sie geschart. Stella und ihre Familie hatten sich auf der Begräbnisfeier wie entfernte Verwandte im Hintergrund halten müssen.

Diese ganze Phase war in Stellas Erinnerung ständig präsent, da sie sie begreifen ließ, wie isoliert sie von nun an immer in ihrer Familie sein würde, egal zu wie vielen Kurzurlauben und Weihnachtsfeiern sie kamen. Stella wurde bewusst, dass ihre Schwester völlig von der Trauer um ihren Ehemann umschlossen gewesen war. Plötzlich wirkten die ganzen Urteile, die sich Stella über Amy gebildet hatte, unglaublich unfair. Stattdessen wurde ihr klar, was Amy durchgemacht hatte – all das, weil sie begriff, dass sich Amys gesamtes Leben hier vor ihr befand, in zwanzig Pappkartons.

Jetzt zog Amy ein grünes Kapuzenshirt heraus, mit ausgefransten Ärmeln, die Farbe von der Sonne ausgebleicht. Stella sah zu, wie sie es sich kurz vors Gesicht hielt. Dann setzte sich Amy auf ein seltsames altes Schaukelzebra, vor dem sie sich als Kind entsetzlich gefürchtet und mit dem sie niemals gespielt hatte. »Ich bin nicht hier raufgekommen, um alles zu sortieren«, erklärte Amy und knäulte das Shirt in ihrem Schoß zu einem Ball zusammen. »Ich bin gekommen, weil ich mich nicht genau erinnern konnte.«

Stella stand auf, wischte sich Staub und Sand von den Knien und ließ sich auf dem Ledersitzsack neben dem Zebra nieder. »Woran konntest du dich nicht mehr erinnern?«

»An genug von dem, was gut war«, erwiderte Amy.

Während sie still beieinandersaßen, wurde es immer heißer.

Stirnrunzelnd wischte sich Stella mit dem Handrücken den Schweiß ab. »Was meinst du denn damit? Ich dachte, damals wäre alles gut gewesen.«

Amy schüttelte den Kopf. »Damals schon. Aber jetzt wird alles so undeutlich. Stella, ich fühle mich jedes Mal schuldig, wenn ich etwas Schönes erlebe. In London zum Beispiel – da habe ich manchmal wirklich Spaß, und dann lache ich und will danach ganz oft sofort sagen: ‚Schon in Ordnung, Bobby, ich fühle mich nicht besser.‘ Aber das tue ich doch. Manchmal zumindest.« Sie faltete das Sweatshirt zusammen und fuhr über das weiße Logo auf der Vorderseite, von dem sich bereits Teile ablösten. Sie strich sich das Haar aus dem Gesicht und hielt es dann mit einer Hand fest. »Manchmal bin ich fröhlicher, habe mehr Spaß, und dann finde ich, es sieht so aus, als wäre ich froh, dass er gestorben ist, aber das stimmt gar nicht, weil es wirklich schwierig ist, glücklich zu sein. Aber ich vermisse ihn nicht mehr so sehr, Stella.«

Stella wusste nicht, was sie sagen sollte. Sie bemerkte, dass sie ihre Schwester anstarrte, während sie begriff, was diese durchgemacht hatte. Und wie stark sie war. Stella hatte immer sich selbst für die Stärkere von ihnen beiden gehalten, doch nun wurde ihr bewusst, dass sie da falschgelegen hatte.

Amy legte den Kopf in den Nacken, starrte seufzend an die Decke. »Was soll ich denn jetzt machen?«, fragte sie, und es klang resigniert.

»Ich weiß es nicht.« Stella schüttelte den Kopf. »Aber ich weiß ganz sicher, dass du nicht für den Rest deines Lebens alten Erinnerungen nachhängen darfst, Amy. Dir ist das Allerschlimmste passiert, was es gibt – dein Mann ist gestorben –, und du bist damit zurechtgekommen.«

»Aber nicht sehr gut.«

»Mag sein, aber du bist zurechtgekommen. Und das wirst du auch weiterhin.«

Amy sah sie an, und in ihren Augenwinkeln sammelten sich Tränen. »Ich habe Angst vor dem Alleinsein.«

Wenn das Zebra nicht so klein gewesen wäre, hätte sich Stella neben Amy gesetzt. Stattdessen berührte sie ihre Schwester am Arm. »Du wirst nicht allein sein. Du wirst ein Baby haben, um das du dich kümmern musst. Und glaub mir, damit kommst du aus dem Haus und schließt Freundschaften, denn mit einem Baby wirst du nicht allein sein wollen. Und wir alle werden für dich da sein, bloß vielleicht nicht unbedingt in diesem Haus hier.« Stella stand auf. Weil sie die Hitze nicht mehr ertrug, versuchte sie mit Gewalt das Fenster zu öffnen. »Und dann darfst du Gus nicht vergessen«, sprach sie weiter, während sie versuchte, die klebrige Staubschicht zu lösen, die sich über Jahre angesammelt hatte und nun das Fenster blockierte. »Er ist schließlich der Vater.«

Amy schnitt eine Grimasse. »Er geht mir wahnsinnig auf die Nerven.«

»Er ist witzig«, meinte Stella, die immer noch mit dem Fensterriegel kämpfte.

»Es geht mir auf die Nerven«, gab Amy zurück und schaukelte auf dem kleinen Zebra hin und her.

»Ich glaube, du urteilst zu hart über ihn.«

Plötzlich gab das Fenster nach, und zwar so überraschend, dass Stella beinahe aus dem Fenster gefallen wäre. »Hilfe!«, schrie sie und klammerte sich am Fensterbrett fest.

Amy musste lachen. Dann ging sie zu ihrer Schwester hinüber, und beide streckten den Kopf hinaus in die frische Luft. Nach einem kurzen Moment fragte Amy: »Was mache ich denn aber, wenn das Baby seine Nase bekommt?«

Stella verschluckte sich fast an der Luft. »Die ist doch gar nicht so schlimm«, antwortete sie.

»Doch«, beharrte Amy, »riesengroß ist sie.«

Stella versuchte ein Lächeln zu unterdrücken. »Dann verstehe ich aber nicht, warum du mit ihm geschlafen hast, wenn du ihn so grauenhaft findest.«

Amy warf ihr einen Seitenblick zu, und da das Fenster so winzig war, berührten sich ihre Gesichter fast. »Hast du jemals so einen Unicorn-Tears-Cocktail getrunken?«

Stella schüttelte den Kopf.

»Danach würdest du mich verstehen, das kannst du mir glauben. Schon nach einem halben Glas bist du bereit für Sex mit Shrek, falls der gerade neben dir auf dem Barhocker sitzt.«

Stella musste lachen. »Und wie viele hattest du getrunken?«

»Drei.«

»Um Gottes willen. Amy!«

»Ich war nervös. Und alles war so seltsam.« Amy schob sich das Haar aus dem Gesicht und holte eine Spange aus der Tasche. »Findest du wirklich, dass meine neue Frisur gut aussieht?«

»Ja, wirklich«, erwiderte Stella. »Du wirkst erwachsener damit.«

»Älter?«

»Nein. Weniger wie ein Teenie.«

Amy runzelte die Stirn. »Danke. Glaube ich zumindest.«

»Wie war denn der Sex?«

»Stella!«

Stella wandte ihr Gesicht in die andere Richtung, um die milde Meeresbrise spüren zu können. »Jetzt sag schon, wie war der Sex?«

»Ich habe nicht die geringste Ahnung«, gab Amy zurück und öffnete ihr Haar wieder.

Stella lächelte.

Beide schauten aufs Meer hinaus, auf ein dahintuckerndes Fischerboot und die Möwen im Sturzflug, die Leute mit den Paddelbrettern, eine Familie, die nach einem Tag am Strand ihre Siebensachen zusammensuchte.

»Ich erinnere mich nur ganz schwach«, fuhr Amy fort.

»Und?« Stella boxte ihre Schwester in die Schulter.

Unter ihrem Pony hervor schaute Amy sie an. Sie wirkte ein wenig hilflos. »Der Sex war ziemlich gut, denke ich«, meinte sie. »Ich glaube, ich musste ein paarmal richtig lachen.«

»Tatsächlich?« Stella konnte spüren, wie sich ihr Gesicht vor Überraschung verzog.

»Ja, tatsächlich.« Amy nickte. »Stella, beim Sex mit Bobby habe ich nie gelacht. Und damit meine ich nicht, dass das unbedingt schlecht ist, aber unser Sex war immer eine sorgfältig inszenierte Angelegenheit... Mit Kerzen und allem Drum und Dran. Ich glaube...« Seufzend hielt sie inne.

»Was glaubst du?« Stella war fasziniert.

»Ich weiß nicht. Ich frage mich nur, ob er und ich genug Sex hatten, bevor wir zusammengekommen sind. Ich glaube, wenn ich unseren Sex lustig gefunden hätte, wäre Bobby beleidigt gewesen. Und ich will damit echt nicht sagen, dass wir schlechten Sex hatten. Es lief gut im Bett.«

»Es war bloß einfach nicht zum Lachen?«

Amy schüttelte den Kopf, duckte sich und schlüpfte zurück in den Raum, wo sie sich an der rauen Holzwand entlang niedersinken ließ.

Stella saß im Schneidersitz unter dem Fenster. »Irgendwie sehe ich gerade vor mir, wie Gus auf dem Bett hockt und irgendeine Comedynummer nachmacht.«

Amy schlug ihr kurz auf den Arm. »Hör auf.«

»Entschuldige.« Stella lächelte. »Es war also guter Sex, und du hast lachen müssen.«

Amy nickte. »Aber erzähl das nicht Mum.«

»Das ist wohl nicht besonders wahrscheinlich.«

»Oder Jack.«

»Auch nicht besonders wahrscheinlich.«

»Jack wirst du's erzählen.«

»Vielleicht nur, wie Gus auf dem Bettrand gesessen und Witze gerissen hat«, räumte Stella ein.

»Hör auf damit!« Amy schlug wieder zu, verlieh ihrer Stimme den künstlichen Klang eines Trotzanfalls.

Stella wich dem Schlag aus. »Mir gefällt der Gedanke, dass du beim Sex lachen musstest«, meinte sie.

»Mir nicht.« Amy ließ sich an die Wand zurücksinken, woraufhin Staub von den Dachsparren rieselte. »Igitt.« Sie zog die Beine weg und wischte sich den Staub ab.

»Was passt dir denn nicht daran, dass du lustigen Sex hattest?«

»Es ist wegen Bobby. Dadurch ist etwas passiert. Etwas von ihm geht verloren. Von der Erinnerung an ihn.«

Stella verzog das Gesicht. Sie war verwirrt. »Im Ernst?«

Amy zuckte die Schultern, beugte sich dann vor, zog den blassgrünen Kapuzenpulli in ihren Schoß. »Ich will niemanden mit ihm vergleichen, und ich will nicht, dass sich dadurch die Erinnerung an ihn verändert.«

Stella lehnte sich nach vorn, um ihrer Schwester direkt in die Augen schauen zu können. »Gerade eben hast du mir noch erklärt, wie hässlich und grauenvoll Gus ist. Das bedeutet ja wohl kaum, dass du Erinnerungen an Bobby ignorierst.«

Amy runzelte kurz die Stirn, als wollte sie sagen, vielleicht hätte ihre Schwester ja recht. Dann verbarg sie das Gesicht in dem Sweatshirt.

Stella griff danach und zog es weg. »Du musst einen

Weg finden, damit aufzuhören. Irgendeinen. Steck alles in eine Box in deinem Kopf, mit einem Etikett wie ›Das war fantastisch, es war wunderbar‹, und dann tust du die Box weg. In dem Wissen, dass sie wertvoll ist und du sie immer wertschätzen wirst.« Sie verstummte und sah ihre Schwester voller Mitgefühl an. »Du musst alles tun, was du kannst, damit du dich weiterentwickelst, denn das Leben besteht nicht aus Entweder-Oder, es besteht aus dem, was ist. Und es ist in Ordnung, wenn man sein Leben lebt.«

Stella wusste noch, dass Jack etwas ganz Ähnliches zu ihr gesagt hatte, als sie einander an der Universität begegneten. Als Stella gerade erst aus dem Haus ihrer Eltern geflohen war. Er hatte es nicht so gut formuliert, wie sie das ihrem Gefühl nach gerade ihrer Schwester gegenüber getan hatte, aber der Gedanke dahinter war derselbe gewesen. Jack hatte gesagt, es wäre in Ordnung, wenn sie ihr Leben weiterlebte.

Amy sah Stella an, und die Tränen, die sie nicht mehr zurückhalten konnte, liefen ihr über die Wangen. Stella hielt ihr die Hand. Mit dem Shirt tupfte sich Amy die Augen trocken. Dann, eine Sekunde später, lächelte sie und fragte: »Was ist denn das – das, was ist?«

Stella verdrehte die Augen. »Bitte kritisiere jetzt nicht meinen so wohlformulierten Kommentar.«

Amy musste lachen.

Stella erklärte: »Das, was ist, ist die Gegenwart. Das Chaos, in dem wir uns alle befinden: das Gute, das Schlechte, das Akzeptable, das, was uns gleichgültig ist. Das Heiß…« Plötzlich sprang sie auf, weil sie gesehen hatte, wie etwas die Wand entlangrannte. »Spinnen!«

»Spinnen!« Amys sprang ebenfalls auf. »Igitt!«

Stella schauderte, klopfte sich den Rücken ihres Oberteils ab, und in diesem Moment entdeckte sie ihn. Einen abgegriffenen alten Pappkarton, auf den jemand STELLA gekritzelt hatte.

Mit einem Mal waren ihr die Spinnen egal. Während sich Amy immer noch panisch durchs Haar fuhr, schlüpfte Stella zwischen den Balken hindurch. Als sie die Kiste zu sich heranzog, hinterließ diese wie ein Schlitten eine Spur im Staub auf dem Boden.

»Was ist denn das?«, wollte Amy wissen.

Stella schüttelte den Kopf. »Keine Ahnung.« Sie öffnete den Deckel. Dann hielt sie inne, hockte sich hin und starrte auf den glitzernden Inhalt.

»Und, was ist es?« Amy lugte ihrer Schwester über die Schulter.

»Meine ganzen Medaillen«, gab Stella zurück. Sie griff in den Karton und zog große Goldmedaillen von Europa- und Weltmeisterschaften heraus, mit roten, weißen und blauen Bändern. Darunter befanden sich Wimpel und Trophäen. Noch mehr Medaillen. Eine, in einer abgegriffenen Plastikschachtel, stammte von den Regionalmeisterschaften für Kinder unter elf Jahren. Da waren Karten, auf denen die Leute Stella viel Erfolg wünschten, die sie einfach nie hatte wegwerfen können. Ein schmutziger alter Teddytalisman, den sie sich vor jedem Rennen eingepackt hatte. Ihre Haarclips. Ihre Großbritannien-Ausrüstung. Ihre Schwimmbrille. Einfach alles. In der hintersten Ecke des Speichers versteckt. Niemals mit der Bezeichnung »Das war fantastisch, es war wunderbar« versehen, nicht in

Ehren gehalten oder wertvoll. Aber noch vorhanden. Vor dem Müll gerettet.

Stella betrachtete noch einmal die Handschrift auf der Kartonseite. Es war die ihrer Mutter.

Sie wollte in die Kiste greifen und alles berühren, alles an sich drücken. Keinen einzigen Gegenstand aus ihrer Vergangenheit besaß sie, und plötzlich war alles da. Fotos von sich selbst auf dem Siegertreppchen starrten sie an. Auf den Bildern trug sie einen straffen Pferdeschwanz und lächelte breit. Sie sah aus wie eine Kreuzung zwischen Sonny und Rosie. Stella empfand sofort heftige Schuldgefühle gegenüber diesem Mädchen und seinen so verdammt großen Anstrengungen. Weil sie das Ganze nicht wertgeschätzt hatte.

Amy nahm ein Foto in die Hand und lachte auf. »Schau dich doch mal an! Absolut bescheuert siehst du aus.«

»Halt den Mund.« Stella schlug ihr aufs Bein.

»Au.« Amy schaute sich das Foto genauer an, bevor sie es Stella zurückgab. »Ich war immer schrecklich stolz auf dich.«

»Echt?«

»Aber klar«, bekräftigte Amy. »Und dann hast du verdammt noch mal das Haus verlassen.«

»Das musste ich tun.«

»Aber nicht für immer.«

Stella sah Amy an, dann das Foto, danach wieder Amy, und plötzlich hatte sie das Gefühl, Scheuklappen aufgehabt zu haben. Durchs Leben getrottet zu sein und nichts wahrgenommen zu haben als den Weg unmittelbar vor sich. Hätte sie nur darüber nachgedacht, welchen Dominoeffekt die Ereignisse im Hinblick auf Amy, vielleicht sogar auf ihre Mutter haben würden (denn das ließ sich zumindest daraus schließen, dass diese Stellas Sachen so sorgfältig in diesen Karton gepackt hatte), dann hätte sie womöglich hartnäckiger versucht, sich den Weg zurück in die Familie zu erkämpfen, hätte Druck ausgeübt, bis ihr Vater nachgab. Und selbst wenn er das nicht getan hätte, hätte sie eindringlicher versucht, sie alle als Individuen wahrzunehmen. Drei Leute unter einem Dach. Stattdessen hatte Stella sie alle zu einer Person vermengt. Alle auf seiner Seite. »Feind« wäre vielleicht ein zu extremer Begriff gewesen, aber genau genommen lief es darauf hinaus.

Stella fragte sich, ob es vielleicht das war, was die Leute meinten, wenn sie sagten, man wolle immer alles kontrollieren. Dass man ständig versuchte, sich die anderen so zurechtzubiegen, dass sie der eigenen Perspektive auf die Ereignisse entsprachen, damit man weniger darüber nachdenken musste, ob man nun recht hatte oder nicht.

Amy bückte sich und beugte sich neben Stella über den Karton, wühlte mit beiden Händen in der Schatzkiste mit dem Gold. »Schau doch nur, dein Trainingsanzug«, lachte sie und zog eine Polyesterjacke aus den Neunzigerjahren hervor, auf deren Rückseite *Team Großbritannien* aufgedruckt war. »Weißt du noch, Dad hatte auch so einen, und er hat ihn immer getragen. Schrecklich peinlich war das. Und hier, eine passende Tasche!« Amy zog die Sporttasche hervor, knallrot, und mit einer aufgestickten britischen Flagge auf der einen Seite. Sie stammte von Stellas ersten Europameisterschaften.

Stella, die immer noch ein wenig verblüfft über die Erkenntnis ihres eigenen Tunnelblicks war, lachte mit, so gut sie konnte.

Dann hatte sie eine Erleuchtung, und sie riss ihrer Schwester die Tasche aus der Hand. »Das ist es! Das ist die rote Ecke auf dem Foto.«

»Welche rote Ecke? Ach, du meinst auf Instagram?«

Stella sprang auf und stieß mit dem Kopf gegen einen Balken. »Scheiße!«, rief sie und rieb sich wütend die Beule, während sie gleichzeitig mit der Tasche vor Amys Gesicht herumfuchtelte. »Er hat auch so eine. Die hat er früher immer zu Wettbewerben mitgenommen.«

Amy schaute völlig verwirrt drein, als hätte sie so eine Tasche noch nie in ihrem Leben gesehen. »Ich dachte, er hätte eine benutzt, die ihm Bobby über einen Sponsor besorgt hat.«

»Nicht damals.« Stella dachte kurz nach. »Hey, hat schon irgendjemand nachgesehen, ob sein Pass noch da ist?«, wollte sie wissen. Plötzlich kam es ihr ganz unglaublich vor, dass sie daran noch nicht gedacht hatten.

»Ich weiß nicht«, gab Amy zurück. »Er macht doch gar keine Reisen mehr.«

Aber Stella war bereits auf dem Weg nach unten, mit der Tasche in der Hand. Amy folgte ihr in wenigen Schritten Abstand.

Im Flur stießen sie förmlich mit Gus und Rosie zusammen.

»Jetzt sag mal, Gus!« Stella blieb wie angewurzelt stehen und schlug sich die Hand vor den Mund.

»Findest du nicht, dass er total niedlich aussieht, Mummy?«, fragte Rosie. Sie hatte Gus mit Kostümen aus der Spielkiste ihrer Großeltern ausgestattet. Über seinen Shorts trug er einen alten Rock, ein Stoffstreifen diente ihm als Stirnband, dann waren da noch ein rotes Cape, Perlen, Handschuhe und ein Chiffontuch. Eindeutig war Rosie seine Stilberaterin gewesen.

Bei seinem Anblick grunzte Amy förmlich vor Lachen.

»Trägst du da etwa Lippenstift, Gus?«, erkundigte sich Stella.

»Ich glaube ja, Stella«, gab Gus ganz sachlich zurück.

»Niemand wollte mit mir spielen, Mummy«, erklärte Rosie mit in die Hüften gestemmten Händen. »Und da habe ich gesagt, Gus hat so viel Zeit mit Sonny verbracht, dass ich jetzt an der Reihe wäre, und Sonny wollte nicht mitmachen.«

Stella musste sich auf die Lippen beißen, um nicht zu lachen. »Das war aber nett von Gus, Rosie.«

»Ich glaube, er hat auch seinen Spaß gehabt«, erklärte Rosie in ernstem Ton.

Gus verschränkte die Arme vor der Brust. »Rosie, ich stehe direkt neben dir und höre dich.«

»Du bist wirklich nicht zu übersehen, Gus«, kommentierte Stella und grinste bei seinem Anblick. Dann ging sie durch den Flur zum Schlafzimmer ihrer Eltern.

Amy folgte ihrer Schwester, nicht ohne Gus rasch von oben bis unten zu mustern und dann den Kopf zu schütteln, als hätte sie endgültig jede Hoffnung für ihn aufgegeben.

27. Kapitel

»Sein Pass ist weg«, verkündete Stella. Alle saßen um den Gartentisch, weil es im Haus sogar zu heiß war, wenn alle Fenster offen standen. Rosa- und orangefarbene Streifen des Sonnenuntergangs überzogen den Himmel.

Moira hatte einen Pimm's-Fruchtcocktail zubereitet. Das fand Stella unangemessen, entschied sich jedoch, keinen Kommentar dazu abzugeben, um nicht den Eindruck zu erwecken, sie wollte alles bestimmen.

»Und bisher hat wirklich niemand nachgeschaut, ob sein Pass noch da ist?« Ungläubig sah sich Gus am Tisch um. Er trug keine Kostümierung mehr, aber sein Mund war noch immer ein wenig knallpink gefleckt.

»Er verreist doch überhaupt nicht mehr!« Amy verteidigte sie alle. »Und fliegen würde er schon gar nicht. Weißt du überhaupt, dass du noch Lippenstift am Mund hast?«

»Umso besser«, gab Gus zurück.

Amy verdrehte die Augen.

»Ich habe die Pässe überprüft«, erklärte Moira und verrührte vor dem Eingießen die Erdbeer- und Gurkenstücke sowie die Minzeblätter in der Karaffe. »Da lagen zwei in der Schublade, als ich nachgesehen habe.«

»Ja«, bestätigte Stella, »deiner und der von Amy.«

»Der von Amy?« Moira verzog das Gesicht. »Was hat denn Amys Pass bei uns zu suchen?«

Unbehaglich rutschte Amy auf ihrem Stuhl herum. »Daddy passt für mich darauf auf.«

Gus warf den Kopf zurück. »Gott, steh mir bei.«

»Halt den Mund, Gus.« Amy funkelte ihn wütend an.

Gus schnitt eine Grimasse und schaute weiterhin nach oben.

Beleidigt verschränkte Amy die Arme vor der Brust und knotete die Beine um ihren Stuhl.

»Also, wo ist er denn jetzt?«, wollte Sonny wissen und sah sich zum zigsten Mal einen vergrößerten Ausschnitt des Instagram-Fotos an. »Irgendwo mit einem Treppenhaus und einer roten Tasche.«

»Pimm's, Gus?«, fragte Moira.

Gus schüttelte den Kopf. »Getränke mit Gurke sind nicht so meins.«

Moira kicherte. »Ich kann ja aufpassen, dass keine Gurke ins Glas kommt.«

Stella seufzte. »Mum, kannst du dich mal ganz kurz konzentrieren? Wohin wollte Dad mit dieser alten roten Sporttasche fahren?«

Moira tauschte heimlich einen Blick mit Gus, weil sie beide ausgeschimpft worden waren. Als sie ihm vom Pimm's eingoss, hielt sie alle Erdbeer- und Gurkenstücke mit einem Löffel zurück. »Ich habe keine Ahnung, Liebes. Vielleicht irgendwohin, wo er seine Jugend noch einmal erleben kann!«

Stella berührte ihre Stirn. »Ach – du meinst, in ein Olympiastadion?«

»Vielleicht. Ja. Das könnte doch sein«, meinte Moira. »Pimm's, Amy? Ach nein, warte, du bist ja schwanger.«

Alle am Tisch schienen kurz innezuhalten, als Moira das erwähnte. Moira selbst sah auf, als wäre ihr diese Tatsache bisher überhaupt nie richtig klar gewesen. Sie stellte die Karaffe ab und sah Amy an. Amy wurde dadurch ein bisschen verlegen und schaute zurück. Moira lächelte. Dann schien etwas in ihr Klick zu machen, als wäre ihr plötzlich wieder eingefallen, dass die Leute da vor ihr ja ihre Familie waren – dass sie alle im Kreis dasaßen und sie selbst sich vielleicht ein bisschen nützlicher machen sollte. Dass sie, auch wenn sie nicht so besonders daran interessiert war, ihren Mann wiederzufinden, gerade einen Moment erlebte, in dem sie ihren Töchtern zur Seite stehen konnte. Sie setzte sich ein wenig aufrechter hin, rührte noch einmal in der Karaffe und sagte: »Lasst uns mal nachdenken – zu den Olympischen Spielen war er in München, Montreal, Moskau und Los Angeles. Und eines kann ich euch mit Sicherheit sagen, in der Sowjetunion ist er ganz bestimmt nicht.«

»Weil es die nicht mehr gibt?«, erkundigte sich Gus mit hochgezogenen Augenbrauen und im entsprechenden Tonfall.

»Nein, Schlaumeier, wegen seines Magens«, gab Moira zurück. »Er würde sich auf keinen Fall freiwillig das russische Essen antun.«

Gus wirkte fasziniert. »Das ist doch aber ziemlich ähnlich wie unseres?«

»O nein, das stimmt nicht.« Moira schüttelte den Kopf. »Da gibt's Bœuf Stroganoff und Klöße und solche Sachen. Und Graham schmort sowieso zu viel im eigenen Saft.«

Gus platzte laut heraus.

Stella verbarg das Gesicht in den Händen.

Neben ihr holte Jack seinen Notizblock aus der Hemdtasche und beschloss, es sei an der Zeit, die Dinge wieder in die Hand zu nehmen. Also bleiben L.A., Montreal und München übrig.«

»In München lief es nicht so gut, wie er sich das erhofft hatte.« Moira verwarf diese Option und goss Jack, Stella und sich selbst noch einmal Pimm's ein.

»Kann ich auch einen haben?«, fragte Sonny.

Alle schauten zu Stella hin. Sie setzte zu einer Antwort an, blickte jedoch stattdessen zu Jack hinüber. Damit, ihn mehr in Erziehungsfragen einzubeziehen, konnte sie auch sofort anfangen.

»Ähm.« Jack wirkte ein wenig verunsichert. »Na ja. Ich weiß nicht. Vielleicht einen ganz kleinen. Mit ganz vielen Früchten.« Er wandte sich zur Bestätigung seiner Frau zu. Stella hätte Nein gesagt. Sie wusste nicht, wer hier recht hatte – das Gesetz stand auf ihrer Seite, Sonnys deutlich erkennbare Freude hingegen nicht. Sie signalisierte Jack mit einem nonchalanten Schulterzucken, dass sie mit beidem einverstanden war. Ganz offensichtlich unterdrückte ihr Mann ein Lächeln, weil er genau mitbekam, wie sehr sie innerlich kämpfte. »Also«, fuhr er dann fort, »Montreal oder L.A.«

»Er hat tausend Pfund bei sich, da wäre beides kein Problem«, meinte Gus.

Bei der Erwähnung der tausend Pfund verzog Moira die Lippen.

»Ich sage doch aber, er würde nie fliegen«, seufzte Amy, die es ganz wahnsinnig machte, dass ihr niemand zuhörte.

Sonny, der seinen winzigen Pimm's bereits heruntergekippt hatte und nun bloß noch mit dem armseligen Früchterest dasaß, fragte: »Und wo ist er dann?«

Um ihn herum gab es nur ratlose Gesichter.

»Vielleicht geht es auch gar nicht um einen Wettkampf«, meinte Gus. »Vielleicht gibt es ja einen Ort, der eine noch größere Bedeutung für ihn hat.«

»Nichts hat eine größere Bedeutung für ihn als ein Wettkampf«, reagierte Moira verächtlich.

»Vielleicht ist er ja in Portugal?«, schlug Amy ein wenig zögernd vor.

»Warum denn ausgerechnet in Portugal?«, fragte Gus, als niemand einen Kommentar abgab.

Amy zuckte die Schultern. »Da sind wir jedes Jahr hingefahren. In den Urlaub. Du weißt schon, als Familie. Dort gab es gleich neben dem Hotel einen riesigen Pool, in dem Stella trainieren konnte.«

»Das Hotel wurde bereits vor Jahren abgerissen«, berichtete Moira.

»Ich glaube nicht, dass er nach Portugal gefahren ist.« Stella schüttelte den Kopf. »Ich halte ihn einfach nicht für so sentimental.«

Moira schnaubte kurz, um ihre volle Zustimmung zu signalisieren.

Amy lehnte sich in ihren Stuhl zurück. Sie war nicht überzeugt, hatte jedoch keine weiteren Argumente.

Sonny tippte auf seinem iPhone herum.

Jack hatte »Portugal« auf seine Liste gesetzt. Stella beugte sich zu ihm hinüber und strich das Wort wieder durch.

»Da kommt man auch ohne Flugzeug hin«, verkündete Sonny. »Nach Portugal, meine ich.«

Stella seufzte.

Sonny ignorierte sie und drehte sein iPhone um, damit alle seine Recherchen sehen konnten. »Erst mit dem Eurostar nach Paris. Dann weiter in eine spanische Stadt namens Irun. Danach Lissabon. Das kann man innerhalb von vierundzwanzig Stunden schaffen.«

Gus wirkte beeindruckt. »Gut gemacht, Columbo.«

»Wer ist denn Columbo?«, wollte Sonny wissen.

Gus schüttelte den Kopf, als würde er denken, es wäre sowieso alles sinnlos. »Nicht so wichtig.«

»Und schaut mal hier...« Schon googelte Sonny wie wild etwas Neues. »Dieser Zug nach Irun, das ist ein Doppeldecker. Die Stufen, Mann! Die sind in einem Zug, nicht in einem Bus. Das muss es sein. Da muss er stecken.«

Alle wandten sich Stella zu. Alle, sogar Moira, die von ihrem Glas aufsah, aus dem sie gerade einige Erdbeeren fischte. »Was meinst du, Stella?«, wollte Amy wissen.

Und plötzlich hing die Entscheidung, ob sie nach Portugal fahren sollten oder nicht, ganz allein von Stella ab und davon, ob sie die Kontrolle aus der Hand gab und womöglich feststellen musste, dass sie vielleicht nicht immer recht hatte.

28. Kapitel

»Los, kommt schon!« Nervös schnipste Jack mit den Fingern. Er stand vor den automatischen Türen am Flughafen von Exeter. Dort warteten sie auf einen Fahrradkurier, der versehentlich nach Bristol gefahren war, um dort die Pässe abzugeben, die ihre Putzhilfe für sie aus den Tiefen von Jacks Aktenschrank herausgewühlt hatte. Zur Verwunderung aller hatte die Enthüllung, dass Stella eine Putzhilfe beschäftigte, zu keinem Kommentar ihrer Mutter geführt. Diese schien sich ganz bewusst zurückzuhalten, während die Telefonate über die Bühne gingen.

Jetzt hingen alle – außer Moira, die sich entschieden geweigert hatte, ihre Familie zu begleiten – vor den Flughafentüren herum. Der Check-in für den Flug 762 nach Faro in Portugal hätte längst geschlossen sein sollen, doch die freundliche Frau am Schalter wartete auf sie. Alle trugen nur Handgepäck bei sich, weil sie beschlossen hatten, sie würden bloß drei Tage brauchen, um herauszufinden, ob ihre Intuition stimmte oder nicht, und sobald ihre Pässe ankamen, mussten sie nur noch durch die Sicherheitskontrolle.

Genau gegenüber von Jack lehnte Gus an der Metallbarriere, zu seinen Füßen stand seine Reisetasche. Etwa einen Meter entfernt von ihm hockte Amy. Sonny saß im Schneidersitz auf seinem Rucksack und machte irgendetwas auf seinem iPhone. Rosie schob den Gepäckwagen von einer Seite auf die andere und wieder zurück.

Eine Sekunde nach der anderen verging. Niemand sagte viel.

Dann warf Gus Amy einen Seitenblick zu und fragte: »Hast du deinen Pass schon jemals selbst aufbewahrt?«

Amy sah ihn nicht an.

Gus musste lachen. »Das ist eine ganz ernsthafte Frage.«

»Ist es nicht«, gab Amy zurück. »Du willst das nur wissen, damit du danach etwas Gemeines über mich sagen kannst, so etwas wie: ›Mann, weißt du, wenn du nicht einmal auf deinen eigenen Pass aufpassen kannst, wie soll das dann mit einem Baby gehen?‹« Sie machte Gus' tiefe Stimme nach, während sie sprach.

»So klinge ich aber nicht.«

»Und ob du das tust.«

»Und ›Mann‹ sage ich auch nie.«

Amy verdrehte die Augen. »Ein Baby ist etwas ganz anderes als ein Pass, Gus.«

Abwehrend hob Gus die Hände. »Das ist doch aber wirklich unfair. Jetzt machst du mich schon für etwas fertig, was ich überhaupt nur in deiner Fantasie gesagt habe.«

Plötzlich war ein leises Lachen von der Stelle zu hören, an der Sonny auf seinem Rucksack auf dem Boden saß.

Amy wandte sich ab.

Gus trommelte mit seinem Pass auf den Fingerknöcheln herum.

Nach ein paar Sekunden sagte Amy: »Dieses Geräusch nervt.«

Gus trommelte weiter.

»Ich habe gesagt, dieses Geräusch nervt«, wiederholte Amy.

Gus machte weiter.

»Gus!«, herrschte ihn Amy an.

Stella fuhr herum. »Könnt ihr beide einfach die Kabbeleien sein lassen? Schluss jetzt, Gus – Schluss mit dem Getrommel.«

Gus hörte damit auf.

Wieder schwiegen alle. Stella sah auf ihre Uhr. Jack schnipste nach wie vor mit den Fingern und schielte ständig die Straße hoch, um zu sehen, wo der Kurier blieb.

Sonny sah vom Boden auf. »Wie kommt es eigentlich, dass du deinen Pass dabeihattest, Gus?«

»Den habe ich immer dabei«, erklärte Gus mit einem selbstgefälligen Hochziehen seiner Augenbrauen. »Dann bin ich jederzeit bereit für ein Abenteuer.«

Amy machte ein ungläubiges Geräusch.

Die kleine Rosie ließ den Gepäckwagen stehen. »Erlebst du viele Abenteuer, Gus?«

»Als was würdest du denn das hier bezeichnen?«, fragte Gus zurück und streckte beide Arme weit aus.

Rosie schaute sich um, und in ihrem Blick funkelte die Aufregung darüber, dass das hier möglicherweise ein Abenteuer war.

Sie bildeten inzwischen eine Gang, und nichts konnte sie trennen. Als Stella am Vortag vorgeschlagen hatte, vielleicht sollten besser bloß sie und Amy fahren, war Sonny ausgeflippt und hatte erklärt, die Suche sei vor allem seinetwegen nicht in eine Sackgasse geraten. Deswegen forderte er einen Sitz im Flugzeug. Der neue, freigeistige

Jack hatte verkündet, eine solche Reise würde ihnen vielleicht guttun. Rosie hatte gejubelt. Gus hatte beide Arme in die Luft gerissen und gefragt: »Warum zum Teufel fliegen wir nicht einfach alle?« Daraufhin hatte Moira missbilligende Geräusche von sich gegeben und gesagt: »Wenn er nach Hause kommen will, weiß er ja, wo er uns findet. *Ich* werde bestimmt nicht durch halb Europa reisen, nur um *ihn* zu finden.«

Weil sie sich aber auch nicht völlig aus der ganzen Sache heraushalten wollte, hatte Moira für sie einen ziemlich beachtlichen Sonderpreis auf das Yoga Retreat an der Algarve ausgehandelt, wo Mitch regelmäßig Kurse gab.

Stella hatte deswegen die Stirn gerunzelt und gefragt: »Warum sollte Mitch das für uns tun?«

»Er hat es nicht für dich getan, sondern für mich.«

»Gehst du mit ihm ins Bett, Mum?«

Als Reaktion auf diese Frechheit hatte Moira bloß ein empörtes »Stella!« hervorgebracht.

Nun kam es auf jede Sekunde an. Stella schüttelte den Kopf. »Abenteuer hin oder her, ich glaube nicht, dass wir das noch schaffen werden.«

Ein paar Raucher in der Nähe der Flughafentüren schauten ihrerseits auf die Uhr und verständigten sich mit Blicken.

Sonny boxte auf seinen Rucksack ein. Aber dann tauchte der dunkle Helm des Motorradkuriers plötzlich neben ihnen auf – in der ausgestreckten Hand mit dem Lederhandschuh hielt der Mann vier Pässe, und vor Erleichterung brach Jack fast auf dem Bürgersteig zusammen.

Dieser Moment wurde jedoch sofort vom nächsten

übertrumpft, weil plötzlich auf dramatische Weise Moira zu ihnen stieß: Sie entstieg einem Taxi, und zwar in einer schwarzen, mit wilden Neonstreifen versehenen Sportausrüstung. Als der Fahrer ihren schicken kleinen Trolley neben ihr abstellte, zog sie den Griff hoch.

»Was machst du denn hier?«, fragte Stella.

Moira schob sich die Sonnenbrille ins wilde rote Haar und sagte sachlich: »Dafür sorgen, dass ich das Flugzeug nicht verpasse. Ich habe online eingecheckt.«

»Auf jetzt!«, brüllte Jack, und plötzlich rannten alle los. Die Frau vom Check-in gab per Walkie-Talkie ans Abflug-Gate durch, dass sie unterwegs waren. In der Schlange bei der Sicherheitskontrolle warf man ihnen böse Blicke zu, als sie sich mit Entschuldigungen nach allen Seiten einen Weg ganz nach vorn bahnten. Sie alle schauten besorgt drein – bloß Gus nicht, der das ganze Drama zu genießen schien. Die Flugbegleiter begrüßten sie mit hochgezogenen Augenbrauen, da sie so spät an Bord kamen. Die anderen Passagiere seufzten hörbar, als die Neuankömmlinge sich ihre Sitznummern suchten. Stella musste auf den Boden schauen, um jeglichen Blickkontakt zu vermeiden.

Sie ließen sich auf ihren Plätzen nieder: Rosie am Fenster, dann Jack, dann Sonny, dann Gus, dann Stella, weil Amy sie vorschob, um nicht neben Gus sitzen zu müssen, dann Amy. In der Reihe vor ihnen befand sich Moira, die den Kopf durch den Schlitz zwischen den Sitzen steckte und sagte: »Ich weiß gar nicht, warum uns alle so angestarrt haben – wir sind ja keine Verbrecher, nur ein bisschen spät dran für einen Flug, verdammt noch mal.«

Gus nickte. »Ganz meine Meinung, Moira.«

»Jetzt ermutige sie nicht auch noch«, sagte Stella. Anschließend beugte sie sich zum Gesicht ihrer Mutter hin und fragte: »Warum bist du hier?«

Hochmütig zog Moira einen Schmollmund. »Mitch meint, es würde mir guttun. Um mit allem abzuschließen. Das hat *er* gesagt, nicht ich. Ich hasse diesen Ausdruck.« Sie wollte sich gerade umwenden, als sie innehielt und einen Blick zurück warf. »Außerdem muss doch jemand auf euch aufpassen, oder?«

Stella blieb sitzen, wo sie war, beugte sich leicht vor und schaute durch den Schlitz zwischen den Sitzen auf das Haar ihrer Mutter. Seltsamerweise verspürte sie Erleichterung darüber, dass ihre Mutter hier erschienen war. Es hatte sie mit Besorgnis erfüllt, dass sie selbst nicht gewusst hätte, was sie zu ihrem Vater sagen wollte, wenn sie ihn denn fanden, und plötzlich erschien ihr die Anwesenheit ihrer Mutter zu einem der wenigen Male im Leben auf erstaunliche Weise beruhigend. Tröstlich.

Stella schob eine Hand durch den Schlitz und ihrer Mutter auf die Schulter.

»Was ist?«, wollte Moira wissen, die ihre Handtasche auf dem Schoß hatte und nach Dingen suchte, die sie während des Fluges benötigen würde.

»Du hast meine Sachen aufgehoben«, erklärte Stella. »Auf dem Dachboden.«

Moira sagte eine Sekunde lang nichts. »Ja.«

Stella nickte.

Moira drehte sich weiter herum, weil sie sehen wollte, ob Stella noch etwas hinzufügen würde.

Stella lehnte sich in ihren Sitz zurück.

Moira sah sie kurz an, lächelte sanft und wandte sich wieder um. Stella sah ihr dabei zu, wie sie ihr Buchclubbuch in die Netztasche vor sich steckte und ihre Handtasche unter den Vordersitz schob. Dann wandte sich Moira noch einmal um und schaute ihre Tochter an, nur ganz kurz, bevor sie sich ins Bordmagazin vertiefte.

29. Kapitel

Das Yoga Retreat samt Campingplatz lag am Ende eines nicht asphaltierten Feldweges, und es war, als befände man sich am Ende der Welt. Ganze Scharen strahlend weißer Störche spazierten auf langen roten Beinen über das Farmgelände nebenan. Neugierige Hunde trotteten mitten auf der Straße entlang. Ein weißes Banner mit einem großen Yogi im Schneidersitz wehte in der leichten Brise, als sie am späten Nachmittag auf den Parkplatz einbogen.

Jack stieg aus dem Auto, setzte seine Sonnenbrille ab, sah sich um und fragte: »Wo zur Hölle sind wir denn hier gelandet?«

Vom Wind bewegte kleine Glockenspiele klimperten in hohen Kiefern. Ganze Reihen gedrungener Palmen säumten den Weg wie große Ananasstauden.

Amy stieg auch aus. »Ich rieche Weihrauch.«

Gus folgte ihr. »Wie in meinem Schlafzimmer, als ich ein Teenager war.« Er beugte sich vor und sog den Duft eines Räucherstäbchens, das in einer Palme steckte, tief ein. »Wobei sie das Zeug hier wahrscheinlich nicht verwenden, um den Geruch nach Hasch zu überdecken.« Er spähte zu Moira hinüber, die gerade mit den Kindern aus dem riesigen Geländewagen stieg. »Obwohl ...«

Moira ignorierte ihn einfach. Die Ankunft eines grauhaarigen Mannes rettete sie. Er war braun gebrannt wie eine Walnuss und trug ein lilafarbenes Batikgewand – ganz offensichtlich waren Mitch und er Brüder im Geiste und hatten den gleichen Kleidungsstil. Er begrüßte sie mit aneinandergepressten Handflächen und einer Neigung des Kopfes samt »Namaste«, und sie folgten ihm im Gänsemarsch durch einen kleinen Spalierbogen, mit dem der Eingang zum Camp markiert wurde.

Stella beobachtete, wie ihre Mutter sich ebenfalls verbeugte. »Namaste.«

»Was hast du da gerade gesagt?«, erkundigte sich Stella mit einem erstaunten Stirnrunzeln.

»Das ist ein Yogagruß.« Ihre Mutter klang ein wenig überheblich.

»Und was bedeutet er, Moira?«, wollte Jack wissen.

»Ich habe keine Ahnung«, gab Moira zurück und stolzierte durch den kleinen Eingangsbereich, folgte dem Batikmann mit einem gleichgültigen Schütteln ihrer Frisur.

Stella, Jack, Amy und Gus tauschten grinsend Blicke.

Moira stand am Empfangstresen und zog Ausdrucke ihrer Buchungsunterlagen aus der Handtasche. Ihre grellbunte Sportkleidung stand in einem scharfen Kontrast zu der wettergegerbten Hütte mit der Veranda aus Holz und den von der Sonne versengten Palmen.

»Ah, die Freundin von Mitch«, kommentierte der Mann und hob beide Hände in die Luft. »Unser Heim, sein Heim, ist euer Heim.«

Moira errötete.

»Ich bin Vasco. Kommt mit.« Er nahm sich einen Schlüsselbund mit Plastiklotusblüten von der Wand und führte sie alle hinaus in den gleißenden portugiesischen Sonnenschein.

Sie rollten ihre diversen Trolleys über den dürren, holprigen Pfad. Sonny trug seinen großen Rucksack auf dem Kopf. Nur Rosie ließ ihre Tasche immer wieder fallen und meckerte darüber, wie schwer sie war. Überall um sie herum stieg der Gesang der Zikaden auf und wurde eins mit der herunterbrennenden Sonne. Alle paar Schritte wirbelte ein leichter Windstoß Bodenroller über die rot verbrannte Erde. Zu ihrer Linken standen die Wohnmobile. Dort saßen Leute mit hochgelegten Füßen unter den Vordächern und Markisen, tranken Kaffee aus Blechtassen und lasen Zeitung. Neben ihnen lagen von der Hitze matte Hunde. Zu ihrer Rechten befand sich eine typische Wüstenvegetation: Kakteen, Kaktusfeigen und riesige Agaven mit fleischig-grünen Blättern, in die viele Besucher ihre Namen eingeritzt hatten. Das Land war öde. Die Erde ächzte förmlich vor Durst.

Rosie blieb einfach mitten auf dem Weg stehen und quengelte: »Mir ist so heiß.«

»Komm schon, Rosie«, rief ihr Stella zu, der der Schweiß von der Stirn tropfte. »Wir sind doch schon fast da. Gib mir mal deine Tasche.«

Aber Rosie weigerte sich, auch nur einen weiteren Schritt zu machen. »Meine Beine sind zu müde.«

Vasco blieb stehen. »Gibt es ein Problem?«

Alle starrten auf Rosie, die sich einfach auf den staubigen Boden hatte fallen lassen.

Vasco lächelte. »Die Hitze ist zu viel für die Kleinen.« Mit diesen Worten ging er zu Rosie zurück, hob sie auf und ließ sie auf seinen Schultern reiten.

Als er das Entsetzen auf dem Gesicht seiner Schwester sah, brach Sonny in Gelächter aus. »Geht's dir gut da oben, Rosie?«, brüllte er. Doch deren verstörter Gesichtsausdruck verwandelte sich rasch in einen der Freude, als Vasco der Gruppe völlig mühelos voranging. Elegant wie eine Gazelle rannte er den Abhang hinauf.

Verblüfft sah Gus zu. »Vielleicht sollte ich mit Yoga anfangen? Ich bin nicht sicher, ob ich Rosie so leicht auf die Schultern bekommen würde. Und wie alt ist er wohl? Fünfzig? Sechzig?«

»Einundsiebzig«, rief Vasco zurück.

Gus, überrascht davon, dass man ihn so gut gehört hatte, rief seinerseits »Wirklich beeindruckend!« zurück.

»Willst du auch so stark werden? Dann mach morgen früh beim Sonnenaufgangsyoga mit«, bot ihm Vasco mit kräftiger Stimme an.

»Um wie viel Uhr ist denn das?«, erkundigte sich Gus.

»Um vier.«

Gus grunzte nur.

»Ja?«, fragte Vasco nach, blieb oben am Hügelkamm stehen und nahm sich Rosie von den Schultern, die dabei vor sich hin kicherte.

»Vielleicht«, sagte Gus. Es klang nicht besonders überzeugt.

»Hier seid ihr untergebracht«, erklärte Vasco, als sie alle neben ihm stehen blieben. Keuchend warf Sonny seinen Rucksack auf den Boden.

Seite an Seite, im Schatten von drei riesigen Eukalyptusbäumen, schmiegten sich zwei Holzhütten an den Boden. In Stellas Augen sahen sie aus wie die von Rosies Puppenfamilie – winzige halbe Schachteln mit ordentlichen kleinen

Fenstern und dreistufigen Treppen, die auf eine schmale Veranda führten. Alles aus Kiefernholz und mit einem Dach aus weißem Segeltuch, das sich im Wind ausbeulte und wieder in sich zusammensank. Streifen aus Baumrinde rollten sich auf dem Boden wie Krokodile. Eine Krähe stieß auf die Oberfläche eines langen Holzpicknicktischs herab. In der Luft lagen die Süße von warmem Holz und der scharfe Geruch nach Eukalyptus, und der Wind trug salziges Meeresaroma heran.

»Sehr gemütlich«, kommentierte Gus, als Vasco sie die Stufen zu einer der Hütten hinaufführte. Drinnen zeigte ihnen Vasco die Wohnküche, den Kühlschrank, die Kerzen, die Streichhölzer, die winzige Toilette mit Dusche und die beiden Schlafzimmer, die durch ein Leintuch voneinander getrennt waren. In einem gab es Einzelbetten, die sich beinahe berührten, im anderen ein kleines Doppelbett.

»Hier habt ihr alles, was ihr braucht«, sagte er und war schon wieder auf dem Weg die Stufen hinunter. »Ich gehe zurück an die Rezeption. Oder ich bin da drüben.« Er zeigte in die Ferne, wo zwischen einigen weiteren Hütten und ein paar Jurten ein erhöhter betonierter Platz lag. Dort absolvierten gerade Leute eine Yogasitzung, mit hoch in den Himmel aufragenden Armen, und hinter ihnen erstreckte sich das strahlende Blaugrün der See.

»Wow«, sagte Stella. Vasco grinste voller Stolz und überreichte allen ein Exemplar des Yogastundenplans, bevor er lostrabte, um sich zu den Leuten auf dem Platz zu gesellen.

Dann standen alle an verschiedenen Stellen ihres neuen Heims. Gus schaute immer noch Vasco hinterher und sagte: »Ich kann einfach nicht glauben, dass der einundsiebzig sein soll«, wandte sich damit jedoch an niemanden im Besonderen. Moira studierte eifrig den Stundenplan. Jack schaute sich an, wie die Hütte konstruiert war, Stella sah sich in den Schränken um, und Sonny und Rosie stritten sich, wer welches Bett nehmen sollte.

Amy kam aus der zweiten Hütte gestapft und rief: »Das mit den Betten haut doch überhaupt nicht hin. Wo soll denn Mum schlafen?«

Stella streckte den Kopf aus ihrer Hütte, völlig erschöpft von der Hitze und der Reise. Sie wusste sofort, wo Amys Problem lag, wollte es jedoch einfach übergehen, weil sie jetzt keinen Trotzanfall ertragen hätte. »Mum schläft im Doppelbett, und du und Gus nehmt die beiden Einzelbetten.«

Amy starrte Stella voller Wut an. »Ich teile mir ganz bestimmt kein Zimmer mit Gus.«

»Ach, komm schon, Amy«, mischte sich Gus ein. »Für mich wird damit auch nicht gerade ein Traum wahr, aber diese Phase hatten wir doch hinter uns, oder? Ich habe absolut kein Interesse an dir, und du keins an mir. Wir sind einfach zwei Erwachsene, die sich ein Zimmer teilen.« Dann hob er beide Hände, als wollte er sagen: »Wo ist das Problem?«

Stella beobachtete, wie Amy verzweifelt um eine Antwort rang. Für einen kurzen Moment wirkte sie total verblüfft über Gus' Reaktion. Als wäre seine Ehrlichkeit zu viel für sie. Als stünde es ihm nicht zu, sie in aller Öffentlichkeit so schroff zurückzuweisen, wie sie das immer wieder mit ihm tat.

Moira gesellte sich zu ihnen. »Was ist denn los?«

Amy sagte nichts.

Stella seufzte. »Amy will sich kein Zimmer mit Gus teilen.«

Moira runzelte die Stirn, schaute sich die Bettensituation an und sagte dann, als hätte sie erst jetzt begriffen, worum es ging: »Ach, Liebes, ich schlafe doch gar nicht bei euch. Ich habe meine eigene Jurte, weiter den Hügel hoch.«

»Warum das denn?«, erkundigte sich Stella verwirrt.

»Ich will einfach ein bisschen Privatsphäre.«

»Wirklich? Bist du dir sicher?«

»Stella, Liebes, vielleicht überrascht dich das, aber ich empfinde es ein bisschen als Luxus – dass ich allein sein kann. Und jetzt entschuldigt mich bitte.«

Moira winkte mit dem Yogaplan, als sie ihren schicken kleinen Trolley den Abhang hochzerrte. »Ich muss mich nun auf eine Stunde Jivamukti-Yoga vorbereiten.«

Mit verschränkten Armen blickte Stella ihrer Mutter von der Veranda aus hinterher und ertappte sich bei dem Wunsch, sie selbst hätte auch schon einen Punkt erreicht, an dem sie alles einfach so hinnehmen konnte.

Amy stürmte in die Hütte. »Ich bekomme das Doppelbett.«

Kopfschüttelnd stieß Gus die Luft aus. »Was immer du auch willst.« Die Grenzen seines Gleichmuts waren jetzt erreicht.

30. Kapitel

Der Nachmittag war von Missstimmungen geprägt gewesen, weil alle unter Müdigkeit und schlechter Laune litten. Gus war allein zu einem Spaziergang losgezogen. Amy schmollte in ihrer Hütte. Jack und Sonny verirrten sich bei der Suche nach einer Einkaufsmöglichkeit; wütend und mit leeren Händen erschienen sie wieder bei den Hütten, um dann von Vasco an den Strand verwiesen zu werden. »Warum kommt ihr mit solchen Fragen nicht zu mir?«, erkundigte sich Vasco, und alle folgten ihm im Gänsemarsch und in stiller Erschöpfung.

Doch als sie die Köpfe hoben und mit dem Blick Vascos Finger hinunter zum Strand folgten, sah alles gleich ein wenig besser aus. Die allgemeine Stimmung hob sich. Dort im Sand befand sich ein kleines Restaurant mit Rattandach, Girlanden aus Glühbirnchen, langen Tischen und Bänken und einem großen Grill in der Ecke, auf dem schon Fleisch brutzelte. Gus zog die Augenbrauen hoch. »Sieht aus, als hätte sich die Situation gerade ein wenig verbessert.« Jack umfasste Stellas Hand fester. Sonny und Rosie rannten vorneweg, die Stufen hinunter. Sogar Amys herabhängende Mundwinkel hoben sich ein wenig.

Sie aßen scharfes, kross gebratenes Piri-Piri-Hühnchen und dicke, fleischige Sardinen, wozu sie einen gekühlten Rosé tranken. Sonny versuchte Biskuitkuchen, der ihm nicht schmeckte. Rosie versuchte ihn auch und aß alles ratzeputz auf. Sie unterhielten sich ein wenig, lachten sogar, und erst als Jack fragte: »Also, wie sieht unser Plan für morgen früh aus?«, schien plötzlich allen wieder einzufallen, warum sie überhaupt hergekommen waren. Da fühlten sich alle ein wenig unbehaglich, als erschiene ihnen jetzt, wo sie hier waren, alles ein bisschen lächerlich. Als hätten sie sich mitreißen lassen und sich auf eine aufregende, aber kostspielige und völlig sinnlose Erkundungstour begeben.

Am nächsten Morgen quetschten sich alle in den riesigen SUV mit den getönten Scheiben – den einzigen Mietwagen, in den sie alle hineinpassten. Alle außer Moira, die sich nicht zu der Suche an sich herablassen wollte. Sie würde mit Graham sprechen, wenn ihn die anderen gefunden hatten. Doch unter denen herrschte eine Atmosphäre der nervösen Erwartung, denn nach Stellas Ansicht gab es keinen Plan, der über das Schwimmbad in Portugal hinausgegangen wäre. Zwanzig Minuten später standen sie am Rand genau dieses eindrucksvollen, gerade renovierten Schwimmbadkomplexes, und es kam ihnen vor, als würden sie nach einem winzigen, fast mikroskopisch kleinen Strohhalm greifen.

Jack, der als Student einmal bei einem sozialen Projekt in Brasilien mitgemacht hatte und daher ein wenig Portugiesisch sprach, hatte dem Bademeister ein Foto von Graham gezeigt und kam nun zu den anderen zurück. Mit ernster Miene schüttelte er den Kopf. »Nichts.«

Stella sog ihre Unterlippe ein. »Wusste ich's doch.«

Sie fasste ihr Haar zu einem Dutt oben am Kopf zusammen. Sie hatte erwartet, Selbstzufriedenheit zu empfinden, wenn sich herausstellte, dass es hier keine Spur ihres Vaters gab. Er würde nicht hier sein, das war ihr klar gewesen.

Aber als sie sich unter den anderen umsah, in Amys Gesicht schaute, das sich zum Weinen verzog, als Rosie vor ihr auf der gekachelten Bank hockte und die Füße in den Boden stemmte, als Sonny völlig niedergeschlagen seine Wayfarer-Sonnenbrille aufsetzte und ihm Jack einen Arm um die Schulter legte, während er »Wir wussten doch die ganze Zeit, dass es nicht besonders wahrscheinlich war« sagte, empfand sie ebenso große Enttäuschung. Und das lag nicht nur daran, dass sie Mitleid mit allen um sich herum hatte oder einfach wollte, dass sich alles wieder normalisierte. Das Gefühl entstammte einem Teil von ihr, der in Vergessenheit geraten war. Von dem Mädchen im Sportbadeanzug auf dem Foto vom Dachboden, bei den Regionalmeisterschaften für Kinder unter elf Jahren. Von dem Mädchen aus der Zeit, bevor der richtig strenge Trainingsplan galt. Von dem Mädchen, das am Strand Tee aus der Thermosflasche getrunken und mit halb erfrorenen Fingern Marmite-Sandwiches gegessen hatte. Von dem Teil ihrer selbst, dessen Existenz sie vielleicht bestritten hätte, wenn man sie damit konfrontiert hätte, der aber insgeheim froh und aufgeregt gewesen wäre, ihren Vater zu finden.

Die Rufe von Kindern, die im Pool spielten, hallten in dem großen Gebäude wider. Das Sonnenlicht fiel durch die riesigen Fenster, brach sich flimmernd auf den weißen Kachelwänden.

Gus sah sich in der Runde um. »Das ist aber keine Einstellung. Wir dürfen nicht alle so pessimistisch sein. Er könnte schließlich jederzeit überall auftauchen.«

Stella zuckte die Schultern.

»Nein, Gus hat recht«, stimmte ihm Amy zu und zögerte kurz, als ihr bewusst wurde, was sie da gerade gesagt hatte. Gus hingegen richtete sich sogar ein wenig auf. Rasch sprach Amy weiter. »Ich meine, was tun schon Bademeister? Die sehen sich die Badegäste doch nie genauer an. Weil sie die meiste Zeit vollauf damit beschäftigt sind, sich gegenseitig anzuschauen.« Sie deutete zum anderen Ende des Beckens, wo zwei besonders attraktive portugiesische Bademeister ganz eindeutig miteinander flirteten.

Sonnys Miene erhellte sich ein wenig. »Wir könnten doch heute Nachmittag wieder herkommen. Vermutlich ist es einfach zu früh für ihn.«

Amy musste grinsen. »Gute Idee, finde ich.«

Gus machte eine Geste. »Vielleicht ist er ja mehr so der Abendschwimmer.«

Jack lachte, und das brachte Rosie zum Lächeln.

Stella sagte gar nichts. Sie war verwirrt von dem seltsamen Gefühl der Hoffnung, das gerade in ihr erwachte. Es erfüllte sie mit Angst, dass in ihrem Kopf alles zu große Dimensionen annahm, größere als die, ihren Vater zu finden. Denn was, wenn er dann immer noch nicht mit ihr sprechen würde? Was, wenn es ihm gar nicht um irgendjemanden von ihnen ging? Was, wenn er einfach ein bisschen Urlaub machen wollte, oder eine Affäre hatte und sich gerade bei irgendeiner superattraktiven Frau im Schlafzimmer versteckte? Was, wenn das Ganze gar nicht dem entsprach, worauf sie sich gerade mental vorbereitete? Sie sah sich im Poolbereich um. Nichts davon erschien ihr vertraut, alles wirkte neu. Nicht die kleinste Erinnerung an all diese Jahre, an all die unzähligen Bahnen. Sie schaute in den sorgfältig angelegten Garten hinaus, in dem früher ein silberner Wohnwagen gestanden hatte, dessen Reifen mit der trockenen Erde verschmolzen waren. Dort wurde Kakao in Flaschen verkauft, und portugiesischer Toast mit Butter, und es gab Vanilletörtchen. Ihr Vater und sie hatten sich im Schatten eines Sonnenschirms vollgefressen. Erschöpft, außer Atem vom Schwimmen, die Ruhe genießend, bevor sie zu ihrer Mutter und Amy an den Strand oder ins Hotel gegangen waren. Das war ihre Lieblingszeit gewesen. Nach dem Schwimmen, dem Schreien und den Stoppuhren wurde der Moment des Wiedersehens mit der Familie verschoben, weil immer ein gewisser Stress damit verbunden war. Ihre Mutter ärgerte sich darüber, dass es so lange gedauert hatte. Dann logen sie und behaupteten, das Training bräuchte eben seine Zeit. Keiner von ihnen hätte zugegeben, dass sie sich hier und da ein paar wertvolle Minuten stahlen, um einfach zusammen dazusitzen, nur sie beide. Nur sie beide.

Beim Hinausschauen fragte sich Stella, ob sich ihr Vater wohl an irgendeine dieser Einzelheiten erinnerte. Wahrscheinlich wusste er bloß, wie viele Bahnen sie geschwommen war und wie lange sie dazu gebraucht hatte. Oder vielleicht hatte er auch alles bewusst aus seinem Gedächtnis gelöscht.

Dann nistete sich ein anderer Gedanke in ihr ein, und er betraf ihre Mutter. Diese musste doch gewusst haben, dass die beiden sie angeschwindelt hatten. Stella schaute zu Jack hinüber, der einen Arm um Sonny gelegt hatte. Versuchte sich vorzustellen, wie es wohl war, wenn man wusste, dass der Ehemann einem das eigene Kind vorzog. Dass man selbst erst an zweiter Stelle kam. Vor allem in den Augen von jemandem wie ihrem Vater, der der Zweitbesten nie irgendwelche Bedeutung beigemessen hatte.

»Also, was wollen wir jetzt machen?« Gus sagte das ganz allgemein, wandte sich mit der Frage jedoch hauptsächlich an Stella, weil sie diejenige war, die immer eine Antwort parat hatte.

Heute war das jedoch anders. Stella schaute ihn einfach mit leerem Blick und völlig unentschlossen an.

»Können wir uns nicht ein Eis kaufen?«, schlug Rosie vor.

»Wo wir schon mal hier sind, können wir genauso gut einen Urlaub aus der ganzen Aktion machen«, fügte Amy hinzu. »Lasst uns an den Strand gehen und ein Eis essen.«

»Super!«, schrie Rosie. »Kriege ich ein Twister?«

»Was soll das nur immer mit diesem Twister? Das schmeckt doch eklig«, seufzte Gus.

»Ich finde Twister auch widerlich«, stimmte ihm Sonny zu.

Rosie fuhr herum. »Stimmt doch gar nicht. Das sagst du jetzt bloß, weil Gus das gesagt hat.«

»Quatsch.«

»Wohl!«

»Halt den Mund.«

Mit fester Stimme schaltete sich Jack ein. »Schluss jetzt, sonst bekommt ihr überhaupt kein Eis.«

Stella warf ihm einen Blick zu und war erstaunt über Jacks entschiedenen Tonfall.

Jack zuckte bloß die Schultern, als wäre das gar nichts, als könnte er ohne Weiteres den Part des bösen Bullen übernehmen, wenn man ihn nur ließ. Dann machte er das Ganze zumindest teilweise wieder zunichte, während sie losliefen, indem er sagte: »Und ich nehme ein – Stella, wie heißt noch mal dieses Orangeneis, das ich so gern esse?«

»Solero.«

»Genau das meine ich.« Er zwinkerte, wie um auszudrücken, dass er ohne sie verloren gewesen wäre.

Stella verdrehte die Augen und fragte sich, ob es auf der Liste für den Ehe-TÜV stand, dass man das Lieblingseis des anderen kannte. Dann erschauderte sie beim Gedanken an den Artikel, den sie ja noch schreiben musste, der aber an das untere Ende ihrer Prioritätenliste gerutscht war. Sie war noch nicht einmal sicher, ob Jack und sie gut durch den Ehe-TÜV gekommen waren oder nicht. Die Versuchung, sich hinter Stella mit dem Schandmaul zu verstecken, wurde immer größer.

»Ich mag das mit der Muschelform«, sagte Gus, als sie über den Parkplatz liefen und die Sonne auf dem schmelzenden Asphalt flimmerte. »Das habe ich als Kind immer gegessen.«

Amy blieb stehen. »Dieses Muscheleis?«

Gus nickte.

»Meinst du das ernst?«

Gus nickte wieder, diesmal aber ein wenig zögernder.

Voller Unglauben schaute Amy zu Stella hinüber. Stella schüttelte aus Mitleid mit Gus den Kopf, freute sich allerdings über den Witz, der alle aufheitern würde.

Sogar Sonny runzelte die Stirn, als er ins Auto stieg.

»Das mag aber doch niemand?«, sagte Rosie, mit ihrem üblichen Blick.

Jack klopfte Gus freundschaftlich auf die Schulter. »Du musst noch eine Menge lernen, Kumpel.«

31. Kapitel

Goldfarbener Sand, so weit das Auge reichte. Während der ganzen Jahre, in denen sie nicht hier gewesen waren, hatte sich der Strand kaum verändert. Rechts gab es Tische und Stühle vor einigen der vertrauten Bars, deren früher so instabile Palmblattdächer nun aus dauerhafterem Material bestanden. Dieselben Wege aus abgeschrägten Holzbohlen führten zu Liegestühlen mit blau-weiß gestreiften Sonnenschirmen. Radiohits mischten sich mit dem Gelächter und dem Geschrei der Kinder. Es gab immer noch Kreise aus Liegestühlen mit alten Damen in Badeanzügen neben Männern in Shorts, T-Shirts und weißen Socken, die Cola aus riesigen Kühlboxen tranken. Die geschmeidigen Teenager mit ihren tief gebräunten Gliedmaßen und den Knöchel-Tattoos lachten ebenfalls. Die von der Sonne aufgeheizten Seiten der Zeitschriften flatterten im warmen Wind, und knallbunte Sonnensegel blähten sich. Draußen auf dem Meer warteten Surfergruppen wie kleine schwarze Punkte auf die Wellen. Der Wind trieb die Wärme über das Land. In weiter Ferne segelten Kitesurfer.

Links erstreckte sich Kilometer um Kilometer an Strand, vor dem Hintergrund einer Felswand aus Pampasgras, Palmen und Kaktusfeigen, die hölzernen Palisaden markierten den weißen Pfad. In diese Richtung waren sie damals immer gegangen. Weit weg von der Strandbarmusik, die ihren Vater nervte, aber trotzdem noch nahe genug, dass man ihrer Mutter einen Liegestuhl mit Sonnenschirm besorgen konnte. Stella folgte Amy, die rein instinktiv diese Richtung eingeschlagen zu haben schien. Die Zahl der Sonnenanbeter nahm ab, als sie sich immer weiter von den Bars entfernten. Sie liefen durch das flache Wasser, um den glühend heißen Sand zu vermeiden. Sonny und Rosie jammerten schon und fragten, wann sie denn endlich da wären. Schließlich suchte Amy ein Fleckchen unter dem Fächer einer Palme aus. »Hier, das ist der perfekte Platz«, verkündete sie.

Verschwitzt und müde ließen sich alle in den Sand fallen.

Die Sonne war von einer mächtigen Kraft, machte aber zugleich fast süchtig. Stella spürte, wie sie ihr auf der Haut pulsierte, während sie ein Handtuch ausbreitete und die Eimer und Schaufeln danebenlegte, die sie für Rosie gekauft hatte. Die Kinder waren von oben bis unten mit Lichtschutzfaktor 50 eingeschmiert und leckten hektisch an ihren Eis am Stiel, die ihnen förmlich in den Händen zerliefen. Rosie und Amy hatten sich sofort für ein Twister entschieden. Gus war begeistert gewesen, einen Klassiker aus den Achtzigerjahren wiederzuentdecken, den Großen Fuß, von dem es jetzt eine Neuauflage gab. Dieses Eis hatte Sonny sich auch ausgesucht, weil er über den knallrosa Fuß hatte lachen müssen. Stella hatte hastig ein Wassereis heruntergeschlungen, nur um das abhaken zu können. In ihrem Gehirn herrschte immer noch Chaos, und das lenkte sie ab. Sie war nervös und gereizt, hätte am liebsten ihre Kleidung ausgezogen und litt unter der Hitze.

Als Rosie ihren Bruder verpflichtete, die größte Sandburg aller Zeiten zu bauen, stellte sich Stella mit dem Gesicht zum Wasser hin und verkündete: »Ich glaube, ich gehe schwimmen.«

Jack sah von seinem Solero auf. »Kann ich mitkommen?«

»Nein«, lehnte sie ab, zu rasch. Sofort kam sie sich gemein vor, doch gleichzeitig war sie geradezu scharf auf eine Auseinandersetzung, aber nicht sicher, aus welchem Grund.

»Okay, kein Problem.« Bei Jack klang das, als verstünde er sie ohne weitere Erklärung. Stella sah ihn an. Sie hatte sich eine andere Reaktion gewünscht, und das wusste sie auch.

Doch Jack lächelte bloß.

Stella fummelte mit einem Handtuch herum, um irgendwie in den billigen gelben Bikini zu kommen, den sie sich gerade im Souvenirladen gekauft hatte. Sie knotete die Spaghettiträger im Nacken zusammen und betete, die winzigen Dreiecke wären stark genug für ihren Busen.

»Sehr schön«, kommentierte Jack und unterdrückte ein Grinsen, als sie hinter dem Handtuch hervorkam.

Stella schaute an sich herunter, auf die winzigen gelben Stofffetzen, mit denen sie aussah wie ein Huhn. Solche Bikinis trug sie nie. Nur schlichte schwarze. Mit geschlossenen Augen schüttelte sie den Kopf, als sie Jacks Gelächter hörte. »Verpiss dich«, sagte sie.

Jack grinste bloß.

Langsam ging sie ins Wasser, fühlte sich rastlos und angespannt. Die Wellen schienen nach ihr zu schlagen, eine nach der anderen, ihr Boxhiebe zu versetzen. Das Salz brannte in den Augen. Ihr Rücken glühte von der Sonne.

Sie holte tief Atem. Plötzlich wusste sie, dass Jack gelacht hatte, weil er jetzt glücklicher war, nicht so gestresst, weniger übereilt in seinen Reaktionen.

Er vermochte die Dinge so zu sehen, wie sie waren. Er hatte seinen Kampf hinter sich. Darum beneidete ihn Stella. So wurde ihr klar, als sie mit dem Kopf voran in den beißend-eiskalten Atlantik tauchte, dass das, was da durch ihre Adern raste, ungenutztes Adrenalin war. Alles staute sich in ihrem Inneren auf, schäumte fast über, wollte verzweifelt entkommen. So wie damals vor einem Rennen, wenn sie nicht stillsitzen konnte, nicht schlafen, nicht essen. Wenn ihre Muskeln voller wilder Energie waren. Als sie nun durchs Wasser pflügte, legte sich das Gefühl der Rastlosigkeit dadurch allerdings in keiner Weise. Sie musste ihren Vater finden, begriff sie, als sie Wasser trat und zu der Gruppe am Strand zurückschaute. Sonst würde sie explodieren.

* * *

Gus schleppte einen weiteren Eimer Wasser heran, um Rosie beim Bau ihrer gigantischen Sandburg zu helfen. Jack und Sonny arbeiteten hart neben Rosie und gruben mit billigen Plastikschaufeln. Sie selbst blieb immer wieder stehen und brüllte Befehle.

Amy sog die ganze gelbe Fruchtspirale von ihrem Twister.

»Einfach widerlich«, kommentierte Gus und sah angewidert zu.

Amy lugte unter ihrem riesigen Hut hervor. »Ich weiß. Aber ich mag es.«

Gus schauderte. Seinen Großen Fuß hatte er längst verschlungen.

»Willst du mal probieren?«, fragte Amy, und sie forderte ihn mit Blicken heraus, während sie ihm das Twister hinhielt.

»Nicht, nachdem du es schon angeleckt hast. Auf keinen Fall.«

Unter ihnen hockte sich Rosie auf die Fersen. »Er hat Angst.«

Voller Unglauben führte Gus beide Hände an die Schläfen. »Warum tust du mir das nur an, Rosie?«

Rosie kicherte.

»Mach schon«, sagte Amy. »Außer du hast wirklich Angst. Ich meine, es ist ja bloß ein Eis am Stiel.«

»Jetzt fall mir nicht so auf die Nerven«, sagte Gus seufzend, riss ihr das Twister aus der Hand und biss ein großes Stück ab. »Igitt!« Er tat, als müsste er sich gleich übergeben. »Das ist einfach absolut widerlich.«

Amy schüttelte den Kopf. »Du tust doch nur so.«

Gus biss noch einmal in das Eis. »Stimmt, eigentlich gar nicht so schlecht.«

Amy nahm ihm das Twister wieder weg und verkniff sich ein Lächeln.

»Gus, wir brauchen Muscheln für die Dekoration!«, kommandierte Rosie.

Gus schüttelte den Kopf. »Als Chefin bist du unerträglich, Rosie.« Er schaute den Strand hinunter und schirmte die Augen mit einer Hand ab. Dann fragte er Amy nach einer kurzen Stille: »Willst du ... willst du mitkommen?«

Amy hielt im Lecken inne und schaute den Strand entlang zu der Stelle, auf die er deutete. »Gut«, stimmte sie zu und fühlte sich auf seltsame Weise geschmeichelt, weil er gefragt hatte.

Gus nickte. Ganz offensichtlich hatte er halb mit einer Zurückweisung gerechnet und war nun erfreut darüber, dass diese nicht erfolgt war.

Amy griff nach einer der Wasserflaschen, die sie gekauft hatten. Gus nahm sie ihr ab und warf sie in den Eimer, dann gingen sie auf Zehenspitzen über den knallheißen Sand und fluchten, bis sie die barmherzig kühle Uferlinie erreichten, wo der dunkle Sand das unregelmäßige Muster der Wellen trug.

Mit gesenkten Köpfen liefen beide an der Wasserlinie entlang und suchten die angespülten Algen nach Muscheln ab. Es gab vor allem Kiefernzapfen und Stücke verbrannten Holzes, Flaschendeckel und sogar einen alten Schuh. Aber alle paar Schritte lagen auch Muschelschalen am Wasser. Gus bückte sich, um eine aufzuheben. Es war eine Scheidenmuschel, und er hielt sie sich über den Finger wie einen künstlichen Nagel. »Stell dir mal vor, deine Fingernägel sähen so aus«, sagte er.

Amy schaute sich das Teil an. »Damit wäre Telefonieren ein einziger Albtraum«, kommentierte sie.

Gus musste lachen, und es wirkte, als würde ihn das überraschen. Danach warf er seinen Fund in den Eimer.

Auch Amy hob ein paar Muscheln auf.

Schweigend gingen sie weiter, das einzige hörbare Geräusch waren die rasselnden Muscheln im Plastikbehälter.

Dann rief Gus plötzlich: »Pass auf!« Er stieß Amy von einer riesigen wabbeligen Qualle weg, die an den Strand gespült worden war.

»Igitt«, sagte Amy, als sie das Tier inspizierten. Gus stupste es mit einer der länglichen Muscheln an, und der Gallertkörper zitterte.

Sie liefen weiter. Über ihnen zogen Möwen ihre Kreise. Die Sonne brannte unbarmherzig auf sie herab. Gus schraubte die Wasserflasche auf, gab sie zuerst Amy, bevor er selbst trank.

»Wusstest du eigentlich, dass man glaubt, Windparks, Bohrinseln und solche Installationen bieten die beste Oberfläche für Quallen? Deswegen gibt es auch so viele.«

Amy schüttelte den Kopf. »Das wusste ich nicht.«

Gus nickte. »Habe ich in einer Doku gesehen.«

»Siehst du dir so was gern an?«

»Ja«, gab er zurück. »Manchmal Naturfilme. Aber vor allem so deprimierende mit Untertiteln.«

Amy musste lachen »Du schaust sie dir also nur wegen der Untertitel an?«

»Meistens schon. Das gehört zu meinen wichtigsten Kriterien«, erklärte er, zog den Fuß durch die Brandung und lächelte, als könnte er einen Sieg verbuchen, weil sie gelacht hatte. »Und je länger und deprimierender, desto besser. Was magst du denn so?«

»Ich glaube nicht, dass du das interessant findest«, meinte sie. »Ziemlich viel auf YouTube, diese ganzen Make-up-Tutorials.«

»Du hast recht. Das würde mir echt nicht gefallen.«

Amy nahm ihren Sonnenhut ab, strich sich das Haar glatt und setzte dann den Hut wieder auf. »Manchmal stelle ich beim Fernsehen auch die Untertitel an, wenn ich keine Lust zum Zuhören habe.«

»Wirklich?« Gus sah sie an, da er wissen wollte, ob sie das ernst meinte.

»Ja.« Amy nickte lächelnd. »Lesen ist viel leichter als Zuhören.«

»So was Albernes habe ich noch nie gehört.«

Amy zuckte die Schultern, als wäre es ihr egal, und beugte sich dann nach vorn, um eine kleine weiße Muschel für Rosies Sammlung aufzuheben.

Sie liefen noch ein Stück weiter. Noch mehr längliche Muscheln landeten im Eimer. Kurz verzog sich die Sonne hinter eine Wolke. Amy blieb stehen, dankbar für den Schatten. »Kann ich bitte noch mal das Wasser haben?«

»Natürlich«, erwiderte er und reichte ihr die Flasche.

Sie spürte, dass er ihr zusah, während sie trank. Sie schluckte, hielt inne und schaute ihn an. »Warum guckst du mich so an?«

Er biss sich auf die Unterlippe. Überlegte kurz, ob er sagen sollte, was ihm auf der Zunge lag, oder nicht. Dann fuhr er fort: »Ich habe dich neulich gehört, weißt du. Als du mit Stella auf dem Dachboden warst.«

Amy runzelte die Stirn und nahm noch einen Schluck Wasser, weil sie Zeit brauchte, um darüber nachzudenken, worüber Stella und sie da eigentlich gesprochen hatten. Als es ihr wieder einfiel, verschluckte sie sich und spuckte Wasser in den Sand.

Gus schlug ihr ein paarmal auf den Rücken. »Entschuldige, das wollte ich nicht.«

Innerlich ging Amy voller Panik die ganze Unterhaltung auf dem Dachboden durch. Seine große Nase. Den witzigen Sex. Sie spürte, wie sie errötete. Bobby. Die Schuldgefühle. Sie stellte sich aufrecht hin und wischte sich mit dem Handrücken den Mund ab. »Wie denn?«, wollte sie wissen. »Du warst doch mit Sonny unten.«

Gus setzte seine Sonnenbrille auf und strich das Haar zurück. »Aber dann hat mich Rosie verkleidet, und das Zimmer war genau unter dem Dachbodenfenster. Und ich höre wirklich sehr gut. Das ist eine komische Eigenschaft von mir. Wirklich gut, weißt du. Seltsamerweise hat mein Vater einen übermäßig gut entwickelten Geruchssinn. Wir sind Superhelden, was die fünf Sinne betrifft.«

Gus nahm ihr die Flasche ab und nahm einen Schluck, dann schraubte er den Deckel zu, steckte die Flasche zurück in den Eimer und ging weiter.

Amy wäre fast gestorben vor Verlegenheit, rannte ihm im Laufschritt nach und tat so, als würde sie sich auf die Muschelsplitter konzentrieren.

»Diese ganzen Schuldgefühle, die du hast. Das ist Wahnsinn, das weißt du doch, oder?«, fragte Gus und hielt den Blick auf den Strand vor sich gerichtet.

»Wie bitte?« Amy runzelte die Stirn.

»Du gehst davon aus, dass er dir zuschaut. Dein Mann. Aber das tut er nicht.« Gus wandte sich ihr zu. »Daran zu glauben, dass er das tut, soll einen nur trösten.«

Amy wirkte schockiert. »Ich will nicht darüber reden.«

»Warum denn nicht?«

»Darum.«

»Warum, darum?«

»Weil es dich nichts angeht.«

»Ich finde, es geht mich sehr wohl etwas an. Und außer mir sagt es dir ja niemand.«

Amy hob beleidigt eine Muschel auf. »Okay, du hast es ja jetzt gesagt. Wunderbar.«

»Ich will dich damit nicht traurig machen«, erklärte Gus. »Ich will dich von etwas befreien.«

»Es fühlt sich aber nicht an wie eine Befreiung«, fuhr ihn Amy an. »Es ist einfach bloß eine Gemeinheit.«

»Im Ernst?« Gus konnte es kaum glauben. »Du empfindest das nicht als befreiend? Den Gedanken, dass es da niemanden gibt, der dir zusieht? Dass er dich nicht sehen kann? Dass nicht jede deiner Bewegungen beobachtet und beurteilt wird? Ich bitte dich!« Gus lief weiter. »Und gemein ist das nicht. Es ist die Realität.«

»Nun klingst du wie eine deiner Dokumentationen.«

»Ach, glaub mir …« Gus schüttelte den Kopf. »… die sind noch bedeutend schlimmer.«

Amy stürmte vorneweg, um ein wenig Abstand zwischen ihnen zu schaffen. Als sie wusste, er würde sie nicht einzuholen versuchen, wurde sie langsamer. Sie spielte mit der länglichen Muschel in ihrer Hand, fuhr mit dem Finger daran entlang, bis zu dem Punkt, wo sich die zwei Hälften trafen. Starrte die Muschel an, dachte an Bobby. Dann versuchte sie sich vorzustellen, dass da gar nichts war.

Vor lauter Angst zitterte sie am ganzen Körper.

In der Vorstellung, dass Bobby sie immer noch sehen konnte, lag ein gewisser Trost. Als wäre ihr Leben eine riesige Instagram-Story, die er sich anschauen und beurteilen konnte, oder wie diese Shows im Fernsehen.

Ohne diese Gewissheit fühlte sich das Leben vor ihr an wie ein Furcht einflößender Pfad. Kein Augenpaar, das sie bei jedem Schritt begleitete, auf sie aufpasste.

Amy warf die Muschel weg, die von der Brandung ein Stück mitgetragen wurde und dann wieder in den feuchten Sand rollte.

Amy dachte an das Baby. Legte sich eine Hand auf den Bauch. Sie erinnerte sich an das Gefühl in der Garage, das Gefühl, Bobby hätte das Ganze missbilligt. Sie wusste noch, dass sie in diesem Moment gedacht hatte, sie müsste sich verteidigen, um das Baby zu schützen. Aber was, wenn Bobby überhaupt nicht wütend war? Was, wenn er nichts von alldem hier sehen konnte? Völlig verwirrt schaute sie auf den Sand.

Ein ganz großer Teil von ihr glaubte daran, dass er ihr zusah. Und was, wenn nicht? Blinzelnd blickte sie in die Sonne, wieder mit einer Hand auf dem Bauch, und plötzlich spürte sie, wie eine winzig kleine flatternde Aufregung sie überkam. Darüber, dass es im Himmel vielleicht keine sie beobachtenden Augen gab. Dass sie ihr Baby bekommen würde. Ihr süßes kleines Baby. Das Baby, das sie sich seit Jahren wünschte. Und es war in Ordnung, sich darüber zu freuen. Es fühlte sich an, als würden die Wolken aufbrechen und ein Stück blauen Himmel freigeben.

Sie hörte, wie sich Gus' Schritte von hinten näherten, und eine Minute später war er vor ihr und lief rückwärts, hatte ihr das Gesicht zugewandt, und seine Füße platschten durch das flache Wasser. »Okay, zugegeben, es war ein bisschen gemein. Ich hätte es anders formulieren können.«

Amy nickte. »Stimmt.«

»Gut, hör mir einfach eine Minute zu. Nehmen wir an, er ist da oben ...« Beide schauten sie auf das unendliche Blau über sich. »Glaubst du echt, er verbringt seine Zeit damit,

dir zuzusehen? Wirklich? Meinst du nicht, es ist wahrschein-
licher, dass er sich mit Picasso unterhält? Oder mit Heinrich
VIII.? Oder ...« Gus machte eine weit ausladende Geste. –
»... oder mit dem Surfer, den Patrick Swayze in *Gefährliche
Brandung* spielt. Oder gleich mit Patrick Swayze selbst.«

»Ich glaube nicht, dass er sich mit Patrick Swayze unterhalten würde.«

»Nicht? Ein paar *Dirty Dancing*-Tipps schaden doch aber
nie, oder?«

Amy hob den Kopf, und um ihre Augen bildeten sich
Fältchen, als sie das Lachen zu unterdrücken versuchte,
weil das Ganze ja eigentlich sehr geschmacklos war.

Neben ihr lief Gus jetzt im selben Tempo wie sie. Grinsend strich er sich das Haar zurück. »Mit wem würdest du
dich denn unterhalten?«

»Ich habe keine Ahnung, Gus!«

»Ich würde mich auf die Suche nach Anne Haddy machen. Du weißt schon, das ist die aus der australischen Soap
damals? Aus *Neighbours*? Die hatte immer so gute Ratschläge.«

»Du redest einen solchen Blödsinn.«

Gus lachte. Die Wellen schwappten ihnen weiter über
die Zehen. Das Strandgut verwandelte sich von länglichen
Muscheln in dunkle Steine. Einige Flugzeuge zogen Kondensstreifen über den Himmel.

Während sie so durch den Sand lief, wurde Amy bewusst,
dass es gar nicht wirklich darum ging, ob Bobby ihr zusah
oder nicht. Der Punkt war, dass sie den Gedanken nicht los-
wurde, es ginge ihm nicht gut. Dass sie sich in der sicheren
Vergangenheit versteckte. In einer Vergangenheit und in

einer Rolle, die sie beherrscht hatte. Eigentlich ging es darum, den Mut zu finden, erhobenen Hauptes durchs Leben zu gehen, mit geöffneten, nach vorn gerichteten Augen, mitten ins Ungewisse hinein. Und wenn er denn dort oben war, gut, dann konnte Bobby gern alles mitverfolgen, wenn ihm das gefiel, aber eher als Zuschauer am Rand als in einer Funktion als jemand, der sie durchs Leben leitete.

Amy und Gus spazierten Seite an Seite weiter. Immer wieder sahen sie Leute, die in der Sonne brieten. Gestreifte Sonnenschirme wackelten, wenn ein wenig Wind aufkam. Vor ihnen rannte ein Kind mit einem kleinen Schlauchboot in der Brandung herum. Das Geräusch der Wellen lullte einen mit beinahe hypnotischer Kraft ein. Gus seufzte zufrieden und meinte dann: »Du weißt vielleicht, dass eine große Nase gar nicht selten als Hauptmerkmal der Weisheit und der Männlichkeit angesehen wird.«

Amy bedeckte ihr Gesicht, krümmte sich innerlich vor Verlegenheit, wenn sie daran dachte, was sie zu ihrer Schwester gesagt hatte. Gus wandte sich zu ihr um und zwinkerte ihr zu. Mit seiner Sonnenbrille und seinem marineblauen T-Shirt sah er eigentlich sogar ziemlich cool aus.

Bevor sie zu einer neuen Entschuldigung ansetzen konnte, spürte sie etwas Weiches, Schwabbeliges unter ihrem Fuß, und dann schoss ein heißer, brennender Schmerz ihr Bein hoch. »Hilfe, oh Gott!«, schrie sie. »Ich bin auf eine Qualle getreten. Oh Gott, Gus. Es tut so schrecklich weh. Oh mein Gott!« Amy brach im Sand zusammen und umklammerte ihren Fuß. Auf ihrer Haut bildeten sich bereits rote Quaddeln. Ihr Gesicht war schmerzverzerrt.

Wie angewurzelt blieb Gus stehen. Die Augen hatte er

weit aufgerissen. »Nicht so schlimm«, sagte er, fast murmelte er es. »Nicht so schlimm«, wiederholte er. Dann rief er »Scheiße!«, riss sich das Haar zurück und schaute sich um, ob ihnen jemand zu Hilfe kommen würde.

»Gus, es tut wirklich schrecklich weh.« Amy weinte. »Was wird jetzt mit dem Baby?«

Gus hockte sich neben sie in den Sand und nahm ihre Hand. »Ich bin sicher, dem Baby wird nichts passieren. Ich weiß es nicht.« Er sah sich die durchsichtige, in der Sonne glänzende Qualle an. »Scheiße, die ist ja riesengroß. Okay. Wir müssen nachdenken. Wir müssen dich ins Krankenhaus bringen.«

»Ich kann nicht laufen.«

Gus schob ihr einen Arm unter die Knie und legte ihr den anderen in den Rücken, versuchte sie hochzuheben. »Nein, das schaffe ich nicht, du bist einfach zu schwer«, sagte er und ließ Amy wieder ins flache Wasser fallen.

»So schwer bin ich doch gar nicht!«, schrie sie.

»Doch, das bist du! Du bist richtig extrem schwer!«

»Oh mein Gott, Gus. Mach doch was. Es tut so schrecklich weh. Ich glaube, mein Bein schwillt schon an.«

Gus sah auf Amys Bein herunter, und das war wirklich inzwischen angeschwollen. Ihren Knöchel konnte man bereits nicht mehr erkennen. »Mach dir keine Sorgen, so schlimm ist es gar nicht«, meinte er und versuchte seine Panik zu verbergen, als er sich suchend umsah. »Ha!«, rief er beim Anblick des Kindes mit dem Schlauchboot, das stehen geblieben war, und schaute, warum es da Lärm gab. »Ich brauche dein Boot«, schrie ihm Gus zu, dann rannte er los und riss dem Kind, das sofort zu weinen anfing, das

Seil aus der Hand. Die Eltern des Jungen, die ein Stück weiter weg in der Sonne lagen, sahen auf und fingen an zu schreien, Gus sprintete allerdings mit dem kleinen Boot bereits wieder zu Amy zurück.

»Was hast du denn damit vor?«, rief sie.

»Dich ziehen!«, erwiderte er außer Atem und voller Panik. »Dich durch den Sand ziehen!«

»Das klappt doch nie.«

Aber Gus hievte Amy hoch und ließ sie danach in die Mitte des Gummibootes sinken. »Festhalten!«, schrie er, dann nahm er das Seil und zog. Das Boot bewegte sich etwa einen halben Meter. Verzweifelt ließ Gus die Schultern hängen. Doch das Wasser kam heran, und das Boot hob sich etwa zweieinhalb Zentimeter vom Sand, sodass sie sich plötzlich in Bewegung setzten.

»Scheiße, Gus!«, schrie Amy und klammerte sich mit beiden Händen an den Plastikgriffen fest, während er sie weiter nach draußen zog, sodass sich das Boot bedenklich nach einer Seite neigte.

»Schon gut! Ich passe auf. Mach dir keine Sorgen«, schrie er, ohne sich überhaupt umzudrehen. Den Blick hatte er auf die riesige Sandburg gerichtet, die da in der Ferne entstand.

»Gus, das ist doch superweit.«

Die Wellen zogen sich zurück, und das Boot landete unsanft auf dem nassen Sand. Das Seil spannte sich an. Das Spielzeugboot war nicht dafür gedacht, einen Erwachsenen zu tragen.

»Ich schaffe das schon«, keuchte Gus. »Ich habe schließlich mal auf einer Farm gearbeitet.«

Fast musste Amy trotz der großen Schmerzen lachen. »Wie lange ist das denn bereits her?«

»Eine sehr, sehr lange Zeit.« Gus zog an dem Schlauchboot, und die Sonne verbrannte ihm die Haut. Plötzlich riss das Seil. Das Boot blieb stehen. »Scheiße. Scheiße. Stella!« Gus schrie den Namen, als er mit beiden Armen den vorderen Teil des Bootes umschloss und weiterzuziehen versuchte.

»Das klappt doch auf keinen Fall.« Amy schüttelte den Kopf. »Bitte beeile dich. Mach was — es tut so weh. Oh mein Gott.«

»Warum sind deine Leute nicht die mit dem Supergehör? *Ich* würde sie bestimmt hören«, murmelte Gus vor sich hin. Er schwankte. Murmelte weiter. Krümmte den Rücken. »Du liebe Zeit. Ich muss mich irgendwie ablenken.«

»Wenn sich hier jemand ablenken muss, dann ja wohl ich. Mein Bein wird gerade mit glühenden Eisen bearbeitet.« Amy hielt die Schmerzen kaum aus. »Was wird nur aus dem Baby?«

»Das Baby.« Gus nickte. »Lass uns über das Baby reden. Das wird uns ablenken.« In dem Moment, als er das sagte, als er begriff, dass das Baby vielleicht durch den Quallenunfall in Gefahr geraten war, wurde ihm plötzlich mit voller Wucht klar, dass das Baby wirklich existierte. Es *gab* da ein Baby. *Sein* Baby. Ein Baby würde geboren werden. Ein Kind, das er am Wochenende auf Ausflüge mitnehmen würde, und vielleicht würde es auch manchmal unter der Woche bei ihm schlafen und er würde es am nächsten Morgen zur Schule bringen. Er würde Lunchboxen packen und Fischstäbchen braten. Gus liebte Fischstäbchen. Sie schmeckten auf so tröstliche Weise nach der Zeit nach der Schule, und am besten schmeckten sie mit Ketchup und Erbsen. Für ihn waren Fischstäbchen gleichbedeutend mit Familie. Mit Hektik und Chaos und sechs Kindern und zwei Eltern und drei Hunden und Lämmern in der Küche und Katzen, Wäschebergen. Damit, dass niemand pünktlich schlafen ging und alle ständig in sein Zimmer gerannt kamen. Nie gab es genug warmes Wasser, wenn man duschte, und endlose Fernsehsendungen, die er eigentlich gar nicht sehen wollte, und er musste die Handlung jedes Films, *den* er sehen wollte, immer wieder erklären, und ständig stürzten sich alle auf die Kekse, und man musste im Morgengrauen zur Heuernte aus dem Bett, obwohl man doch einfach nur ruhig dasitzen und ein Buch lesen wollte. Ein Leben, das er geliebt hatte, jedoch um keinen Preis später noch einmal führen wollte. Diese ganze selbstlose Knochenarbeit kostete einen mehr, als sie einbrachte.

Aber das hier, das wäre bloß ein einziges Baby. Er hatte sich *einen* von diesen kleinen Hosenscheißern an Land gezogen, nicht sechs. Nur einen. Einen kleinen Herzschlag. Ein Kind, dem er Witze erzählen, das er zum Lachen bringen konnte. Eines, das vielleicht gern mit Lego spielen würde. Oder Comics lesen. Eines, das die Filme verstand, die er liebte. Eines, dem er den Plot gern erklären würde, weil es zur Hälfte er selbst war. Nur eines. Und es wäre seins.

Plötzlich sah er sich selbst als Jungen vor sich, wie er bei Sonnenaufgang nach der Heuernte vor Erschöpfung kaum den Kopf gerade halten konnte, als er auf dem Traktor saß. Dann hatte ihn sein Vater über die Schulter geworfen und ins Bett getragen. Er erinnerte sich daran, wie sein Dad ihm die Schuhe von den Füßen zog, ihn zudeckte, wie er dann in Kleidungsstücken, die nach Heu und Schweiß rochen, im Bett lag. Wie sein Dad ihm das schulterlange, so unpraktische Haar aus dem Gesicht strich und ihm einen Kuss auf die Stirn gab. »Du bist ein komischer Kerl, aber ein ganz fantastisches Kind, Gus.«

Fast wären Gus bei dem Gedanken, bald ein eigenes kleines Kind zu haben, die Tränen gekommen. Er stellte fest, dass er plötzlich kaum atmen konnte, und das hatte nichts damit zu tun, dass er gerade Amys ganzes Gewicht durch die Gegend zerrte. »Ach nein«, brachte er schließlich heraus, »lass uns an etwas anderes denken. Was gibt es denn da noch?« Er warf einen Blick über die Schulter zurück, um zu sehen, wohin er ging. »Stella! Jack! Sonny!«, schrie er, und dabei spannte er all seine Muskeln an.

»Vielleicht ist ja Rosie diejenige mit dem Supergehör«, meinte Amy, die mit einer Hand ihr verletztes Bein und mit der anderen das Boot umklammerte.

»Rosie!«, brüllte Gus. »Oh mein Gott, ja, sie schaut in unsere Richtung.« Gus ließ das Boot mit einer Hand los und winkte hektisch. Er sah, dass Rosie dastand und in ihre Richtung blickte, dann schlug sie ihrem Vater auf den Arm. Jack sprang auf. »Gott sei Dank!« Fast wäre Gus in Tränen ausgebrochen. »Jack kann dich viel besser ziehen als ich.«

»Jetzt nicht nachlassen, Gus!«, feuerte ihn Amy an. »Schließlich hast du mal auf einer Farm gearbeitet.«

Vor ihnen schrie Jack Stella etwas zu, die so schnell sie

konnte schwamm, um ans Ufer zu kommen. Sonny und Rosie stürmten auf sie zu, danach folgte ihnen Jack. Alle rannten sehr schnell.

Amy weinte. Sie umklammerte ihr Bein. Gus glaubte, der Rücken müsste ihm durchbrechen. Er wischte sich den Schweiß von der Stirn, während er zog. »Denk an die Heuernte«, murmelte er, »an die Heuernte. Das war echt harte Arbeit. Härtere als das hier. Denk an die Heuernte.«

»Das Baby, Gus.«

»Ich habe das Baby nicht vergessen.« Nun geriet Gus wirklich in Panik. Er durfte einfach nicht versagen. Seine Beinmuskeln brannten. *Rette das Baby. Rette das Baby.*

Und dann erschien plötzlich Jack neben ihnen, hob Amy wie ein Held aus dem kleinen Boot und nahm sie auf seine Arme. »Was ist denn passiert?«

»Da war eine Qualle«, stieß Gus mit Mühe hervor, versuchte zu Atem zu kommen und dabei nicht im Sand zusammenzubrechen.

»Was denn für eine?«

»Ein riesengroßes Teil.«

»Welche Farbe hatte sie?«

»Durchsichtig, mit so braunen Adern.«

Und dann war Stella bei ihnen, völlig außer Atem und mit geröteten Wangen. »Sollen wir vielleicht draufpinkeln oder so?«

»Nein.« Jack, der Amy ganz mühelos trug, schüttelte den Kopf. »Wir müssen überprüfen, dass keine Tentakel am Bein haften geblieben sind.« Stella untersuchte Amys Haut und schüttelte den Kopf. »Wir müssen das Bein warmhalten, gegen die Schmerzen, und dann müssen wir Amy zum

Arzt bringen, nur zur Sicherheit.« Rasch bewegte sich Jack auf den Parkplatz zu. »Sonny, lauf los und schau, ob du irgendwo ein warmes Handtuch oder so etwas organisieren kannst.«

»Mache ich.« Sonny rannte in Richtung der Strandbar.

Stella war ebenfalls losgerannt, mit Rosie an der Hand. »Wir suchen jetzt unsere Sachen zusammen, und danach treffen wir uns am Auto.«

»Was wird mit dem Baby?«, keuchte Gus, der immer noch nach Atem rang.

Jack lief mit gestrecktem Rücken, und er war die Ruhe selbst. »Ich glaube, da ist alles gut.«

»Woher willst du das wissen?«

Mit einem Lächeln sah ihn Jack an. »Weil ich eine ganze Menge nutzloser und zugleich nützlicher Informationen in meinem Kopf abgespeichert habe.«

32. Kapitel

Der Arzt im Krankenhaus fand das Ganze lächerlich. Bis sie dort ankamen, hatte sich die Schwellung an Amys Bein bereits zurückgebildet, und mit dem von Sonny organisierten heißen Geschirrtuch hatten sie auch den schlimmsten Schmerz in Schach gehalten. Als sie endlich an der Reihe waren, musste Gus Amy beistehen, indem er beschrieb, wie schlimm es gewesen war, und mit übertriebenen Gesten anzeigte, wie dick Amys Bein angeschwollen war. Unbeeindruckt begutachtete der Arzt das nun fast auf Normalgröße reduzierte Bein und speiste Amy mit einer Salbe für die roten Quaddeln ab.

Amy fühlte sich schon wieder so gut, dass sie sogar darauf bestand, auf dem Heimweg am Schwimmbad anzuhalten, um herauszufinden, ob sich ihr Vater vielleicht dort sehen lassen würde. Das tat er allerdings nicht.

»So, ich denke, das war genug Drama für heute«, meinte Jack, als sie vor den Hütten hielten, damit Amy nicht so weit zu laufen brauchte. Er blieb auf dem Beifahrersitz, weil das Auto den Weg blockierte, und machte sich für ein Wendemanöver bereit, da sie gleich noch losfahren und einen Supermarkt suchen wollten.

Gus und Stella halfen Amy aus dem Auto, obwohl sie wahrscheinlich auch allein hätte laufen können. Sonny folgte der Gruppe. Rosie blieb im Auto.

Ein Wohnmobil hielt hinter ihnen. Jack beugte sich nach draußen. »Sorry, ich fahre sofort zur Seite.«

Über ihnen rauschten die Eukalyptusbäume wie Wellen im Wind.

Das Wohnmobil fuhr an ihnen vorbei. »Hallo«, rief eine Stimme aus dem geöffneten Fenster.

Stella schaute genau hin und stellte fest, dass da gerade Mitch in seinem alten senffarbenen VW Westfalia T3 vorbeifuhr.

Stella nahm ihre Sonnenbrille ab und starrte ihm nach. »Mitch? Das kann ja wohl nicht wahr sein!«

Amy stand mit offenem Mund da.

»Die lässt nichts anbrennen, eure Mutter, nicht wahr?«, kommentierte Gus, der den Arm um Amys Taille geschlungen hatte. Sie umklammerte seine Schulter.

»Deswegen wollte sie also ihre eigene Jurte.« Stella schüttelte den Kopf. »Ich kann gar nicht glauben, dass er hier ist«, fügte sie hinzu und stützte ihre Schwester auf deren freier Seite.

»Ich glaube, Mum hat gerade eine Midlife-Crisis«, meinte Amy.

»Wunderbar, dann bleibt sie euch erhalten, bis sie hundertdreißig ist«, erwiderte Gus.

»Der Himmel steh uns bei«, sagte Stella seufzend.

Sie setzten Amy auf einen Liegestuhl auf der Veranda, dann schleppten sie einen kleinen Holztisch heran, auf dem Amy ihren Fuß ablegen konnte. Gus schob ein zusammengefaltetes Handtuch unter ihren Knöchel.

»Bequem so?«, erkundigte sich Stella.

Amy nickte. »Wunderbar, vielen Dank.«

»Gut, dann lassen wir dich jetzt allein«, verkündete Stella und lief die Stufen hinunter. »Los, Sonny, zum Auto.«

»Kann ich nicht lieber hierbleiben?«, fragte ihr Sohn von seinem Sitzplatz auf der angrenzenden Veranda aus, wo er sich mit seinem Smartphone niedergelassen hatte.

»Nein«, gab seine Mutter zurück. »Dann hängst du doch bloß wieder die ganze Zeit am Handy. Komm schon, das wird interessant. Lauter neue Produkte.«

»Ach nööö.« Desinteressiert zuckte Sonny die Schultern.

»Nun komm schon«, rief Jack aus dem Auto, und sein Blick wirkte fast flehentlich.

Die Holzhütten schienen Hitze abzugeben, die Sonne flimmerte auf den Dächern, die Krähe, die auf einem nahe gelegenen Kiefernast stand, krächzte laut. Die Zikaden zirpten. All das verkörperte die steigende Anspannung.

»Ich will einfach nicht mitkommen, okay?«, schrie Sonny. »Ich will einfach ein bisschen allein sein.«

»Sonny! Du setzt dich jetzt sofort in dieses Auto.« Stella wurde laut. Man konnte ihre Erschöpfung hören, und den Stress, unter dem sie stand.

Genau in diesem Augenblick erschien Moira, frisch und fröhlich nach ihrer morgendlichen Yogastunde. Mit einem knallgrünen Smoothie in der Hand. »Was geht denn hier vor sich? Stella, du klingst genau wie dein Vater.«

Schweigend beobachteten Gus und Amy die Szene von der Veranda aus.

Die Krähe krächzte noch einmal.

Stella starrte völlig verblüfft ihre Mutter an. Danach schaute sie wieder zu Sonny hinüber. Und dann schluckte sie und starrte auf den Boden.

Niemand wusste genau, was nun zu tun war.

Moira nahm einen Schluck von ihrem Smoothie.

Gus beugte sich über das Balkongeländer und rief: »Wir haben ein Auge auf ihn, Stella.«

Und daraufhin sagte Stella: »Okay.« Sie nickte. »Danke euch.«

Drüben bei der Hütte schnellten Sonnys Augenbrauen in die Höhe. Ganz offensichtlich hatte er keinen Moment daran geglaubt, man würde ihm erlauben zu bleiben.

Jack lehnte sich in seine Richtung und öffnete die Tür auf der Fahrerseite. Er wollte schnell losfahren, bevor noch jemand seine Meinung änderte. »Benimm dich, Sonny!«, rief er.

Sonny, der an das Balkongeländer der Veranda gelehnt dastand, nickte, als wäre er jetzt auch bereit, einen Stepptanz hinzulegen, wenn das von ihm verlangt würde.

Das Auto wendete und fuhr davon. Stella sah aus dem offenen Fenster, und man konnte im Seitenspiegel erkennen, dass sie den Blick fest auf die Straße gerichtet hielt.

Moira ging zu Amy mit ihrem hochgelegten Bein hinüber und erkundigte sich: »Was ist denn mit dir passiert? Alles in Ordnung?«

»Nichts Schlimmes. Ich bin auf eine Qualle getreten, aber es wird schon besser. Warum ist denn Mitch hier?«

»Er gibt hier einen Kurs.«

»Das ist aber ein glücklicher Zufall.« Amy zog die Augenbrauen hoch.

Ihre Mutter stand mit den Händen in den Hüften vor ihr. »Ich weiß nicht, was du damit sagen willst, mein Liebes, aber zwischen Mitch und mir geht nichts Unrechtes vor sich. Immerhin bin ich noch mit deinem Vater verheiratet – ob mir das nun gefällt oder nicht.«

Amy gab einen verächtlichen Laut von sich.

»Ich mag Mitch, wir sind Freunde«, fuhr Moira unbeeindruckt fort. »Er sorgt dafür, dass ich mich selbst lieber mag – das kannst du vielleicht nur schwer glauben, aber das ist mir bereits sehr lange nicht mehr so gegangen.«

Amy seufzte, als würde ihre Mutter überreagieren. Dann sagte sie schmollend: »Na ja, ich wünsche mir eben einfach nur unsere alte Mutter zurück.«

Moira starrte sie an, voller Verblüffung darüber, dass ihre Tochter so etwas sagen konnte. »Nun, junge Dame, dieser Wunsch wird dich dann wohl eine ganze Weile beschäftigen«, erwiderte die, »denn diese Frau von früher wird nicht wiederkommen. Weil ich das bin. Ich bin eine eigenständige Person, Amy. Ein *Individuum*.« Sie schlug sich an die Brust. »Mein Name ist Moira. Und ich habe ein Anrecht darauf, glücklich zu werden.«

Amy verdrehte die Augen, als erlitte ihre Mutter gerade einen akuten Anfall yogainspirierter, überspannter Dramatik. »Schon gut, Mum. Beruhige dich.«

»Ich *will* mich aber nicht beruhigen. Eines Tages, liebe Amy, wirst du feststellen, dass ich nicht einfach jederzeit bereit bin, dir zur Seite zu stehen. Warte es ab, bis du dein Baby bekommst, dann wirst du das begreifen.«

Amy schnitt eine Grimasse, die wahrscheinlich »Rede du nur« bedeuten sollte.

Mit einem Schnaufen wandte sich Moira ab.

Die Zikaden zirpten.

Auf halbem Weg über das dürre Gras wandte sich Moira noch einmal um. »Und weißt du, da ist noch etwas.«

»Was denn?« Amy, die mit vor der Brust verschränkten Armen dasaß, spie die Frage förmlich aus.

»Ich *hasse* Emma-Bridgewater-Porzellan.«

Amy war völlig entsetzt. »Das stimmt doch aber gar nicht.«

»Doch, ich hasse es«, bekräftigte Moira. Anschließend schwieg sie kurz. »Oder nein, hassen wäre übertrieben. Ich will bloß kein einziges weiteres Stück von dem verdammten Ramsch haben«, erklärte sie, ehe sie weiterlief.

Als sich Amy umwandte, stellte sie fest, dass Gus sie beobachtete, und seinem spöttischen Gesichtsausdruck konnte sie entnehmen, dass er der Ansicht war, sie hätte sich wie ein Kind aufgeführt. »Sieh mich nicht so an. Du weißt doch überhaupt nicht, worum es da geht.«

»Ich weiß genug, um dir sagen zu können, dass du dich gerade danebenbenommen hast. Was soll deine Mutter eigentlich deiner Meinung nach mit ihrem Leben anfangen, Amy? Zu Hause bleiben und sich um dich kümmern?« Er verdrehte die Augen, als wäre ihm gerade klar geworden, dass sich Amy niemals ändern würde.

Amy schaute weg, über die trockene Sandlandschaft. Gekränkt kaute sie still an einem Fingernagel herum.

Gus stand auf und beugte sich über das Balkongeländer. »Alles in Ordnung bei dir, Sonny?«

»Ja!«, schrie Sonny zurück.

»Okay, gut.« Nach einem letzten Blick auf Amy verschwand Gus in ihrer gemeinsamen Hütte. Seine Enttäuschung umstrahlte ihn förmlich, wie die Hitze.

Als sich Amy gerade fragte, ob er überhaupt jemals wieder herauskommen würde, erschien er mit zwei Gläsern Wasser.

»Da«, sagte er und reichte ihr eines davon.

»Danke«, zischte sie.

Gus verzog keine Miene. Er saß da, das Glas in den Händen, die Ellbogen auf die Knie gestützt. »Weißt du, heute war es zum ersten Mal so, dass mir richtig klar geworden ist, wir bekommen ein Baby. Ich glaube, vorher war das für mich nur etwas, was vielleicht verschwindet, aber heute, als ich dachte, alles geht schief, ist mir klar geworden, dass es mir vielleicht sogar gefällt.«

Amy schmollte weiter.

Gus rieb sich mit der Hand übers Gesicht, schaute hinaus in die Sandlandschaft und dann hinüber zu Amy. »Ich hätte mir dieses Leben bestimmt nie freiwillig ausgesucht...«

»Das hast du nun oft genug deutlich zum Ausdruck gebracht, Gus«, giftete Amy.

Gus ging gar nicht darauf ein. »Aber jetzt hat es sich so ergeben. Und das ist mir auch klar. Heute habe ich gedacht, vielleicht wird es sogar ganz cool.« Er lehnte sich zurück, und sein Gesicht war ein wenig weicher geworden, als er ausatmete. »Es ist bloß so, Amy, wenn wir das durchziehen wollen, wenn wir dieses Kind großziehen, will ich das mit dir zusammen tun. Nicht mit deiner Mutter oder deiner Schwester. Ich akzeptiere, dass sie dich unterstützen, aber es wird unser Kind sein. Wir müssen es zusammen schaffen, nur habe ich Angst, dass du einfach die ganze Verantwortung abgibst, wenn es erst mal auf der Welt ist. Wenn ich dich ansehe, dann denke ich: ›Ihr Mann ist gestorben, sie ist umgezogen und lebt in London, und es sieht aus, als hätte sie einen ziemlich coolen Job.‹ Und ich bin eigentlich sehr beeindruckt von deiner Widerstandskraft. Du bist sogar ziemlich witzig. Und dann sind da die Momente – genau wie gerade eben mit deiner Mutter –, in denen ich dich ansehe und denke: ›Verdammte Scheiße, wer ist dieses Mädchen überhaupt? Hat sie das wirklich alles durchgemacht, oder denkt sie sich diese Geschichte bloß aus? Keine Ahnung, wie sie das geschafft haben sollte‹.«

Amy musste schlucken. So hatte noch nie in ihrem Leben jemand mit ihr geredet. Niemand hatte jemals in so deutlichen Worten sowohl ihre Leistungen als auch ihre Fehler zusammengefasst. Gus war in der Lage, dafür zu sorgen, dass sie sich unendlich für sich selbst schämte. Doch zugleich empfand sie zum ersten Mal den positiven Rausch, den seine Komplimente mit sich brachten. Die hatte sie sich mühsam erarbeitet, aber sie waren ganz ohne Zweifel ehrlich gemeint. »Du findest, ich besitze Widerstandskraft?«, fragte sie nach.

»Ja«, bestätigte er.

Amy dachte daran, was sie vorher besprochen hatten. An die Sache mit Bobby. An den Trost, den die Erinnerung an ihn ihr schenkte. Und sie wusste, sie hatte den Weg nicht mit Bobby weitergehen wollen, der ihr zusah – insgeheim hatte sie ihre Eltern dazu gezwungen, sie zu begleiten, hatte sich ihren Mut auf beschämende Weise bei ihnen geholt.

Amy holte tief Luft. »Ich weiß gar nicht, was ich jetzt sagen soll.«

Gus zuckte die Schultern. »Sag einfach, dass du es versuchen wirst.«

Amy dachte kurz nach und nickte dann. »Ich werde es versuchen. Ich verspreche, ich werde versuchen, es zu versuchen.«

Gus musste lachen. »Und entschuldige dich bei deiner Mutter.«

Amy schnitt eine Grimasse.

»Danach wirst du dich besser fühlen.«

»Eigentlich fühle ich mich ziemlich gut«, gab Amy zurück. Als er ihr daraufhin einen weiteren herablassenden Blick zuwarf, meinte sie: »Ich verstehe gar nicht, warum du mich ausgewählt hast, damals auf Tinder.«

»Habe ich auch nicht«, sagte Gus unumwunden. »Da haben sich meine Freunde einen Scherz erlaubt.«

»Oh.« Vor lauter Verlegenheit lief Amy rot an. Das war ein echter Schock für sie.

»Also, jetzt komm schon. Das wird dich ja wohl kaum verletzen. Warum hast *du* denn *mich* ausgewählt?« Gus zeigte auf sich selbst, auf sein Gesicht, seine Nase.

Doch Amy *war* verletzt. Niemals wäre ihr der Gedanke gekommen, Gus hätte sie gar nicht auswählen *wollen*. Hätte nicht verzweifelt versucht, außerhalb seiner eigenen Liga ein Date zu bekommen. Erst jetzt fragte sie sich, ob sie überhaupt in einer höheren Liga spielte. Er war witzig, genauso wie sie selbst gut aussehend war, und das zählte auch. Vielleicht war seine Liga ja in Wirklichkeit sogar höher als ihre? Amy stellte sich vor, wie er und seine bestimmt auf bösartige Weise geistreichen Freunde ihr Profilbild betrachteten und sich aus vollem Herzen darüber lustig machten. Vielleicht, und bei diesem Gedanken wand sie sich innerlich, war sie ja wirklich nicht in seiner Liga?

»Na?«, drängte Gus. »Warum hast du mich ausgewählt?«

»Ich weiß nicht«, gab Amy zurück, und sie war knallrot angelaufen. Dass sich alles so ins Gegenteil verkehrt hatte, hatte ihr den Boden unter den Füßen weggezogen.

»Doch, das weißt du ganz genau.«

Sie konnte ihn nicht ansehen. »Bei mir war es auch so«, gab sie zu. »Meine Freundinnen haben gemeint, du wärst dafür geeignet, dass ich mich in der Datingszene zurechtfinde.«

»Sozusagen zum Üben?«, präzisierte Gus.

Mit vor Verlegenheit verzerrtem Gesicht nickte Amy.

»Dann verstehe ich nicht, wieso es dich verletzt, dass meine Freunde das Tinder-Date arrangiert haben. Schließlich hast *du mich* benutzt.« Völlig perplex schüttelte Gus den Kopf.

Darauf wusste Amy keine Antwort. Außer vielleicht, dass sie es nicht gewohnt war, nicht überall als die Attraktivste zu gelten. Daran, dass man sie nicht sofort überall reinließ, weil sie so umwerfend aussah. »Wenn das über einen selbst gesagt wird, ist das etwas anderes«, meinte sie.

»Na ja, dann sind wir doch jetzt quitt«, witzelte Gus.

Amy brachte nur ein halbes Lächeln zustande. Sie nahm einen Schluck Wasser. Plötzlich fühlte sie sich in Gus' Gegenwart ein wenig verlegen und beobachtet. Als sie sich bewegte und das Handtuch unter ihrem Fuß wegrutschte und er es an seinen alten Platz zurücklegen wollte, wollte sie das nicht. Sie wollte nicht, dass er ihren widerlichen geschwollenen Fuß betrachtete.

Gus bekam davon überhaupt nichts mit. Er streckte sich aus und fragte: »Dann war Bobby wohl ein Typ wie Jack? So jemand, der einen über den ganzen Strand tragen kann?«

Amy nickte.

»Und das ist dein Typ«, fuhr Gus fort.

Sie schwieg einen Moment lang. »Das war immer mein Typ.«

Beide nippten an ihrem Wasser.

»Ich bin mir allerdings nicht ganz sicher, ob Bobby einem kleinen Jungen das Schlauchboot geklaut hätte.« Amy musste lächeln.

Gus lachte. »Nein, wahrscheinlich nicht. Ich gebe allerdings gerne zu, dass ich mir zuerst seinen Vater angeschaut habe – aber der war ja bloß ein halbes Hemd. Da wusste ich, ich kann es riskieren.«

Amy kicherte.

Gus verschränkte die Arme hinter dem Kopf. Er wirkte selbstzufrieden. »Sonny, bist du noch da?«, rief er.

»Ja.«

»Gut.« Dann wandte sich Gus Amy zu und sagte: »Ich habe an Algernon gedacht. Als Namen. Wenn es ein Junge wird.«

Amy zog die Augenbrauen hoch. »Du machst Witze, oder?«

Gus zuckte die Schultern, bemühte sich um einen neutralen Gesichtsausdruck, doch in seinen Augen blitzte die Andeutung eines Lächelns auf.

»Es ist aber sowieso egal«, verkündete Amy und warf ihr Haar zurück. »Ich nenne das Kind Apple. Das wollte ich schon tun, seit Gwyneth Paltrow ihr Kind Apple genannt hat. Ich liebe diesen Namen einfach.«

Gus musste schlucken. »Das mit Algernon war wirklich nur ein Witz. Bitte nenn das Kind nicht Apple.« Seine Stimme war vor Panik ganz laut geworden.

Amy grinste. »So ein Quatsch. Ich nenne doch mein Kind nicht nach einer Obstsorte, verdammt noch mal.«

Erleichtert atmete Gus aus. »Gott sei Dank.«

»Ich kann genauso witzig sein wie du, Gus«, kommentierte Amy. »Wenn ich will.«

Gus gab ein kurzes Grunzen von sich, als wäre das sehr unwahrscheinlich. »Wenn du meinst.«

»Ja, das meine ich«, gab Amy voller Entschiedenheit zurück, schüttelte ihr Haar, hob das Kind leicht an und empfand ein großes Glücksgefühl, als hätte sie das Gleichgewicht zwischen ihnen wiederhergestellt und als wäre sie nach einer kurzen Selbstbewusstseinskrise wieder zur Normalität zurückgekehrt.

33. Kapitel

Am Nachmittag kamen Wolken landeinwärts, trieben wie eine träge Decke über der tiefroten Sonne, und der Himmel nahm ein farbiges Marmormuster an.

Jack hatte Stella bei den Hütten abgesetzt und war mit Rosie zu einem nahe gelegenen Spielplatz mit Skatepark gefahren, den sie auf der Rückfahrt entdeckt hatten. Amy hielt ein Nickerchen. Sonny saß mit seinem Handy am Picknicktisch. Gus half Stella dabei, die Einkäufe auszupacken und zu verstauen. In der Ferne saßen Moira, Mitch und Vasco im Schneidersitz auf der Yogaplattform und meditierten mit den Gesichtern in Richtung Meer.

»Hat sich Sonny gut benommen?«, wollte Stella wissen, während sie Brot und ein paar Bananen aus einer Einkaufstüte holte.

»Überhaupt kein Problem«, gab Gus zurück und stellte die Milch in den Kühlschrank. Er zögerte ein wenig, weil Stella ganz offensichtlich noch sehr angespannt war. »Wirklich überhaupt kein Problem.«

Rote und weiße Plastiktüten bedeckten fast den gesamten Fußboden des kleinen Raumes. Da sie zu zweit in der Küche waren, gab es kaum genug Platz, den Kühlschrank zu öffnen.

»Es war so dumm von ihm, nicht mitzukommen.« Stella schüttelte den Kopf. »Der Supermarkt war wirklich cool.

Und auf der Rückfahrt haben wir angehalten und Eis gegessen.«

Gus, der gerade ein paar Joghurts in der Hand hatte, hielt in der Bewegung inne. Er konnte sehr gut verstehen, dass man lieber zu Hause blieb und Computerspiele spielte, als in einen Supermarkt zu fahren. Wenn er könnte, würde er selbst den ganzen Tag mit seinem Smartphone auf der Couch sitzen. »Stella, du weißt aber schon, dass Sonny dabei ganz viel Spaß hat?«

Stella sah von der Tüte auf, in der sie gerade wühlte. »Wobei? Bei diesen Spielen?«, fragte sie zurück, und ihrem Ton war anzumerken, dass sie das lächerlich fand.

»Ja«, ließ sich Gus nicht von seiner Mission abbringen. Er stellte die Joghurts in den Kühlschrank und wollte gerade die Tür schließen, als ihm Stella ein Stück Käse reichte. »Hättest du genauso ein Problem damit, wenn er Sport treiben oder Schach spielen würde?«

»Was?« Stella gab Pfirsiche in eine Schale. »Nein.« Kurz dachten sie über Gus' Worte nach. »Nein, weil das ...« Sie suchte nach den richtigen Worten.

Gus stand mit vor der Brust verschränkten Armen da und wartete.

»... weil das richtige Hobbys sind«, beendete Stella ihren Satz. »Beim Sport wäre Sonny draußen an der frischen Luft.«

»Das war er heute auch.« Gus zeigte auf die Veranda hinaus.

Stella verzog das Gesicht, als würde ihr Gus gerade das Wort im Mund herumdrehen.

Gus seufzte. Da er einsah, dass er hier auf verlorenem

Posten stand, widmete er sich wieder den Tüten. Als er mit der letzten fertig war, reckte und streckte er sich und sagte: »Du weißt aber schon, dass er das mit den Spielen richtig gut kann? Ja?«

Stella, die gerade mit der Obstschale zum Tisch ging, blieb stehen. »Was meinst du damit, richtig gut?«

»Ich meine wirklich richtig, richtig gut. Ich könnte ihn niemals schlagen.«

»Aber du sprichst doch gerade von Computerspielen«, sagte Stella wegwerfend, stellte die Schale auf den Tisch und wandte sich kopfschüttelnd ab. »Ich verstehe einfach nicht, was daran so toll sein soll.«

Gus setzte sich an den Tisch und nahm sich einen Pfirsich. »Nur kommt es nicht darauf an, ob du das verstehst oder nicht.«

Stella runzelte die Stirn.

Gus warf den Pfirsich in die Luft. »Diese ganze Industrie ist mehrere Trillionen Pfund wert. Und wahrscheinlich zurzeit der am schnellsten wachsende Markt im Unterhaltungssektor. Wenn du den lächerlich machst, stellst du einfach bloß unter Beweis, dass du zu einer anderen Generation gehörst.«

Sie warf ihm einen warnenden Blick zu.

Gus musste lächeln. Stella machte ihm keine Angst, oder höchstens ein bisschen. »Echt schade, dass du nicht wenigstens versuchst, das zu verstehen, denn dein Sohn hat wirklich Talent.«

Stella ließ sich auf den Stuhl Gus gegenüber sinken. »Aber es gibt so viel mehr im Leben als nur einen Bildschirm.«

»Nicht für Sonny.« Gus biss in seinen Pfirsich. Er hatte keine gute Wahl getroffen – die Frucht war zu hart und nicht besonders saftig. »Irgendwie schaffe ich es immer, mir bei Obst das schlechteste Exemplar auszusuchen.«

Jetzt nahm sich auch Stella einen Pfirsich und wählte sorgfältig den reifsten aus. »Warum glaubst du denn, dass Sonny Talent hat?«

Gus schaute Stella dabei zu, wie sie in ihren herrlich saftigen Pfirsich biss – er sah echt köstlich aus: gelbes Fruchtfleisch, eine rote Färbung rund um den Kern. Voller Neid schüttelte er den Kopf. Stella schnitt eine Grimasse.

Gus kniff die Augen zusammen. »Hast du Sonny jemals gefragt, welches Spiel er da gerade auf seinem Handy bearbeitet?«

Stella schüttelte den Kopf.

»Weißt du, dass *er* das designt hat? Dass es *seine* Idee war?«

Stella wirkte jetzt deutlich weniger selbstgefällig wegen ihrer geschickten Pfirsichwahl. »Nein.«

»Das Spiel braucht noch den letzten Feinschliff, aber den Suchtfaktor hat es auf alle Fälle.«

»Das habe ich nicht gewusst«, gab Stella zu.

»Hast du nicht.« Gus schüttelte den Kopf. »Es gibt Leute, die es spielen. Man kann es runterladen, und es ist sehr beliebt.«

»Warum habe ich das nicht gewusst?«

Gus zuckte die Schultern.

»Warte, Gus.« Stella ließ die Hand mit dem köstlichen Pfirsich resigniert auf den Tisch sinken. »Ich bin ganz einfach ein grässlicher Mensch.« Dann ließ sie den Pfirsich ganz los und verbarg das Gesicht in den Händen. »Ich glaube, ich bin dabei, mich in meinen Vater zu verwandeln.«

Gus sah auf ihren Kopf da vor sich. Er war ein wenig unsicher. »Äh ... Also ... Warum das denn?«

»Weil ich genau das mit Sonny mache, was mein Vater mit mir gemacht hat. Ich setze ihn zu sehr unter Druck. Ganz offensichtlich weiß ich überhaupt nichts über ihn. Ich höre ihm nicht zu. Scheiße.« Sie setzte sich wieder gerade hin, aber ihr Haar war völlig zerrauft. In ihrem Blick lag etwas Flehentliches.

Gus fühlte sich überhaupt nicht wohl. Er würde sich nicht richtig entspannen können, bis Stella ihre Frisur wieder in Ordnung gebracht hatte, was sie dankenswerterweise auch gerade tat. Sie lächelte und rieb sich dann mit beiden Händen übers Gesicht, sah wieder mehr aus wie sonst, weniger verzweifelt.

»Ich glaube nicht, dass es so schlimm ist«, meinte Gus. »Ich denke, das liegt vor allem daran, dass ihr beide so unglaubliche Dickköpfe seid. Mein Vater hat immer gesagt, er wäre am strengsten mit mir umgegangen, weil er in mir die Eigenschaften erkannt hat, auf die er bei sich selbst am wenigsten stolz war.« Er schwieg kurz. »Jetzt klingt das gar nicht so besonders toll, aber als er es damals zu mir gesagt hat, habe ich es sogar irgendwie verstanden. Er hat mich einfach als frustrierend empfunden, da er wusste, dass ich mein Potenzial verschwende – das stimmt auch, ich habe die ganze Zeit in meinem Zimmer gehockt und gekifft.« Gus schnitt eine Grimasse. »Aber er ist damals aus ganz ähnlichen Gründen nicht zur Uni gegangen – nicht wegen

Hasch, sondern eher, weil er Geld verdienen wollte und sofort nach der Schule eine Arbeit auf dem Bauernhof bekommen hat. Ich glaube, letzten Endes ist für ihn alles gut gelaufen – er mag seine Arbeit. Aber er wusste, ich würde sie nicht mögen, und wenn ich mich nicht irgendwann aufgerafft hätte, wäre ich auf der Farm gelandet, das wusste er.«

Stella sah auf. »Aber wenn ich sehe, wie Sonny da auf seinem Handy herumspielt, und das damit vergleiche, wie hart ich trainiert und gearbeitet habe, wie man mich angetrieben hat, dann werde ich ganz wütend, weil er einfach seine Zeit verschwendet.«

Gus runzelte die Stirn. »Hat dir der Druck denn gefallen, Stella?«

»Nein, ich habe diesen Druck gehasst«, sagte Stella. Anschließend bedeckte sie das Gesicht wieder mit den Händen und seufzte, als hätte sie gerade ihre eigene Frage beantwortet.

»Ich glaube, genau das wollte ich mit meiner Geschichte über meinen Vater sagen«, fuhr Gus fort. »Es ist gut, Leute anzutreiben, man muss nur aufpassen, dass man sie auch in die richtige Richtung treibt.«

Stella bedeckte die Augen und spähte durch die Zwischenräume zwischen ihren Fingern. »Ja«, sagte sie und klang dabei müde und skeptisch. »Ja, da hast du wohl recht.«

Gus nickte. Er war zufrieden mit dem, was er gesagt hatte. Stella nahm die Hände aus dem Gesicht und setzte sich wieder normal hin. Gus schüttelte den Kopf und meinte: »Weißt du was? In deiner Familie seid ihr alle verrückt.«

»Nicht verrückt«, verteidigte sie sich. Anschließend biss sie in ihren Pfirsich und fügte hinzu: »Du bist einfach bloß jemand von außen, deswegen kannst du alles deutlicher sehen.«

Gus musste lachen. »Na also, da hast du's. Zum Beispiel Sonny...« Er nickte in die Richtung, wo Stellas Sohn an dem langen Picknicktisch saß. »Schau ihn dir durch meine Augen an.«

Stella wandte sich um und blickte in dieselbe Richtung wie Gus. »Wie siehst du ihn denn?«

»Ich sehe einen coolen Jungen, vielleicht ein bisschen zu erwachsen für sein Alter – er wirkt wie der unglaubliche Hulk mitten in der Verwandlung. Ich sehe sein Haar, das er ganz großartig findet und von dem du wahrscheinlich denkst, es könnte einen Schnitt vertragen. Trotzdem sollte man ihm erlauben, es lang zu tragen, denn seine Langhaarjahre braucht jeder Junge...«

»Aber das wird grauenhaft aussehen!« Kurz bedeckte Stella die Augen mit den Händen.

»Dann sieht es eben grauenhaft aus, das ist doch egal!« Gus lachte. »Stell dir einfach vor, er wäre nicht dein Sohn, löse dich von deinen Erwartungen und dann, glaube ich, wirst du sogar alles lustig finden. Gönne ihm seine Freiheit, Stella. Lass ihn der sein, der er ist, und schätze ihn dafür.«

34. Kapitel

Draußen war die Wolkendecke aufgerissen. Rund um die Hütten hielten die Eukalyptusbäume die gleißenden Strahlen der Sonne ab, hin und wieder brach Licht durch die Zweige wie in einem Fantasyfilm. Die Krähe sah sich alles von ihrem Ast aus an, als Stella aus der Tür trat und zu Sonny an seinen Picknicktisch ging. Aus der Ferne hörte man Om-Gesänge.

»Gerade hat mir Gus von diesem fantastischen Spiel erzählt, das du designt hast«, erklärte Stella und ließ sich auf der Bank neben ihrem Sohn nieder.

Überrascht sah Sonny auf und strich sich dann mit dem Handrücken das Haar aus den Augen. »Das ist eigentlich gar nichts«, gab er zurück und rutschte ein Stück auf der Bank weiter, um eine gewisse Distanz zwischen ihnen herzustellen.

»Zeigst du es mir mal?«

»Du willst es doch gar nicht wirklich sehen.« Er schob sich das Handy in die Gesäßtasche.

Jetzt, wo sie so dicht bei ihrem Sohn saß, konnte Stella seinen Geruch wahrnehmen. Sie versuchte, normal zu atmen, doch in Wirklichkeit inhalierte sie ihn förmlich. Sie wollte ihn in den Arm nehmen.

Er saß auf der Bank, in Abwehrhaltung, mit den Armen zu beiden Seiten neben sich.

Stella presste die Lippen zusammen. Sie wusste nicht genau, wie sie weitermachen sollte. Durch die geöffnete Tür konnte sie Gus erkennen, der so tat, als schaute er nicht zu ihnen herüber, aber dann fing sie seinen Blick auf, und er hielt ermutigend beide Daumen hoch. Sie versuchte es noch einmal. »Warum hast du mir gar nicht erzählt, dass du ein Spiel entworfen hast?«

»Weiß nicht.«

Das Licht aus den Bäumen flackerte auf der Tischplatte.

Sonny beugte sich vor und kratzte mit einem Fingernagel in den Holzkerben herum. »Ich wollte es dir nicht erzählen. Du hättest sowieso nur gesagt, es wäre Zeitverschwendung.«

»Hätte ich gar nicht«, erwiderte sie, während sie ganz genau wusste, dass sie genau das gesagt hätte.

»Hättest du wohl.«

Seite an Seite saßen sie da.

»Ja, das hätte ich wahrscheinlich gesagt«, gab sie zu. »Es tut mir leid.«

»Alle wissen, dass du glaubst, das wäre reine Zeitverschwendung. Dass du mich für eine Nervensäge hältst.«

»Was meinst du denn damit?«, fragte Stella und rutschte zu ihm hin, um die Distanz zwischen ihnen aufzuheben.

»Das steht doch immer in der Kolumne«, antwortete Sonny, ließ den Kopf hängen und kratzte nach wie vor an der Tischplatte herum.

»Du liest meine Kolumne?« Während es Stella einerseits entsetzte, dass er alles kannte, was sie schrieb, gab es andererseits auch einen Teil von ihr, der überrascht und stolz war, weil er sich dafür interessierte.

»Bloß, wenn es sich zufällig so ergibt. Bei Grandma hat ein Exemplar herumgelegen.« Er zuckte die Schultern.

»Sonny, diese Kolumne habe ich mir doch nur ausgedacht. Das Ganze soll lustig rüberkommen.« Sie trommelte mit den Fingern auf dem Tisch herum. »Und schließlich bist du wirklich manchmal ganz schön nervig«, versuchte sie einen Witz. Er starrte sie vorwurfsvoll an.

Sie seufzte. »Sonny, es geht einfach bloß darum, wie du mich behandelst.«

»Nein.«

»Doch.«

Er schaffte es, gleichzeitig zu schmollen und zu grinsen.

Stella musste lächeln. Sie legte die Arme auf den Tisch, faltete die Hände und beobachtete die Sonne, die Zickzackstrahlen auf ihre Haut warf. »Wenn man Kinder hat, Sonny, ist das eine ganz schöne Aufgabe.«

»Ich will überhaupt gar keine Kinder haben.«

»Nun, wenn du irgendwann mal deine Meinung änderst, wirst du begreifen, dass du es ganz fantastisch findest, diese Kinder zu haben, gleichzeitig aber mit anderen Leuten über Schwierigkeiten bei der Erziehung reden musst ...«

»Jaja, kann schon sein.«

Stella ignorierte seinen Einwurf und sprach weiter. »Es ist nämlich so, dass die meisten Leute das mit ihren Freunden tun. Aber manchmal ist es einfacher, wenn einem ein Fremder bestimmte Dinge sagt. Und wenn man darüber lachen kann. Deswegen teilen manche Leute diese Dinge mit der ganzen Welt, so wie ich. Oder zumindest mit achthunderttausend Lesern. Es wäre toll, wenn es die ganze Welt wäre.« Sie warf ihr Haar zurück. »In dieser Kolumne komme ich rüber wie ein totaler Versager, von dem du einfach bloß enttäuscht bist.« Stella holte tief Luft, versuchte während der Unterhaltung hektisch darüber nachzudenken, wie sie es ihm am besten erklären sollte. »Ich weiß.« Sie nickte bekräftigend. »Aber das liegt daran, dass die schlimmsten Anekdoten auch stets die witzigsten sind.«

Sonny zuckte die Schultern.

Stella beobachtete ihn und musste daran denken, wie sie diese schlimmsten Anekdoten immer noch weiter dramatisiert hatte, um mehr Leser zu bekommen, noch ein bisschen frecher geschildert, und vielleicht hatte sich Sonny in ihrem Kopf in das Kind verwandelt, über das sie schrieb. Sie fragte sich, ob das anders gewesen wäre, wenn sie manchmal auch über die Dinge geschrieben hätte, auf die sie stolz war. Ob die dann auch verhältnismäßig größere Proportionen angenommen hätten.

Ein Schmetterling landete auf der Ecke des Tisches, und sie stieß Sonny an, er solle das Insekt betrachten. Er schaute hin. Der Schmetterling flog weiter. Stella fuhr sich mit beiden Händen durchs Haar und meinte seufzend: »Weißt du, Sonny, Stella mit dem Schandmaul ist unglaublich viel geistreicher als die richtige Stella. Viel bissiger und mit mehr Laisser-faire.«

»Ich weiß nicht, was ›Laisser-faire‹ bedeutet.«

»Was nur beweist, dass es manchmal ganz nützlich sein kann, seine Französischaufgaben zu machen.«

Sonny verdrehte die Augen.

»Es bedeutet, dass man entspannt ist, dem Leben seinen Lauf lässt.« Stella lehnte sich zurück. »Sonny, in Wirklichkeit verstecke ich mich einfach nur hinter Stella mit dem

Schandmaul. Im richtigen Leben bin ich nicht ganz so entspannt.«

Sonny grunzte zustimmend.

Stella sprach weiter. »Mir ist inzwischen klar, was ich mir von Rosie und dir wünsche, und wovon ich hoffe, ihr erreicht es. Aber ich habe auch verstanden, dass meine Erwartungen nicht notwendigerweise eure sind.«

»Mum, du klingst gerade wie eine Therapeutin oder so was.«

»Sei einfach still und hör mir zu«, befahl Stella und schlug ihm kurz auf den Arm. »Das ist jetzt wichtig. Ich vermute, ich habe meine Träume für deine Zukunft auf dich projiziert. Und dafür möchte ich mich bei dir entschuldigen.«

Sonny schaute zu ihr auf und sah sie mit großen Augen an.

»In gewisser Weise ist es sogar ganz normal, wenn Eltern das tun«, sprach Stella weiter. »Und ich möchte auch auf keinen Fall, dass du zu früh deinen Ehrgeiz verlierst. Ich möchte nicht, dass du den Spaß im Fußballcamp verpasst oder nicht Spanisch lernst oder so, weil du immer nur Computerspiele spielen willst. Ich möchte wirklich, dass du dir deine Optionen offenhältst.« Sie wollte gerade davon erzählen, wie sie selbst in seinem Alter ihre eigenen Optionen so sehr reduziert hatte, doch sie tat es nicht, da das bloß ein weiteres Beispiel dafür gewesen wäre, unter welchem Druck sie ihre Träume verfolgt hatte. Stattdessen sagte sie: »Aber ich weiß nun, dass du vielleicht deine eigenen Optionen finden musst.«

Der Schmetterling flog wieder heran. Sonny streckte

die Hand aus, um zu sehen, ob das Insekt vielleicht auf seinem Finger landen würde. Es flog wieder weg. Sonny wandte sich seiner Mutter zu. »Danke«, sagte er.

Sie nickte und drehte sich um, sodass sie ihm ins Gesicht sehen konnte, ließ einen Arm auf der Rückenlehne der Bank ruhen. »Ich habe auch Erwartungen, hohe Erwartungen, Sonny. Ich kann einfach nicht anders. Und eigentlich glaube ich sogar, dass das gar nicht schlecht ist, aber ich gebe zu, dass viele von diesen hohen Erwartungen auf dich gerichtet sind. Und nicht so sehr auf Rosie, vielleicht einfach, weil du der Ältere bist − auf dem ältesten Kind ruhen immer alle Hoffnungen. Und bevor du das sagst, ich weiß, dass das total unfair ist. Aber ...« Sie schwieg kurz und dachte an Gus' Worte. »Vielleicht liegt es auch daran, dass von euch beiden du mir am ähnlichsten bist.«

»Ich bin dir überhaupt nicht ähnlich.«

»Doch, das bist du.«

»Ich finde nicht, dass ich bin wie du.«

»Das bist du, das kannst du mir ruhig glauben.«

»Nein.«

»Siehst du − genau das meine ich. Dein Vater hätte längst einfach Ja gesagt, nur um seine Ruhe zu haben.«

Sonny rutschte auf seinem Platz herum.

»Na ja, wie auch immer«, fuhr Stella fort. »Ich werde hohe Erwartungen an dich haben, da ich tief in mir drinnen weiß, wie viel Potenzial du hast, aber ich verspreche dir, ich werde wirklich versuchen, dass es mehr um deine Erwartungen geht als um meine.«

Sonny starrte vor sich hin. In die Ferne.

Der Wind wirbelte den Staub am Boden auf. Eine Eidechse flitzte durch das trockene Gras. Stella ließ den Arm von der Rückenlehne gleiten und legte ihn ihrem Sohn um die Schultern. »Ich bin stolz auf dich, Sonny.«

Sonny schüttelte den Kopf. »Das liegt bloß daran, weil du jetzt weißt, dass ich ein Spiel erfunden habe.«

»Nein«, widersprach ihm seine Mutter. »Aber ich gebe gern zu, dass ich davon ziemlich beeindruckt bin. Gus sagt, du bist sehr gut – und ich weiß auch, dass es nicht dazu hätte kommen dürfen, dass mir Gus das mitteilt. Ich hätte es selbst sehen müssen.«

»Ist doch egal.« Sonny zuckte die Schultern. Ganz offensichtlich war es ihm allerdings nicht gleichgültig.

Stella drückte ihm die Schulter. »Ich liebe dich sehr, Sonny. Manchmal finde ich dich sehr frustrierend, aber ich weiß, dass dir das mit mir genauso geht. Also ...« Sie schwieg kurz. »Mehr kann ich auch nicht sagen, wir müssen einfach weitermachen. Ich werde mich sehr bemühen, es zuzulassen, dass du deinen eigenen Weg im Leben findest. Und du kannst das angehen, wie du willst – solange es nicht bedeutet, dass du deine Aufgaben nicht machst oder irgendwelche Drogen nimmst.«

Sonny lachte leise vor sich hin.

»Oder mich eine Bitch nennst«, fügte Stella hinzu.

Er nickte kurz in Richtung seiner Hände. »Nein«, murmelte er. »Tut mir leid.«

»Außer«, fügte Stella hinzu, »außer du meinst das so wie in diesen coolen Songs, wie in ›My mum's da bomb, that bitch is killer‹.«

Sonny wand sich förmlich vor Unbehagen.

Stella runzelte die Stirn. »Nein, wenn ich das so höre, kommt es nicht mal dann infrage.«

Ihr Sohn sah sie an, als hätte er jede Hoffnung für sie aufgegeben.

Stella strich seinen fettigen Pony zur Seite und küsste ihn auf die Stirn. Er wischte ihren Kuss mit dem Handrücken weg. Sie zog ihn in eine Umarmung. Das ließ er eine Sekunde zu, dann zog er sich zurück. Aber nicht sehr weit, denn sie saßen immer noch direkt nebeneinander.

»Also gut«, sagte sie. »Zeigst du mir jetzt, wie dieses verdammte Spiel funktioniert, oder nicht?«

35. Kapitel

Draußen war es tiefschwarze Nacht. Die Luft war vom gleichmäßigen Rauschen der Wellen in der Ferne und vom Wind an den Fensterscheiben erfüllt. Amy spürte es sofort beim Aufwachen. Das Gewicht auf ihrer Hand, so schwer wie eine Maus, aber mit riesigen haarigen Beinen. »Scheiße!«, schrie sie und schlug mit der Hand auf das Laken, bevor sie aus dem Bett sprang. »Gus!«, schrie sie. »Gus, hilf mir!«

Innerhalb von Sekunden war Gus in ihrem Zimmer. Die Haare standen ihm zu Berge, er trug Boxershorts, aber kein Oberteil, sodass man seine Hühnerbrust sah. »Was ist denn passiert? Geht's dir gut? Ist es dein Bein? Ist was mit dem Baby?« Sofort stand er neben ihr, fasste sie an den Schultern und sah sie eindringlich an. »Hast du dich verletzt? Was ist denn los?«

Amy deutete auf das Bett und fühlte sich ein wenig verlegen, als sie sagte: »Ich glaube, ich hatte gerade eine riesige Spinne auf der Hand.«

»Was?«

Amy kam sich vor wie eine Idiotin. Sie erwartete, er würde sie lachend von sich stoßen. Doch als er ziemlich leise »Eine Spinne?« fragte und einen Schritt zurück machte, glaubte sie, er wäre sehr wütend auf sie, weil sie ihn wegen etwas so Belanglosem aufgeweckt hatte.

»Ja«, bestätigte sie. »Tut mir leid! Aber das Vieh war wirklich riesengroß!« Sie versuchte sich für den Lärm zu rechtfertigen und fuhr sich verlegen mit den Händen durch die vom Schlaf zerrauften Haare. »Ich konnte sie spüren, wie eine Maus oder eine Ratte, die mir über die Hand lief.«

»Eine Ratte?« Gus japste förmlich. »Echt?« Im silbernen Mondlicht wirkte er blass.

Plötzlich begriff Amy, dass er überhaupt kein bisschen wütend auf sie war. »Gus, hast du was gegen Spinnen?«, erkundigte sie sich und unterdrückte ein Kichern, als er weiter zur Wand zurückwich.

»Ich *hasse* Spinnen«, sagte er. »Verdammte Scheiße, ich hasse sie wirklich.« Er schauderte und rieb sich in zuckenden Bewegungen über die Arme. »Scheiße, ich kann die Spinne förmlich auf mir spüren. Wohin ist sie denn gelaufen?«

Amy musste lachen. »Ich weiß es nicht.«

Gus schaute sie entgeistert an. »Du meinst, sie ist da noch irgendwo auf dem Boden?«

»Mach das Licht an.«

»Mach du's doch an.«

»Du bist näher am Schalter dran.«

Aber Gus rührte sich nicht, sondern stand wie angewurzelt mit dem Rücken an der Wand da.

Amy verdrehte die Augen und stapfte um ihn herum, bis sie den Lichtschalter erreichte. »Du bist mir ein schöner Beschützer«, kommentierte sie und knipste das Deckenlicht an.

»Wir leben im Zeitalter der Gleichberechtigung«, murmelte Gus. Seine Lippen waren angespannt, sein Blick wanderte alarmiert durch den Raum. »Wir sollten uns also gegenseitig beschützen. Kannst du sie irgendwo entdecken?«, flüsterte er.

Sie schüttelte den Kopf. »Vielleicht ist sie ja noch im Bett?«

»Zieh das Laken zurück«, verlangte er.

»Ich habe schon das Licht angemacht. Das Laken ziehst du jetzt zurück.«

Gus schloss die Augen, holte tief Luft und starrte auf das zerknäulte weiße Betttuch hinunter. »So groß wie eine Ratte, hast du gesagt?«

Amy nickte, und ihre Lippen zuckten, weil sie zugleich nervös und amüsiert war.

Gus beugte sich nach vorn und riss in einer hastigen Bewegung das Laken zurück.

Amy schrie auf.

Gus riss vor lauter Schreck die Augen auf. »Neiiiin!«

Mitten auf dem Bett hockte eine Spinne, der man gerade so ein Bierglas hätte überstülpen können, mit angezogenen Beinen und zermalmtem Kopf.

»Ist sie tot?«, fragte Amy.

»Definitiv ja«, antwortete Gus, und beide betrachteten voller Grauen den riesigen schwarzen Körper.

»Einfach nur widerlich«, meinte Amy.

Gus stimmte ihr zu.

»Ich kann auf keinen Fall hier drinnen schlafen.«

Gus schüttelte den Kopf. »Ich werde auf diesem ganzen verdammten Campingplatz kein Auge mehr zutun.«

Amy musste lachen.

Gus sah auf. »Ich weiß, du wirst diesen Vorschlag grauenvoll finden, aber du bist in meinem Zimmer sehr willkommen.«

»Ich finde das überhaupt nicht grauenvoll...«, setzte sie an, schaute ihm kurz in die Augen und musste dann wegsehen, weil ihr die peinliche Szene draußen auf dem Balkon wieder einfiel. »Ich wollte... Ich wollte einfach mein eigenes Zimmer haben.«

Gus zuckte die Schultern. »Das Angebot steht jedenfalls.«

Amy nickte. »Vielen Dank.«

»Gern geschehen.«

»Und das hier lassen wir einfach so?« Sie zeigte auf die Spinne.

»Ich glaube schon«, meinte er. »Rosie kann sich morgen früh darum kümmern.«

Amy musste lachen.

Als sie ihm durch die unheimliche Stille der Küche folgte, fragte sich Amy, ob sie jemals in ihrem Leben so häufig so unerwartet hatte lachen müssen. Als hätte sie sich selbst befohlen, das nicht zu tun, und er es trotzdem geschafft, sie zum Lachen zu bringen.

»Alles in Ordnung bei dir?«, erkundigte er sich. »Ist dir kalt?«

»Nein.« Sie schüttelte den Kopf.

Gus zog den Vorhang zu seiner Zimmertür zurück und bat Amy hinein, dann rannte er ums Bett herum, um die Nachttischlampe einzuschalten. »Willkommen.«

Sie musste ein Lächeln unterdrücken.

Sein Bett war ein einziges Chaos. Das Laken völlig zusammengeknäult, das Kissen auseinandergezerrt. Überall auf dem Boden lagen Kleidungsstücke verstreut. Die Brille auf dem einzigen Nachttisch, dann ein Buch, eine Wasserflasche, sein Pass, eine Armbanduhr.

»Hast du den wirklich immer bei dir?«, fragte Amy und zeigte auf den Pass.

»Allzeit bereit«, verkündete Gus, während er sich vergeblich bemühte, schnell aufzuräumen.

Amy hockte sich auf den Rand des bisher unberührten zweiten Bettes. Die weißen Laken waren immer noch straff gespannt, das Kissen wirkte wie frisch aufgeschüttelt.

»Erzähl doch mal, hast du dich schon oft spontan in ein Abenteuer gestürzt?«

Gus setzte sich ihr gegenüber. »Nein.« Er schüttelte den Kopf. »Eigentlich habe ich meinen Pass genau genommen zum allerersten Mal so spontan gebraucht.«

Sie musste lachen. Dann versuchte sie, das Lachen zu unterdrücken, aber da machte ihr Mund einfach nicht mit.

Gus lächelte. Er lehnte sich auf dem Bett zurück und sah auf seine Armbanduhr. »Es ist drei Uhr. Wir sollten wahrscheinlich versuchen zu schlafen.«

»Noch eine Stunde bis zum Sonnenaufgangsyoga«, meinte Amy. »Vasco hat dich doch eingeladen, oder?«

Gus ließ sich zurückfallen und verschränkte die Arme hinter dem Kopf. »Ich glaube, ich kann mit absoluter Sicherheit sagen, dass ich in nächster Zeit nicht am Sonnenaufgangsyoga teilnehmen werde.«

Amy ließ sich auf ihr Bett zurücksinken, rollte sich zur Seite, um Gus ansehen zu können, und schob sich eine

Hand unter die Wange. »Um vier aufstehen wird bald ganz normal für dich sein. Wenn das Baby erst mal da ist.«

»Ach was.« Er schüttelte den Kopf. »Unser Baby wird eines von diesen Vorzeigekindern, die nie auch nur einen Mucks von sich geben und die ganze Zeit schlafen.«

»Meinst du?«

»Daran habe ich nicht den geringsten Zweifel. Meine Mutter erzählt immer, ich war das perfekte Baby.«

»Das sagen doch alle Mütter.«

»Wie bitte?« Er tat, als wäre er entsetzt. »Willst du damit etwa sagen, ich wäre nicht perfekt?«

Sie musste wieder lachen und verbarg das Gesicht im Kissen, weil ihr das peinlich war.

Er wandte sich ihr zu. »Ich denke, das mit der Perfektion wird sowieso total überbewertet.«

»Ach tatsächlich?«

»Nichts Perfektes ist jemals interessant.«

Amy musste an ihr perfektes Leben von früher denken. Herrlich war es gewesen. Voller Liebe und Bewunderung, voller Großzügigkeit, einfach vollkommen. Aber dass es interessant gewesen wäre, hätte sie nicht guten Gewissens behaupten können. Vielleicht lag das ja daran, dass es damals so wenige Überraschungen gegeben hatte – nie hatte sie ihre vertraute Lebenswelt verlassen müssen. Damals hätte sich Bobby um die Spinne gekümmert.

Gus wandte sich um, um das Licht auszuschalten. »Gute Nacht«, sagte er.

»Gute Nacht.« Im Dunkeln starrte sie seinen Rücken an. Jetzt, wo sie Gus so nahe war, erinnerte sich Amy an einige Einzelheiten aus der Nacht, in der sie Sex gehabt hatten.

Das betrunkene Kichern, die Küsse, bei denen sie zusammengestoßen waren. Wie sie gelacht hatten, wenn einer von ihnen etwas Ungeschicktes tat. Die unerwartete Körperwärme. Den Duft seiner Haut.

Vor Gus hatte Amy nur mit Bobby Sex gehabt, und Bobby hatte immer nach Acqua di Giò Homme gerochen.

Langsam stieg Amy aus dem Bett und war dabei so leise wie möglich. Dann reckte sie den Hals, um Gus besser riechen zu können.

»Was machst du denn da?« Gus' Stimme erfüllte die Dunkelheit.

Rasch sprang Amy in ihr Bett zurück. »Gar nichts!«

Gus drehte sich um. »Stinke ich etwa? Du hast geschnüffelt.«

»Habe ich nicht!« Amy lief knallrot an.

»Hast du wohl.« Gus stützte sich auf einen Ellbogen. »Vergiss nicht, ich habe ein ganz ausgezeichnetes Gehör.«

Amy lag ganz still da. Als sich ihre Augen an das Dunkel gewöhnten, konnte sie den Umriss seines Gesichts erkennen.

»Warum hast du geschnüffelt, Amy?«

»Einfach so.«

Keiner der beiden sagte etwas. Bloß der Wind und das Summen des Kühlschranks waren zu hören.

Dann flüsterte Amy: »Ich wollte dich riechen.«

Gus antwortete nicht gleich. »Das wolltest du?«

Amy nickte.

Wieder sagte keiner von beiden etwas.

Gus räusperte sich. »Wieso wolltest du mich denn riechen?«

Amy schluckte. »Weil mir eingefallen ist, dass ich fand, du riechst gut. In dieser Nacht, weißt du?«

»In der Nacht, in der wir sturzbesoffen Sex hatten?«

»Ja.«

»Ach so.«

Die Stelle hing zwischen ihnen in der Luft.

Amy fühlte sich seltsam. Durch die Dunkelheit schien jede noch so winzige Gefühlsregung um ein Vielfaches verstärkt zu werden. Sie hätte jetzt nicht mit Sicherheit sagen können, ob sie gerade flirteten oder ob sie sich einfach wünschte, jemand würde sie in die Arme nehmen. Sie wusste nicht, ob sie Gus witzig oder attraktiv fand. Sie wusste nicht, ob sie sich wünschte, er fände *sie* attraktiv, nur um sich beweisen zu können, dass sie in der Beziehung die Oberhand hatte, oder ob sie sich wirklich gut dabei fühlen würde, wenn er sie attraktiv fand. Eine Hälfte von ihr war voller Sehnsucht nach Geborgenheit, die andere wild entschlossen zu beweisen, dass das nicht der Fall war. Während sie ihn in der Dunkelheit anstarrte, sagte sie plötzlich: »Wenn du willst, darfst du mich küssen.« Es klang fast, als biete sie ihm eine Belohnung an.

Gus runzelte die Stirn. Rutschte unruhig hin und her. Kratzte sich am Kopf. »Oh. Ich glaube nicht, dass das eine gute Idee wäre, Amy.«

»Oh.« Amy rollte sich tief verletzt auf den Rücken und wickelte sich fest in das Bettlaken. Es gab ihr einen Stich, so von ihm zurückgewiesen zu werden. »Du *willst* mich gar nicht küssen?«

»Nein, das ist es nicht.« Gus fühlte sich sehr unbehaglich. Er nahm sich ein T-Shirt vom Boden. »Aber wir freunden uns doch gerade erst an. Und wir haben schon festgestellt, dass ich nicht dein Typ bin und du nicht meiner bist. Das willst du ja wohl kaum für eine schnelle Nummer aufs Spiel setzen, oder?« Bei seinen letzten Worten musste er lachen und bemühte sich darum, dem Ganzen einen unbeschwerten Ton zu verleihen.

»Es wäre nur ein Kuss gewesen«, murmelte sie.

»Also gut, nur ein Kuss.« Gus schüttelte den Kopf, entnervt und zugleich amüsiert. »Dann los, Amy.«

Aber Amy spürte, dass etwas sie zurückhielt. Sie konnte einfach nicht. Und weglachen konnte sie das Ganze auch nicht. Denn ein Teil von ihr hatte sich gewünscht, Gus würde sie unwiderstehlich finden. Sie wollte, dass er genauso verwirrt und unsicher wegen seiner Gefühle war wie sie. Sie wollte, dass es ihm viel abverlangte, er sie nicht einfach so zurückweisen konnte.

»Weißt du, vielleicht haben wir ja gar nicht alles kaputtgemacht«, sagte sie ein wenig verstimmt und wandte sich von ihm ab, lag jetzt mit dem Gesicht zur Wand. »Vielleicht hätten wir es ja hingekriegt. Und wären eine Familie geworden. Dem Baby zuliebe.«

»Großer Gott. Meinst du das wirklich ernst?« Amy hörte, wie sich Gus wieder auf sein Bett fallen ließ. »Als wäre es nicht schon schlimm genug, ein Baby zu haben – nun willst du auch noch, dass ich deswegen aus einer schlechten Beziehung nicht mehr rauskomme!«

Amy spürte, wie ihre Unterlippe zitterte. Plötzlich wünschte sie, sie hätte die letzten Sätze nicht gesagt. Sie waren ein Fehler gewesen, der entscheidende Fehler. Gus' gute Laune war mit einem Schlag verschwunden. Und

Amy wusste noch nicht einmal, ob sie das Gesagte ernst gemeint hatte; sie hatte einfach aus Verzweiflung weitergeredet und diesem Augenblick alle Fantasien und Träume ihrer Vergangenheit aufgeladen.

Gus schlug auf sein Kissen ein, eher vor ohnmächtiger Wut, als dass er es in Form bringen wollte. Dann warf er sich darauf, zog mit einer aggressiven Bewegung das Laken hoch und sagte wütend: »Gute Nacht, Amy.«

»Ja. Was auch immer«, gab sie zurück, in ruhigem, aber bösem Ton.

Er gab keine Antwort. Machte nicht einmal eine sarkastische Bemerkung darüber, wie wenig erwachsen sich Amy verhielt.

In ihrem schmalen Einzelbett rollte sich Amy zusammen und wandte das Gesicht der Holzwand zu.

Innerhalb von zwei Minuten atmete Gus tief und gleichmäßig.

Während die Sonne aufging, nahm die Dunkelheit im Zimmer immer weiter ab, und Amy sah zu, wie das Lamellenmuster des Holzes vor ihren Augen Gestalt annahm.

36. Kapitel

In der Nachbarhütte erwachte Stella bei Sonnenaufgang. Sie konnte nicht wieder einschlafen, weil ihr zu viel durch den Kopf ging. So leise wie möglich zog sie sich an. Draußen hing der frühmorgendliche Nebel in der Luft wie Spanisches Moos, das schwer von den Zweigen tropfte. Auf dem Zeltplatz herrschte Stille. Absolute Stille. Die Sonne war rot. Ein großer Hase hoppelte über den Pfad, als Stella an den Strand hinunterging, wo sie sich auf die höchste Erhebung setzte und dabei zusah, wie die Frühaufsteher unter den Kitesurfern durch die Wellen glitten.

Stella wollte, dass die ganze Sache hier ein Ende nahm. Dass sie ihren Vater fanden. Sie wollte wieder normal atmen können. Sie holte ihr Handy heraus und betrachtete einmal mehr das Instagram-Foto von Neptune013, um zu sehen, ob ihr nicht doch irgendetwas entgangen war. Nichts. Dann scrollte sie abwesend durch die restlichen Bilder und stellte plötzlich fest, dass es da ganz viele Bilder von Sxnny.x1x2 gab, die sie noch überhaupt nicht bemerkt hatte. Nach dem Bild mit dem Benzindiebstahl am Rasenmäher kam eines von Jack beim Skateboarden mit der Unterschrift »Alter Knacker auf dem Brett!!!«. Danach sah man ein leeres Pimm's-Glas auf dem Tisch stehen: *#besoffen*. Bei diesem Anblick krümmte sich Stella zusammen. Und dann gab es eine ganze Reihe Aufnahmen aus dem Flugzeugfenster, von den Bäumen und Palmen mit Glockenspielen, von Vasco, der Rosie trug, von Amys geschwollenem Knöchel, sogar von ihr selbst, wie sie vergeblich versuchte, mit Sonnys Spiel klarzukommen. Das musste Gus gemacht haben. Das letzte Bild zeigte den unglaublich schönen Sonnenuntergang von gestern, aufgenommen vom Strandcafé aus – eine riesige Scheibe, die im Meer versank und dieses in roten Glanz tauchte: »Schau doch mal, was dir entgeht, Grandpa!«

Noch einmal scrollte Stella durch den Instagram-Feed, und diesmal versuchte sie sich vorzustellen, sie wäre ihr Vater. Das fiel ihr gar nicht so schwer, wie sie gedacht hatte. Vielleicht waren sie sich doch ähnlicher, als sich Stella eingestehen wollte. Sie musste daran denken, wie Sonny gestern Nachmittag jede Ähnlichkeit mit ihr vehement bestritten hatte. Alle anderen sahen diese Ähnlichkeit jedoch ganz deutlich.

So saß Stella da, mit den Zehen im Sand, die Augen auf den von den Wellen bedeckten Horizont gerichtet, und versuchte sich in ihren Vater hineinzuversetzen. Sich vorzustellen, wie das alles für ihn gewesen war. Der Verlust, als Bobby starb, der gähnende Abgrund des Nichts an seinem eigenen Horizont, die fehlende Verbindung zu ihrer Mutter, die neue Lücke, die Amy hinterlassen hatte, die alte, für die sie selbst verantwortlich war, die Erkenntnis, dass es jetzt niemanden mehr für ihn gab. Seine Welt war auf eine einzige Person zusammengeschrumpft.

Dann war Sonny auf der Bildfläche erschienen. Ein Lichtblick. Stella griff sich an die Brust, als sie an das enge Verhältnis dachte, das die beiden während Sonnys zweiwöchiger Verbannung zueinander aufgebaut hatten und das bald wieder auf unbehagliche Kurzbesuche der Tochter reduziert werden würde, da die nun einmal das schwarze Schaf der Familie war.

Stella musste daran denken, wie sie sich bei ihrer Ankunft in Cornwall neulich gefühlt, sich fast davor gefürchtet hatte, ihren eigenen Sohn zu sehen, und wie ihr Mann verkündet hatte, ein seltsames Doppelleben geführt zu haben. Zu diesem Zeitpunkt wäre sie nur zu gern nach Hause geflohen.

Die Sonne schimmerte hell durch den Meeresnebel und blendete Stella fast. Sie schloss die Augen. Versuchte sich vorzustellen, *sie* wäre abgetaucht – wie würde sie sich dann fühlen, wenn sie entdeckte, dass Sonny diese ganzen Instagram-Fotos für sie gepostet hätte, um ihr zu zeigen, was sie verpasste. Um ihr zu zeigen, dass sie vermisst wurde, nicht nur von ihm, sondern von allen. Dass alle in ein anderes Land gereist waren, bloß um sie zu finden. Dass ihre Welt nicht lediglich aus einem einzigen Menschen bestand.

Jetzt hatte Stella einen Kloß im Hals.

Doch ihr war genauso bewusst, dass er sich in einer Art *Catch 22*-Situation befand. Wenn er nun nach Hause zurückkehrte, würde alles aufhören. Und wenn er einen von ihnen anrief, würde er sich wie ein Idiot vorkommen, weil er eine solche Unruhe verursacht hatte. Sein Stolz stand auf dem Spiel, und er war sicher nicht der Typ, der sich freiwillig wie ein Versager gefühlt hätte.

Stella sah auf die riesigen, kraftvollen Wellen mit ihren weißen Schaumkronen hinaus, sah zu, wie sie sich donnernd am Strand brachen. Sie fragte sich, ob er das Gespräch wohl annehmen würde, wenn sie ihn jetzt anriefe. Das hatte sie noch nie getan. Sie wusste noch nicht einmal sicher, ob seine Nummer sich in ihrer Kontaktliste befand.

Aus ihrer Sicht wäre es anders, wenn sie ihn anrief, als wenn ihre Mutter oder Amy das taten, da das ein Signal der Friedensbereitschaft gewesen wäre. Es würde ihm die Möglichkeit geben, eine richtige Beziehung zu Sonny aufzubauen. Genau genommen stand hier weniger sein Stolz auf dem Spiel als ihrer.

Stella atmete tief aus und fragte sich, ob sie über ihren Schatten würde springen können.

Sie verknotete die Hände ineinander. Warum musste es hier um *ihren* Stolz gehen? »Ach, verdammt noch mal«, sagte sie laut. Dann dachte sie an die enttäuschten Blicke, die sie sowohl von Sonny, Jack und Rosie als auch von Amy ernten würde. Und vielleicht auch von ihrer Mutter, sogar von Gus, wenn er erkannte, wie leicht sie gegen ihren Stolz verloren und ihre Entscheidung getroffen hatte.

Widerwillig fasste sie sich in die Gesäßtasche und scrollte durch die Kontaktliste in ihrem Smartphone. Und da war die Nummer: »Dad Handy.«

Stella wählte. Und landete direkt auf der Mailbox.

Beim zweiten Versuch nahm er das Gespräch an.

37. Kapitel

Stella kritzelte eine Nachricht auf ein Stück Papier, das sie auf den Küchentisch legte. Dann nahm sie sich die Autoschlüssel und machte sich sofort auf den Weg zum Wagen auf dem Parkplatz, damit sie es sich nicht doch noch anders überlegte. Auf der anderen Seite des Geländes bemerkte sie die Morgenyogagruppe, die die Arme zur Sonne erhoben hatte, und erhaschte einen Blick auf das kupferglänzende Haar ihrer Mutter, als sich diese umwandte und ihre Tochter entdeckte.

Stella winkte und lief weiter. Sie entriegelte gerade die Wagentür, als sie hinter sich eilige Schritte hörte und Moira entdeckte. Das rote Haar ihrer Mutter wurde vom Luftzug zurückgeweht, als sie heranjoggte.

»Wo willst du denn hin, Stella? Ist alles in Ordnung?«

Stella ging ihr entgegen. »Bestens, Mum. Alles bestens.« Sie spielte mit dem Autoschlüssel herum. Ihre Mutter blieb stehen, außer Atem, die Hände in die Hüften gestemmt. Stella erwog kurz eine Lüge, hatte jedoch nicht die Kraft dazu. »Ich habe Dad angerufen.«

»Und er hat das Gespräch angenommen?« Ihre Mutter runzelte die Stirn.

Stella nickte.

Voller Unglauben schüttelte Moira den Kopf. »Nun, ich hätte es wissen müssen.«

Stella erinnerte sich daran, was sie im Schwimmbad hier in Portugal begriffen hatte – dass sie auf Kosten ihrer Mutter der Liebling ihres Vaters gewesen war –, und plötzlich war sie besorgt, ihre Mutter würde ausflippen, richtig wütend werden, so wie früher.

Aber Moira flippte nicht aus. Stattdessen atmete sie tief durch die Nase ein und sagte: »Lass nicht zu, dass er dich unter Druck setzt, Stella. Verteidige deinen Standpunkt.«

Stella runzelte die Stirn. Damit hatte sie nicht gerechnet.

Sonnenlicht flackerte durch den Nebel, wodurch alles verschwommen wirkte und lange Schatten entstanden.

Moira warf einen Blick zur Yogagruppe zurück und schien einen Moment zu überlegen. »Weißt du was? Ich komme mit dir.«

»Nein, Mum, lass. Das brauchst du nicht.«

Jetzt hatte sich auf der Yogaplattform noch jemand erhoben und näherte sich ihnen. Es war Mitch. Mit raschen, zielgerichteten Schritten kam er in seiner weiten weißen Hose und dem ebensolchen Hemd auf sie zu.

Beide Frauen warteten auf ihn und schirmten dabei ihre Augen von der gleißenden Morgensonne ab.

»Alles in Ordnung bei euch?«, fragte er, als er sie erreichte. »Braucht ihr Hilfe?«

»Nein, danke, Mitch«, antwortete Moira. »Stella hat herausgefunden, wo sich ihr Vater aufhält. Ich glaube, ich werde sie begleiten.«

»Mum, ganz im Ernst, ich kann wirklich allein fahren.« Stella stellte sich das Gesicht ihres Vaters vor, wenn sie mit ihrer Mutter im Schlepptau erschien.

Moira schüttelte den Kopf.

Stella schaute zu Mitch hin, weil sie auf Unterstützung hoffte.

»Wenn sie allein zu ihm fahren möchte, Moira...«, setzte Mitch an.

»Nein!« Moira schüttelte den Kopf. »Einfach nur Nein. Ich weiß, du findest, ich sollte die beiden allein machen lassen. Aber nein. Ich habe mich noch nie für Stella eingesetzt, also werde ich das jetzt verdammt noch mal tun.« Sie wandte sich an ihre Tochter. »Du fährst auf keinen Fall allein.«

»Wohin fährt sie auf keinen Fall allein?«, erklang eine Stimme aus einiger Entfernung. Amy erschien im Pyjama auf dem Pfad.

»Stella hat euren Vater gefunden«, rief ihr Moira zu. »Wir fahren nun zu ihm.«

Amy runzelte die Stirn. »Dann komme ich mit.«

Das war zu viel für Stella, die sich noch nicht von der Unterstützungsbekundung ihrer Mutter erholt hatte. »Nein.« Sie schüttelte den Kopf.

»Du hast mir gar nichts zu sagen«, erwiderte Amy. »Du bist hier nicht der Boss. Ich kann überhaupt nicht glauben, dass du fahren wolltest, ohne es mir zu sagen. Wartet gefälligst, während ich mich anziehe.« Amy rannte zurück zur Hütte.

»Oh Gott.« Stella wandte das Gesicht ab.

Moira stand mit vor der Brust verschränkten Armen da, voller Entschiedenheit und zu allem bereit.

Mitch wirkte, als müsste er sich bemühen, nicht zu lächeln. »Es ist gut so«, sagte er.

Stella verdrehte die Augen. Sie hörte, wie sich die Tür schloss. »Gut, da kommt Amy. Lasst uns fahren.«

Aber es war nicht Amy. Es war Sonny. »Ich habe gerade Amy gesehen«, meinte er und joggte heran, um sich ihnen anzuschließen. Er trug hastig überzogene Shorts und ein T-Shirt. »Ich kann einfach nicht glauben, dass ihr ohne mich fahren wolltet.«

Stella verbarg das Gesicht in den Händen.

Wieder schlug eine Tür zu. »Nein, du kannst nicht mitkommen«, hörte sie Amy sagen, die zusammen mit Gus auf dem kleinen Hügel erschien. Gus gähnte, wobei er sich im Laufen ein T-Shirt überzog, und hörte Amy überhaupt nicht zu.

Als Nächstes kamen die lauten Schritte von Rosie näher, die im Nachthemd über die dürre Grasfläche rannte und ihr Kleid und ihre Flip-Flops umklammerte. »Das ist es!«, schrie sie. »Das ist das Abenteuer!«

Hinter Rosie erschien Jack, der aussah, als wäre er gerade erst aufgewacht. Außerdem empfand er ganz offensichtlich das Unbehagen seiner Frau nach – er hatte begriffen, was vorgefallen war, und wusste genau, wie sich Stella jetzt fühlte.

»Sieht so aus, als würdet ihr alle fahren«, kommentierte Mitch gelassen.

»Wie schön, dass wenigstens einer das amüsant findet«, erwiderte Stella, drehte sich um und ging zum Auto.

»Es ist immer besser, wenn man über Situationen wie diese lacht, Stella«, rief ihr Mitch nach.

Ohne sich zu ihm umzuwenden, schüttelte sie den Kopf.

★★★

Während des größten Teils der Fahrt schwiegen alle. Sie saßen wie auf heißen Kohlen. Alle waren nervös. Moira hatte vorn neben Stella Platz genommen und benahm sich plötzlich wie ihre Leibwächterin. »Geht es dir gut?«, fragte sie ihre Tochter in regelmäßigen Abständen.

»Alles in Ordnung«, gab Stella dann zurück.

Vom Rücksitz aus erteilte ihr Sonny, der sein Handy konsultierte, Anweisungen, wie sie fahren sollte. »Jetzt hier links!«, schrie er.

Stella blinkte und bog in eine Seitenstraße mit lauter kleinen weißen Villen und vielen Hibiskusbüschen mit riesigen roten Blüten ein. Vor einer dieser kleinen weißen Villen stand ihr Vater. Seine hochgewachsene Gestalt lehnte steif an der Steinmauer, er trug graue Sweatshorts und ein weißes T-Shirt. Stella hatte ihn seit Jahren nicht in Shorts oder Flip-Flops gesehen. Seine Arme waren braun gebrannt. Seine schwarzen Locken enthielten mehr graue Einsprengsel als bei ihrer letzten Begegnung. Die Falten in seinem Gesicht waren tiefer.

»Sieh einer an, wen haben wir denn da«, murmelte Moira leise.

Stella stellte den riesigen Geländewagen mit den getönten Scheiben ab und sprang aus dem Auto. Ihr Vater machte einen Schritt nach vorn. »Alle sind mitgekommen«, sagte sie rasch, bevor sich die Tür öffnete und sich die ganze Gruppe förmlich über den Bürgersteig ergoss.

Ihr Vater riss die Augen auf. Eine Sekunde lang schaute er drein, als wollte er davonlaufen, aber dann schrie Sonny: »Grandpa!«, und rannte auf ihn zu, wollte ihn umarmen, hielt jedoch kurz inne, als wüsste er nicht genau, was er tun sollte. Deswegen stellte er sich einfach hin und fragte atemlos vor Aufregung: »Hast du dir meine Instagram-Bilder angesehen?«

Stella beobachtete ihren Vater, der tief Luft holte und die ineinander verkrampften Hände löste.

»Das habe ich. Und sie haben mir gefallen«, sagte er.

Sonny nickte und grinste, beugte sich dann vor und zog seinen Großvater in eine kurze, verlegene Umarmung. Stella sah, wie sich die Schultern ihres Vaters entspannten. Er öffnete das Tor und ging mit Sonny hinein.

Drinnen lag ein großer, herrlicher Garten, in dem weitere Hibiskusbüsche zusammen mit hohen Palmen den Rasen umsäumten. Außerdem gab es da seltsame weiße Statuen, Blumenkästen mit Bougainvillea vor Fenstern mit Markisen und leuchtend grünes Gras. Rechts befand sich ein großes Schwimmbecken mit Mosaikverzierung. Dahinter lag ein niedriger, offensichtlich rasch gebauter Bungalow. Ein Blick durch das Fliegengitter der offenen Tür zeigte einen auf stumm geschalteten Fernseher und dunkle Holzmöbel, über denen bunte Decken lagen.

Amy drängte sich nach vorn, um ihrem Vater näher sein zu können, und schlang dann beide Arme um ihn. »Daddy! Ich bin so froh, dass es dir gut geht. Ich hatte solche Angst, du wärst entführt worden.«

Ihr Vater lachte, wie er das nur bei Amys Bemerkungen tat. Um ihr zu zeigen, dass er mit ihren verrückten Ideen zurechtkam.

»Daddy, alles ist so schrecklich«, sprach Amy weiter und klang dabei furchtbar weinerlich. »Ich bin schwanger. Gus hier ist der Vater, aber wir sind nicht zusammen.«

Voller Entsetzen blieb Gus stocksteif stehen.

»Und er weiß noch nicht einmal sicher, ob er das Baby überhaupt will«, fügte Amy hinzu. Sie hakte sich bei ihrem Vater unter und zog ihn dicht zu sich heran.

Gus sah aus, als könnte er sich kaum beherrschen und wäre unglaublich wütend, so wütend, wie es ihm Stella überhaupt nicht zugetraut hätte. Trotzdem hielt er sich zurück und streckte in einer peinlich-höflichen Geste die Hand aus, um die ihres Vaters zu schütteln. »Freut mich, Sie kennenzulernen«, verkündete er in ausdruckslosem Ton, als wäre es ihm eigentlich völlig egal, ob ihn der Mann ihm gegenüber jetzt ins Gesicht schlagen würde – er schien mit allem abgeschlossen zu haben.

Stella beobachtete, wie ihr Vater Gus musterte und einen Blick auf dessen Hand warf. Er schüttelte sie für den Bruchteil einer Sekunde, wenn überhaupt, und hob dann seine, um Amy über den Kopf zu streicheln. »Das kommt schon alles in Ordnung, meine Süße«, sagte er. »Du kannst bei mir wohnen. Ich kümmere mich dann schon.«

»Du tust *was*?« Moira schob sich durch die Gruppe hindurch nach vorn. »Das kommt überhaupt nicht infrage. Seit wann weißt du, wie man sich um ein Baby kümmert?«

»Ich weiß sehr wohl, wie man sich um ein Baby kümmert, Moira.«

»Graham, unsere beiden haben wir so geplant, dass sie genau zwischen die Olympiajahre passten. Und wie oft du eine Windel gewechselt hast, kann ich an einer Hand abzählen.«

Sie standen einander gegenüber und funkelten sich wütend an.

Gus versuchte, Amys Aufmerksamkeit zu erlangen, die allerdings blieb, wo sie war, und schmollte. »War das gerade eben dein Ernst?«, wollte er wissen.

Amy verbarg das Gesicht am Ärmel ihres Vaters.

Gus atmete aus, langsam und ausgedehnt, und das Entsetzen stand ihm ins Gesicht geschrieben. Dann hob er resigniert beide Hände und verkündete: »Wisst ihr was? Macht doch alle, was ihr wollt.« Mit diesen Worten wandte er sich ab und lief entschlossen davon.

»Gus, wohin gehst du?«, rief ihm Sonny nach.

Aber Gus wandte sich nicht einmal mehr um.

Stella sah zu, wie ihr Vater die Stirn runzelte. »Was geht hier eigentlich vor sich? Wer ist dieser Kerl?«, wollte er wissen. »Woher kennst du ihn überhaupt, Amy?«

Doch niemand gab ihm eine Antwort.

Für Stella fühlte sich alles genauso an wie immer. Ihr Vater war zurück, und die kleine Gang, die sie gebildet hatten, mit einem Schlag zerstört. Als wären sie zu sehr mit ihren alten, vertrauten Rollen verwachsen. Als besäßen diese eine zu große Anziehungskraft. Sie sah bereits vor sich, wie Amy nach der Reise ihrem Vater ihren Pass aushändigte.

Stella wollte gerade etwas sagen, wurde jedoch von der Stimme ihrer Mutter unterbrochen. »Nein«, sagte Moira. »Nein, du tust das jetzt nicht, Graham. Lass es bleiben. Was auch immer hier passiert, du wirst dich nicht hinter Amy verstecken. Sie hat ihr eigenes Leben, und dieses Leben wird nicht hier stattfinden.«

Graham wirkte verletzt. »Ich habe ihr doch nur meine Hilfe angeboten.«

»Nein, hast du nicht. Du wolltest sie wieder in deine Höhle zerren. Aber ich kann dir versprechen, das wird nicht passieren. Ich werde es nicht zulassen.«

Amy konnte es kaum glauben. »Mum! Warum bist du so gemein?«

»Amy, werde endlich erwachsen!«, schrie Moira. »Du brauchst diesen Mann«, sagte sie und deutete in die Richtung, in der Gus durch das Tor auf die Straße gegangen war. »Dein Kind braucht diesen Mann. Wirf das nicht weg, du verwöhntes Gör.«

Vor lauter Zorn lief Amy knallrot an.

Moira verschränkte die Arme vor der Brust. »Mach schon«, forderte sie ihre Tochter auf.

»Was denn?«, fauchte Amy zurück, die Hände in die Hüften gestemmt.

»Lauf ihm nach, du dumme Gans.«

»Fällt mir gar nicht ein.«

»Du wirst ihm jetzt nachgehen. Mach schon!«

Kochend vor Wut stürmte Amy davon. Sie schmetterte das Gartentor hinter sich zu.

Währenddessen versuchte Jack Stellas Aufmerksamkeit zu erhaschen und signalisierte ihr mit weit aufgerissenen Augen, dass Rosie das ganze Drama verfolgte wie eine besonders spannende Realityshow. Er bewegte den Kopf zum Schwimmbecken. Stella nickte, machte auch eine Geste in Richtung ihres Sohnes. Jack schlich auf Zehenspitzen zu Sonny und zerrte beide Kinder, die sich heftig sträubten, zum Pool.

Jetzt waren nur noch Stella, ihre Mutter und ihr Vater übrig, die mitten auf dem Rasen standen.

Aus den Blättern des nächsten Baumes kamen kleine Vögel geflattert und zogen sich dann wieder zurück, immer im Wechsel.

Der Filter der Poolanlage öffnete und schloss sich, während sich das Wasser in der Brise leicht bewegte.

Stella wusste nicht, was sie sagen sollte, aber das machte nichts, weil plötzlich ihre Mutter die Regie übernahm.

»So«, sagte Moira und rieb sich die Hände. »Du willst uns doch sicher eine Tasse Tee kochen, Graham?«

38. Kapitel

Graham kehrte mit drei Tassen aus der Küche zurück. Stella und Moira hatten sich im Schatten einer Markise in alten Korbstühlen mit blau-gelb gestreiften Kissen niedergelassen. Beim Hinsetzen hatte Moira ihrer Tochter zugezwinkert.

Als ihnen Graham nun den Tee reichte, bedankte sich seine Frau. Dann kontrollierte sie die Farbe des Getränks, nahm einen raschen Schluck und erklärte: »Ganz erstaunlich, was man so lernt, wenn man auf sich allein gestellt ist, nicht wahr?«

Graham murmelte etwas.

Warnend zog Stella die Augenbrauen hoch und sah ihre Mutter an, die jedoch nur eine Grimasse schnitt und sich abwandte.

Im Hintergrund spielten die Kinder am Schwimmbecken.

»Wo hast du denn die Villa gefunden?«, erkundigte sich Stella, als auch ihr Vater sich mit seinem Tee an den Tisch setzte.

Graham sah sich um. »Auf Airbnb.«

»Auf Airbnb?« Stella war überrascht, dass ihr Vater diese Plattform überhaupt kannte.

»Dein Sohn hat mir so einiges über das Internet beigebracht«, erklärte er.

Stella nickte. Sie schaute sich um, entdeckte eine Frau, die an der Schiebetür stand und mit einer Müslischale in der Hand zu ihnen hinübersah. Hinter ihr saß ein Mann beim Frühstück. »Wie viele Leute wohnen denn hier?«, wollte sie wissen.

»Viele«, gab ihr Vater zurück. »Und sie hören Musik. Sehr laut.«

Moira schnaubte und lachte gleichzeitig. »Geschieht dir recht.« Nach einem weiteren Schluck Tee sagte sie ganz sachlich: »So, dann leg mal los. Warum bist du weggegangen?«

Ein weiteres Mal war Stella erleichtert darüber, ihre Mutter bei sich zu haben. Allein wäre sie jetzt um den heißen Brei herumgeschlichen, und sie hätten sich beide sofort in einer Abwehrhaltung befunden.

Graham rutschte in seinem Stuhl herum. »Das weiß ich gar nicht so genau.«

Moira stieß einen entnervten Seufzer aus. »Natürlich weißt du das.«

Graham sah auf. »Ich denke, ich habe mich überflüssig gefühlt. Niemand hat mich gebraucht«, fügte er hinzu. »Du bist mit deinem Mitch abgehauen …«

»Entschuldige bitte, aber ich bin *nicht* mit ihm abgehauen.« Heftig stellte Moira ihre Tasse auf den Tisch. »Mitch ist ein Freund, den ich mag und der mich dazu bringt, die bestmögliche Version meiner selbst zu sein, Graham, statt mich als Kellnerin anzustellen. Und mir ist nie der Gedanke gekommen, dass du deswegen gegangen bist. Ich glaube, du hattest Angst. Du hast dich plötzlich umgeschaut und Angst bekommen, möglicherweise alles versaut zu haben.«

»Mum!« Stella versuchte zu verhindern, dass ihre Mutter die Sache weiter so grob anging.

»Ich weiß wirklich nicht, warum du ihn jetzt verteidigst, Stella.«

Alle schwiegen.

Graham atmete laut aus. Er lehnte sich in seinem Stuhl vor, rieb die Handflächen gegeneinander. »Du hast recht«, wandte er sich an Moira. Dann warf er Stella einen vorsichtigen Blick zu. »Deine Mutter hat recht. Wahrscheinlich hatte ich wirklich Angst.«

Unter seinem Blick fühlte sich Stella unbehaglich. Seine großen dunklen Augen erinnerten sie an Sonnys, und sie war es nicht gewohnt, dass er sie ansah.

Er runzelte die Stirn, bevor er weitersprach. »Ich habe euch alle auf diesem Instagram gesehen, wie ihr euer Leben lebt, und es hat sich angefühlt, als wäre ich nur eine Randfigur, und das ist ungewohnt für mich. Ich wusste, ich muss etwas tun, schon wegen Sonny.« Er schwieg kurz. »Ich mag deinen Sohn«, verkündete er dann.

Stella sah zu, wie er ständig beide Daumen übereinanderrieb. Sie wollte fragen: »Und was ist mit mir? Magst du mich auch?« Doch sie sagte nichts, sondern nickte nur.

»Ihr habt einfach alle gemacht, was gerade anstand. Deine Mutter hat sich mit ihrem neuen Kerl herumgetrieben.« Moira seufzte tief auf, sagte aber nichts. »Und ich habe begriffen, dass mich nur ein einziger Mensch zurückhält – ich selbst. Ich hatte ganz vergessen, wie es ist, sich in die Welt aufzumachen.« Er lehnte sich in seinem Stuhl zurück, sprach jetzt mit ein wenig mehr Selbstvertrauen. Fand in seine Geschichte. »Deswegen habe ich das Ganze mal ausprobiert. Meinen Pass genommen und los.«

Stella sah, wie ihre Mutter die Augen verdrehte.

»Und wo du schon einmal dabei warst, hast du gleich mal tausend Pfund von unserem Geld mitgenommen«, fügte Moira hinzu. »Und eine Tasche gepackt. Und dir eine Route gesucht, auf der du nicht fliegen musstest. Mach das Ganze bloß nicht zu romantisch, Graham. Du warst einsam, und du hast begriffen, dass du für immer einsam bleibst, wenn du den Hintern nicht hochkriegst und etwas unternimmst.«

Ihr Vater räusperte sich. »Nun«, gab er zurück und klang dabei ein wenig schüchterner als zuvor, »ich weiß nicht, ob ich es genau so formulieren würde.«

»Warum bist du denn nicht zurückgekommen?«, wollte Stella wissen.

»Ich glaube, ich bin einfach nicht davon ausgegangen, dass mich irgendjemand vermisst. Aber dann habe ich gesehen, dass ihr alle zusammen wart, nach mir gesucht habt, und einen solchen Aufwand wollte ich gar nicht verursachen, deswegen … Es war mir einfach peinlich.«

»Ach, Blödsinn«, schnaubte Moira. »Du hast das Ganze doch genossen.«

Ihr Mann schaute sie völlig verblüfft an.

»Du brauchst mich gar nicht so ungläubig anzusehen.« Moira schüttelte den Kopf. »Ich kenne dich doch, Graham Whitethorn. Dir ist nichts lieber als ein bisschen Aufmerksamkeit.«

Graham runzelte die Stirn. »Das stimmt so nicht.«

Moira seufzte. »Du fandest es ganz großartig, dass alle

versucht haben, dich mit ihren Fotos nach Hause zu locken. Jetzt gib es doch einfach zu.«

Graham lehnte sich zurück und verzog das Gesicht. »Also gut, vielleicht hat es mir auch geschmeichelt. Es hat sich gut angefühlt. Es ist schön, wenn man vermisst wird. Ich habe gesehen, wie ihr nach Cornwall gekommen seid. Dass du schwimmen warst«, sagte er und nickte in Stellas Richtung. »Besser spät als nie«, konnte er sich die Bemerkung nicht verkneifen.

Stella wandte den Blick ab. Die Sonne stand inzwischen hoch am Himmel, und das Rot verwandelte sich in Gelb. Um sie herum rauschten die Blätter der Palmen im immer gegenwärtigen Wind.

»Graham!«, warnte ihn Moira.

»Was denn?«

»Provoziere sie nicht.«

»Ich provoziere sie doch gar nicht. Es war einfach höchste Zeit. Und es wäre besser gewesen, sie hätte erst gar nicht aufgehört mit dem Schwimmen. Aber ...«

»Graham«, warnte ihn Moira ein zweites Mal.

Er hob abwehrend die Hände. »Schon gut, okay.« Er griff nach seinem Tee, blies hinein, nahm einen Schluck und murmelte: »Dabei hätte sie so gut sein können. So eine Verschwendung.«

Stella kniff die Augen zusammen. Sie konnte kaum glauben, dass er das immer noch sagte. »Was war das gerade eben?«

»Beachte ihn einfach nicht, Stella«, wandte sich ihre Mutter an sie.

Aber das konnte Stella nicht. Sie konnte nicht wieder

in ihre alte vorgezeichnete Beziehung zurückrutschen. Sie dachte an Mitchs Worte bei ihrer Begegnung am Strand. Er hatte davon gesprochen, dass normalerweise alle logen. »Dad, das war vor zwanzig Jahren. Es ist vorbei. So vorbei, dass es nicht einmal mehr ein Thema ist. Ich *wollte* es nicht tun. Begreifst du das? Ich wollte es einfach nicht.«

»Du bist nur abgelenkt worden, weil du eine Weile pausieren musstest und auf so vielen Partys gewesen bist. Du hast *geglaubt*, du würdest es nicht wollen. Das war schon immer dein Problem: Du hast zu viel nachgedacht«, erklärte er mit einem missbilligenden Kopfschütteln.

Für Stella war diese kurze Zeit ohne Training, diese Freiheit, wie ein Sonnenstrahl, der durch die Wolken ihrer Erinnerungen brach. »Ich habe *nicht* zu viel nachgedacht. Ich habe nur angefangen, selbst zu denken. Das allein war das Problem. Wenn du mich weniger als Projekt und mehr als Mensch gesehen hättest, hätte ich vielleicht mein inneres Gleichgewicht gefunden und wäre in dieses verdammte Becken gesprungen.« Stella wurde bewusst, dass sie jetzt schrie. Sonny und Rosie schauten zu ihnen hinüber, und sie wirkten besorgt. Stella winkte ihnen lächelnd zu, damit sie sahen, dass alles in Ordnung war.

Ihr Vater trank von seinem Tee. »Das ist sowieso nicht mehr wichtig.«

»Ach, Graham«, rief Moira aus. »Du kannst das nicht einfach so sagen und sie damit zum Schweigen bringen.«

Ihr Vater schob den Kiefer nach vorn.

Stella war es nicht gewohnt, dass ihre Mutter Partei für sie ergriff. Sie spürte, wie ihr das das nötige Selbstvertrauen zum Weitersprechen gab – sie wusste, wenn er nun zu schreien anfangen würde, würde ihr jemand zur Seite stehen. »Es *ist* wichtig«, fuhr Stella fort. »Es ist wichtig, weil ich möchte, dass du begreifst, dass ich das Richtige getan habe.«

Ihr Vater sah sie an. »Warum?«

»Weil es mir wichtig ist.«

Er dachte eine Sekunde lang darüber nach, verscheuchte eine Wespe aus seinem Gesicht und erwiderte: »Ich kann begreifen, dass du *denkst*, es war richtig für dich.«

»Aber es *war* nicht richtig?«, fragte Stella zurück.

»Graham, treib sie nicht in die Enge«, rief Moira empört.

Ihr Mann ignorierte sie einfach. »Ich denke, du bereust deine Entscheidung, Stella.«

»Du treibst mich noch in den Wahnsinn!« Stella stand auf und wollte gehen.

Aber ihr Vater ließ nicht vom Thema ab. »Du bereust deine Entscheidung, nicht wahr?«

Stella blieb stehen.

Moira hielt beide Hände in die Höhe. »Ist das wirklich wichtig?«

Graham zuckte die Schultern.

»Ob ich meine Entscheidung bereue?« Stella wandte sich ihrem Vater zu. »Ja«, sagte sie. »Ja, das tue ich. Ich bereue es, damals nicht ins Becken gesprungen zu sein.«

Die Mundwinkel ihres Vaters verzogen sich ein ganz klein wenig nach oben, da er dachte, er hätte gewonnen.

Doch Stella war noch nicht fertig. »Aber bereue ich es, nicht bei der Olympiade angetreten zu sein? Nein.« Sie schüttelte den Kopf, als gäbe es auf der ganzen Welt nichts Dümmeres, Unbedeutenderes als diese Wettkämpfe. »Nein, das ist mir wirklich völlig egal. Absolut, absolut egal. Ich habe ein ganz wunderbares Leben. Wie du vorhin gesagt hast, habe ich ein ganz wunderbares Kind. Und noch ein zweites, Rosie. Ich glaube, die kennst du überhaupt nicht richtig. Außerdem habe ich einen ganz wunderbaren Ehemann. Jack.« Sie zeigte hinüber zum Schwimmbecken, ohne den Blick von ihrem Vater abzuwenden. »Ich glaube, du kennst sie überhaupt nicht. Ich habe einen echt guten Job, in dem ich dafür belohnt werde, dass ich zu viel nachdenke. Du hast wahrscheinlich noch nie ein Wort von dem gelesen, was ich geschrieben habe. Und weißt du, ich habe auch eine ganz wunderbare Schwester, die eine ganz großartige Person ist, wenn man sie nicht zu sehr in Watte packt. Und da ist dieser genauso großartige Typ, der Vater ihres Kindes. Dem du nicht einmal in die Augen schauen konntest. Willst du wissen, warum ich es bereue, nicht ins Becken gesprungen zu sein? Wegen alldem. Denn wenn ich es getan hätte, würdest du jetzt meine Familie kennen. Ich würde meine Mutter, meine Schwester und dich kennen. Du würdest mich kennen.« Sie schluckte.

Ihre Mutter starrte sie an, und in ihrem Blick lag eine Traurigkeit voller Zuneigung.

Ihr Vater saß da und sah auf seine Hände.

»Das Ganze ist einfach lächerlich.« Stella schüttelte den Kopf. Sie spürte, wie Tränen ganz schwach in ihren Augen brannten. Sonny, Rosie und Jack beobachteten sie vom Pool aus, doch sie konnte einfach nicht aufhören. »Es ist einfach lächerlich, dass es so weit kommen musste. Du willst, dass ich sage, ich bereue meine Entscheidung? Gut – ich bereue sie. Macht das die Sache besser? Du willst, dass ich mich entschuldige? Gut. Es tut mir leid«, sagte sie. Sie wiederholte ihre Worte, klar und deutlich: »Es tut mir L-E-I-D.«

Dann schwieg sie.

Niemand sagte ein einziges Wort. Nur das Pumpen und Zischen des Poolfilters war zu hören. Sogar die Leute im Frühstücksraum starrten sie ganz still an.

Stella kam zum Tisch zurück und setzte sich wieder hin. Ihre Wangen hatten sich ein wenig gerötet, weil ihr ihr Ausbruch peinlich war, doch gleichzeitig verspürte sie eine überraschend große Erleichterung darüber, dass sie das gerade eben getan hatte. Sie nahm ihre Teetasse in die Hand, nahm nervös einen Schluck und schaute dann zu ihrem Vater hinüber. Dieser wirkte plötzlich klein und alt. Von seiner Macht war nichts mehr übrig.

Er saß in unerschütterlicher Stille da.

»Stella, Liebes...«, setzte ihre Mutter an.

»Mum, alles gut.« Stella schüttelte den Kopf.

Alles schien ihr so unwichtig. So sinnlos.

Plötzlich war sie wütend auf sich selbst, weil sie begriff, wie viel ihr an der Vergebung ihres Vaters lag – oder daran, dass er zumindest einen Teil der Schuld auf sich nahm. Sie hatte so lange darauf gewartet, dass ihr verziehen würde, weswegen es keine Rolle mehr spielte, wofür sie Vergebung brauchte. Es ärgerte sie, dass sie nicht stark genug gewesen war, die Kontrolle zu übernehmen, daran zu glauben, dass sie etwas Gutes tat. Etwas, wie er sagte, das richtig für sie war. Für wen sonst hätte es denn richtig sein sollen? Es frustrierte sie sehr, dass sie durch sein Bestehen auf Distanz einen bestimmten Teil ihres Zugehörigkeitsgefühls verloren hatte. Ihres Selbstvertrauens. Und das hatte alles durchdrungen – ihre Kindererziehung, ihre Ehe. Selbst Stella mit dem Schandmaul setzte sich aus dem zusammen, was die Leute von ihr erwarteten.

Alles fühlte sich an wie eine extreme Zeitverschwendung, oder, wie sie gerade in ihrem Ausbruch verkündet hatte – wie ein riesiger Verlust dessen, was hätte sein können.

Als Stella jetzt ihrem Vater gegenübersaß, musste sie daran denken, was Gus am vergangenen Nachmittag gesagt hatte, als sie gemeinsam nach draußen zu Sonny dort am Picknicktisch hingeschaut hatten: »Löse dich von deinen Erwartungen.« Und sie musste lächeln, denn dort neben ihr saß wirklich nur ein Mann, der Angst vor dem Alleinsein hatte. Ein Vater, der Fehler begangen hatte, die er nicht zugeben konnte. Genau wie Stella eine Mutter war, die Fehler machte, die sie nicht zugeben konnte – allerdings besaß sie das Privileg, an Gus' scheinbar unendlicher Weisheit teilzuhaben.

Ihr Vater nahm einen Schluck Tee und starrte einfach geradeaus.

Stella betrachtete sein Profil. Sah, wie sein Adamsapfel sich auf und ab bewegte, als er schluckte. Leise sagte sie: »Ich verzeihe dir.«

Er wandte sich ihr zu. »Entschuldigung?«

»Siehst du, so schwer war das doch gar nicht«, versuchte Moira, einen Witz zu machen.

Stella grinste.

Graham schaute noch verwirrter drein. »Was war gar nicht so schwer?«

»Du hast dich gerade entschuldigt«, erklärte Moira und zappelte auf ihrem Stuhl herum, weil sie sich über ihren gelungenen Scherz freute. »Jetzt brauchst du es nur noch mit ein bisschen mehr Überzeugungskraft zu sagen.«

»Ich denke nicht ...«, setzte er an.

»Graham«, unterbrach ihn seine Frau, »entschuldige dich einfach bei dem armen Mädchen, und dann können wir alle weitermachen.«

Stella saß da und sah zu, wie ihr Vater in seinem Stuhl herumrutschte. »Ich wüsste nicht, wofür ich mich entschuldigen ...«

»Graham!« Nun war Moira mit dem Schreien an der Reihe.

»Ach, verdammt noch mal.« Voller Wut richtete er sich auf. »Gut, ich entschuldige mich. Ich weiß zwar nicht genau, wofür, aber ich entschuldige mich.«

Moira öffnete den Mund. Dass er sich auf so unzureichende Weise entschuldigt hatte, brachte sie ganz offensichtlich ihrerseits in Wut, doch Stella griff ein. »Schon in Ordnung, Mum«, sagte sie und musste dabei fast lachen. »Es ist in Ordnung.«

Moira kniff die Augen zusammen. »Du bist ein dummer alter Dickkopf, Graham Whitethorn.«

Stella schaute zum Pool hinüber, zu Jack und den Kindern. Jack hielt beide Daumen hoch. Sie nickte. Er zwinkerte ihr zu.

Sie musste daran denken, wie ihr Vater ihr im Sportzentrum zugezwinkert hatte. Wie großartig sich das anfühlte. Wie ihr das ohne Worte alles vermittelte, was sie jemals zu hören brauchte. Sie schaute zu ihm hinüber, wie er da leicht zusammengesunken in seinem Stuhl saß, ein bisschen griesgrämig, wie zu Hause. Dann wandte sie den Kopf wieder in Richtung Pool. »Wenn du willst, können wir ein Wettschwimmen deswegen veranstalten.«

»Weswegen denn?«

Sie zuckte die Schultern. »Um eine Entschuldigung. Die Feststellung, dass ich nicht allein schuld bin.«

Stella wusste nicht genau, ob sie so etwas überhaupt brauchte, aber die Tatsache, dass er die Entschuldigung nicht aussprechen konnte, erfüllte sie mit der Sorge, das hier wäre nicht das Ende. Und ein Wettschwimmen gehörte wohl zu der Sprache, die er verstand: etwas mit einem genau definierten Anfang und Ende. Außerdem interessierte es Stella, wie er das Ganze handhaben würde.

Eine Sekunde lang saß ihr Vater schweigend da. Stella wartete, und sie wusste, dass er trotz seines Alters und seiner mangelnden Fitness keiner Herausforderung aus dem Weg gehen würde.

Er bewegte den Kopf hin und her und ließ die Schultern kreisen. »Wie viele Bahnen?«, erkundigte er sich.

»Nur eine einzige«, gab Stella zurück, wobei sie ein schwaches Lächeln nicht unterdrücken konnte, weil er es überhaupt in Erwägung zog.

»Für eine Bahn lohnt es sich nicht.«

»Dann zwei.«

Fasziniert schaute ihre Mutter zu.

Er nickte. »Dann gehe ich jetzt und ziehe mich um.«

Stella hatte bloß den knappen gelben Bikini dabei, den sie nach Amys gestrigem Krankenhausbesuch im Auto gelassen hatte. Sie holte ihn und zog sich im Badezimmer neben der Küche um. Sie war nervös und aufgeregt, und durch den Adrenalinschub zitterten ihr beim Zusammenknoten der Schnüre die Hände. Als sie aus dem Bad kam, stand ihr Vater am Beckenrand und bewegte die Zehen. Er trug seine winzige Badehose mit den Olympischen Ringen. Bei ihrem Anblick musste Stella ein Lachen unterdrücken.

Ihr Vater verzog das Gesicht, als sie sich neben ihn stellte. »Kannst du so überhaupt schwimmen?«, fragte er mit einer Kopfbewegung in Richtung des Bikinis.

»Mach dir um mich keine Sorgen«, gab Stella zurück.

Die Paare aus dem Frühstücksraum kamen nach draußen, um sich das Rennen anzusehen. Sonny und Rosie standen jauchzend am Beckenrand. Jack positionierte sich zur Kontrolle am anderen Ende, darauf hatte Stellas Vater bestanden. Jack sollte überprüfen, dass sie auch beide die Wand berührten, bevor sie wendeten. Alles ging mit großer Ernsthaftigkeit vonstatten. Stellas Mutter hinter ihnen sollte das Startzeichen geben.

Ihr Vater setzte seine Aufwärmübungen fort. »So früh am Tag sind meine Beine noch ein bisschen steif.«

»Sagst du das jetzt vielleicht nur, falls ich gewinne?«, wollte Stella wissen.

Ihr Vater hielt den Blick aufs Wasser gerichtet. Er machte eine letzte Streckübung und erwiderte. »Du wirst nicht gewinnen.«

Ihre Mutter beugte sich vor und legte Stella in einer behutsamen Geste eine Hand auf die Schulter. Die Berührung dauerte bloß ganz kurz. Stella wandte sich um und sah ihr in die Augen.

»Viel Glück«, sagte Moira ganz leise.

Stella holte tief Atem. »Ich bin bereit, wie sieht's bei dir aus?«

Ihre Mutter stellte sich an eine Ecke des Beckens. »Auf die Plätze!«

Graham schaute zu seiner Tochter hinüber. »Und du springst auch wirklich rein? Nicht, dass du mich da wie einen Idioten im Pool herumplanschen lässt.«

»Fertig!«

»Oh, ich springe ganz bestimmt rein«, entgegnete Stella, während sie die Handteller aneinanderrieb. Sie war bereiter als je zuvor in ihrem Leben.

»Los!«

Und Stella sprang. Sie empfand es als ganz leicht. Das Brennen des Chlors auf der Haut, das Blau des Wassers, das ihr in denen von keiner Schwimmbrille geschützten Augen wehtat. Sie schwamm schnell. So schnell sie nur konnte. »Los, Mum! Los, Grandpa!«, hörte sie gedämpft durch das Wasser. Keines der Kinder hatte eine Ahnung, warum dieses Rennen stattfand.

Stella wusste, dass sie vorne lag, konnte jedoch ihren Vater neben sich spüren. Obwohl er zwei Jahre ausgesetzt hatte, blieb er fitter und stärker als sie, was ihr auch klar war. Sie schaffte zwei Drittel der ersten Bahn, bevor der Schmerz sie traf wie ein Hammerschlag, bevor die Milchsäure in ihren Muskeln brannte. Ihre Kraft ließ nach. Sie spürte, wie ihr Vater sie überholte. Ihre Arme brannten wie Feuer. Das Wasser bildete ein Netz, das sie zurückzog. Nun konnte sie Grahams Badehose sehen, als er noch mehr Entfernung gutmachte, und sie spürte, wie ihre Schwimmstöße kürzer wurden, weil sie jetzt verärgert war. Sie hätte nicht sagen können, ob sie wollte, dass er sie gewinnen ließ – gleichzeitig wusste sie, wie wütend sie in diesem Fall gewesen wäre.

Als Stella das Ende der Bahn erreichte, schaffte sie die Wende nur sehr unkoordiniert. Ihr Vater lag vor ihr und schwamm ihr davon. Sie stellte sich Pete vor, mit einer Zigarette im Mund. Pete, der sich in seinem Stuhl vorbeugte und »Hör mit dem Denken auf! Schwimmen sollst du, du blöde Kuh!« schrie. Und Stella spannte sich wieder an. Beim Wenden erhaschte sie einen kurzen Blick auf Jack. Immer mehr Bläschen von den Beinbewegungen ihres Vaters stiegen an die Wasseroberfläche. Stella schaute zur Seite, obwohl sie das nicht hätte tun sollen, und sah, wie ihr Sonny und Rosie zuwinkten. »Los, Mum!«

In ihrer Vorstellung brüllte Pete: »Verdammt noch mal, lass dich nicht ablenken!« Ihr Gehirn brüllte zurück, Pete solle sich verpissen, und er verschwand mit einem Knall. Unter Wasser musste Stella lächeln. Ihre Muskeln schrien vor Schmerz, und ihr Lachen ließ Luftblasen an die Wasseroberfläche steigen. »Es ist immer besser, wenn man über Situationen wie diese lacht, Stella«, hatte Mitch gesagt – vielleicht war er ja tatsächlich ein Guru.

»Du musst wirklich aufhören nachzudenken«, ermahnte sie sich selbst, während ihr Vater sie immer deutlicher abhängte. Und dann konzentrierte sie sich nur noch auf das zuckende Lächeln auf ihrem Gesicht. War völlig fokussiert. Der Schmerz verwandelte sich in Energie – jetzt setzte das Hoch ein, und ganz plötzlich war da auch das Adrenalin. Stella fand ihren Rhythmus. Die rote Hose kam näher.

Ihr Vater wurde nun müde. Für einen kurzen Moment bestand die Chance, ihn zu überholen. Aber das Ergebnis war Stella nicht länger wichtig. Sie brauchte seine Bestätigung oder seine Vergebung nicht mehr. Sie brauchte beides von sich selbst, und sie würde beides bekommen, wenn sie jetzt alles gab. Durch das Wissen, ihr Bestes gegeben zu haben. Die ganze Zeit musste sie grinsen, während ihre Lungen zu explodieren drohten. Sie fühlte sich wie ein Fisch auf der Schwimmtour seines Lebens. Hier war sie, im Wettbewerb um ihrer selbst willen. Schnell, elegant, glücklich. Dann war es erledigt. Zwei Bahnen. Vorbei.

Er hatte gewonnen. Sie folgte in unmittelbarem Abstand. Rang keuchend nach Atem.

Ihr Vater strich sich das nasse Haar zurück. »Nicht schlecht«, verkündete er.

Hechelnd hing Stella am Beckenrand. »Sogar ziemlich gut, würde ich sagen«, gab sie zurück und schaute ihm direkt in die Augen. Dann stieg sie mit einem Augenzwinkern und einem Lächeln aus dem Wasser.

39. Kapitel

Amy hatte so getan, als würde sie Gus nachlaufen, doch stattdessen verschwand sie um eine Ecke, schmollte, kickte mit ihren Flip-Flops Bougainvilleablätter durch die Gegend und wartete darauf, dass alle mit ihrem Kram fertig wurden, damit sie an das Auto gelehnt auf sie warten konnte. Ihnen zeigen, wie ungerecht man sie behandelte, und dass man sie immer missverstand.

Deswegen duckte sie sich halb hinter eine Mauer, als sie um eine Ecke bog und sah, dass Gus auf sie zukam. Sie versuchte, sich irgendwo zu verstecken.

»Ich habe dich gesehen«, rief er.

»Scheiße.« Sie schielte um die Mauer des Eckhauses herum, und die Bougainvillea umgab sie wie ein Vorhang.

Jetzt hatte Gus Amy erreicht. »Was willst du denn hier?« Sein Mund war immer noch verächtlich verzogen.

»Gar nichts«, gab sie zurück.

»Warum bist du nicht bei den anderen?«

»Einfach so.«

Er machte ein Gesicht, als wäre es ihm völlig egal, und lief weiter auf den Wagen zu.

»Ich weiß gar nicht, warum du böse auf mich bist«, rief sie ihm nach.

»Doch, das weißt du«, erwiderte er und drehte sich nicht einmal zu ihr um.

Amy starrte auf den Bordstein herunter. Auf die kleinen rosa Bougainvilleablüten, die die Brise zu Boden hatte wehen lassen.

Gus blieb stehen, wandte sich um und ging zurück, sodass er nur etwa zwei Meter von ihr entfernt war. »So dumm kannst du doch gar nicht sein, dass du nicht weißt, warum ich böse auf dich bin«, meinte er, als würde er sich in diesem Moment ernsthaft fragen, ob sie nicht vielleicht doch so dumm wäre.

Amy schluckte. Sie hob den Blick nicht.

»Einfach erbärmlich, diese kleine Show da gerade eben mit deinem Vater. Und warum das Ganze? Weil ich dich letzte Nacht nicht geküsst habe?«

»Halt den Mund«, murmelte sie.

»Du bist einfach erbärmlich, Amy.« Gus blieb stehen, wo er war. »Du hast gesagt, du willst es versuchen, und sobald etwas nicht nach deinem Kopf geht, rennst du zu deinem Vater zurück. Was sollte das Ganze überhaupt? Du wolltest doch gar nicht, dass ich dich küsse.«

»Doch, das wollte ich.«

»Warum das denn?« Völlig verblüfft strich sich Gus mit gespreizten Fingern das Haar zurück. »Du willst mich doch gar nicht. Wir beide passen einfach nicht zusammen.«

»Ich weiß«, gab Amy zurück.

»Was soll dann das Theater?«

»Ich weiß es nicht«, rief sie, sah auf und versuchte nicht zu weinen. Letzte Nacht hatte sie sich gewünscht, er würde sie küssen. Jetzt, bei Tageslicht, war sie sich dessen nicht mehr so sicher. Sie hatte bemerkt, wie ihr Vater Gus kritisch musterte, als er ihn gesehen hatte – sogar bevor sie ihm gesagt hatte, schwanger zu sein. So hatte er Bobby nie angeschaut. Gus hatte recht, sie beide passten einfach nicht zusammen. Sie wusste gar nicht, was sie sich dabei gedacht hatte. Wahrscheinlich hatte sie sich zwischen all diesen Veränderungen an eine Art Trost und Stabilität klammern wollen. Und dann war ihr Stolz verletzt worden, und sie war ausgetickt. »Ich bin wirklich erbärmlich«, sagte Amy und bedeckte das Gesicht mit beiden Händen. »Ich bin erbärmlich, und ich weiß es.«

Gus stand immer noch an derselben Stelle. »Weinst du etwa?«

»Nein.«

»Ich glaube, du weinst.«

»Tue ich nicht.«

Amy schniefte. Dann musste sie die Hände vom Gesicht nehmen, weil sie nicht mehr mit dem Rotz und den Tränen fertigwurde. In ihrem Rock suchte sie nach einem Taschentuch. Gus reichte ihr ein sauberes.

»Ich glaube, eigentlich bin ich derjenige, der weinen sollte«, sagte er.

Amy musste unter Tränen lachen, und das ließ sie grunzen. Sie wischte sich das Gesicht ab. »Jetzt habe ich deinetwegen grunzen müssen.«

Gus zuckte nur die Schultern.

Kleine Flecken Sonnenschein flackerten durch die Bäume.

»Warum weinst du jetzt, Amy?«

»Weil ich mich schlecht fühle. Weil ich weiß, dass wir nicht zusammenpassen. Aber ich habe Angst bekommen. Ich glaube, es ist Angst vor dem, was die Zukunft bringt. Ich habe Angst davor, es allein schaffen zu müssen, und ich weiß, dass das dumm ist, doch ich kann einfach nicht anders.«

»Ich finde nicht, dass du dumm bist. Das hätte ich nicht sagen sollen.«

Er machte ein paar Schritte und lehnte sich an eine Mauer. Sie stellte sich neben ihn.

»Hast du denn vor gar nichts Angst? Auch nicht davor, allein zu sein?«, wollte sie wissen.

»Nein.«

»Überhaupt keine Angst?«

Gus dachte darüber nach. »Nein. Aber das Ganze hier hat mir gefallen.« Er deutete auf den großen schwarzen Geländewagen am Ende der Straße. »Mit deiner Familie zusammen zu sein, hat mir größeren Spaß gemacht, als ich vorher dachte.« Er sah sie an. »Und mit dir zusammen zu sein, hat mir auch Spaß gemacht. Wenn du dich anders benimmst als gerade eben jedenfalls.«

Amy stopfte das Tuch zurück in die Tasche. »Es hat mir ja auch Spaß gemacht, Zeit mit dir zu verbringen«, sagte sie und schaute zu ihm hinüber. »Ich glaube, genau das ist das Problem.«

»Wenn man gern Zeit mit mir verbringt? Das klingt aber nicht gut.«

»Nein.« Amy schüttelte den Kopf. »Ich mag die Person, die ich bin, wenn ich mit dir zusammen bin. Du sorgst dafür, dass ich mich mehr anstrenge. Du pushst mich. Und das brauche ich. Ich bin wirklich nicht dumm, ich weiß, wie weit ich gehen kann«, fügte Amy hinzu und zupfte an einer der Bougainvilleablüten herum, die ihr über die Mauer entgegenwuchsen.

433

Gus schaute sie lakonisch an. »Mir ist völlig klar, dass das alles nur gespielt war.«

»War es nicht«, antwortete sie und zog an den tiefrosa Blüten. Dann schwieg sie kurz. »Oder vielleicht doch, das kann ich nicht sagen. Bevor ich dich kennengelernt habe, hat es sich nicht angefühlt wie gespielt.«

»Dann weiß ich nicht, wo das Problem ist.« Gus zuckte die Schultern. »Für mich klingt das alles sehr gut. Als wäre ich ein Held.«

Amy schlug ihm auf den Arm. »Du bist nun wirklich kein Held.«

»Doch, bin ich.« Gus zeigte auf sich selbst. »Ein Hipster-Held.«

Amy verdrehte die Augen und warf danach die Blüte auf den Boden. »Und was passiert dann, wenn du mit deiner neuen Hipster-Freundin zusammenkommst und ihr euch supercool und witzig zusammen mit euren Hornbrillen niederlasst? Dann wirst du mich und das Baby ganz schnell vergessen.«

»Nein, werde ich nicht.« Gus trat gegen die Mauer.

»Sie wird mich ganz bestimmt nicht mögen.«

»Wer denn? Meine mysteriöse Hipster-Freundin?«

»Ja. Sie gehört zu der Sorte, die Secondhand-Kleidung trägt.«

Jetzt war Gus an der Reihe, verächtlich zu schnaufen.

Amy lächelte.

»Na, und wie sieht's bei dir aus, wenn du mit einem neuen Athleten losziehst? Dann wirst du mich und meine verzweifelten Witze auch nicht in der Nähe haben wollen.«

»Ich werde mit keinem neuen Athleten losziehen.« Amy

seufzte. »Ich werde ein Baby haben, um das ich mich kümmern muss.«

Gus, der direkt vor einer Mauer stand, drehte den Kopf, um Amy anzusehen. »Ach, ich gehe fest davon aus, dass du einen Athleten finden wirst. Irgendeinen Hengst mit nacktem Oberkörper, der dann das Baby an seine nackte Brust drückt.«

Amy kicherte.

»Siehst du, die Vorstellung gefällt dir schon.«

Sie lächelte. Anschließend seufzte sie. »Unsere gemeinsamen Dinnerpartys werden bestimmt ziemlich anstrengend.«

»Dinnerpartys?« Gus schaute völlig entgeistert. »Machen Leute so was etwa noch?«

»Du weißt schon, was ich meine.«

»Da bin ich nicht so sicher«, erwiderte er. Als sie ihn kritisch ansah, nickte er. »Ich weiß schon, was du meinst.«

Nun traten beide gegen die Mauer.

Gus schaute hoch in den strahlend blauen Himmel und schlug dann Amy auf den Arm. »Und was, wenn wir zu ganz fest vereinbarten Zeiten ein paar Stunden miteinander verbringen? Wie findest du die Idee?«

Amy kletterte von der Mauer, sodass sie ihm gegenüberstand. »Zum Beispiel jeden Samstag?«

»Das erscheint mir jetzt ein bisschen übereifrig, aber okay.«

»Was hattest du dir denn vorgestellt?«

»Eher einen Samstag im Monat. Aber gut, ich bin dabei. Jeden Samstag.«

»Vielleicht ist es jeden Sonntag praktischer. An Sonntagen unternehmen die Leute nichts.«

Zustimmend neigte Gus den Kopf. »Dann jeden Sonntag. Du, ich und Apple.«

»Das Kind wird nicht Apple heißen.«

»Du, ich und Banane.«

Amy lachte.

»Fühlst du dich jetzt besser?«, erkundigte sich Gus.

»Ja.«

»Kein Kuss mehr nötig?«

Sie schüttelte den Kopf. »Kein Kuss mehr nötig.«

40. Kapitel

Stella hatte sich umgezogen und kehrte an den Pool zurück. An der Ecke planschten die Kinder immer noch im Wasser herum. Sonny rief: »Hey, Mum, machen wir ein Wettschwimmen?«

Stella schüttelte den Kopf. »Danke, nein, ich bin völlig fertig.«

Moira erkundete mit einer der Frühstücksdamen den Garten. Sie nickte eifrig, während ihre Begleiterin ihr mit vielen Kommentaren auf Portugiesisch verschiedene Pflanzen zeigte. »Entzückend, ganz entzückend«, sagte Moira immer wieder.

Stella beobachtete die Szene amüsiert, weil sie wusste, dass ihre Mutter nicht die geringste Ahnung hatte, was sie da gerade erzählt bekam.

Dann erschien ihr Vater neben ihr, frisch geduscht und wieder in Sweatshorts und T-Shirt. »Hier«, sagte er und überreichte Stella eine Flasche Wasser aus dem Getränkeautomaten. »Ich habe dir eine mitgebracht.« Die eigene Flasche hatte er in der anderen Hand.

Stella hielt kurz inne und starrte eine Sekunde lang darauf, bevor sie sie entgegennahm. »Danke«, sagte sie.

Er zuckte die Schultern, als wäre das gar nichts. Doch für Stella fühlte es sich so an, als hätte sie gerade das erhalten, was seiner Entschuldigung am nächsten kam.

Anschließend riefen Sonny und Rosie ihren Großvater zum Becken hinüber, weil sie ihm ein paar Wasserspritzspiele vorführen wollten. Stella sah zu, nahm ein paar Schlucke und fühlte sich, als könnte sie sich zum ersten Mal seit vielen Jahren richtig entspannen. Sie lockerte ihre Gesichtszüge. Fühlte sich insgesamt zufriedener.

Jack kam zu Stella und legte ihr einen Arm um die Schulter. »Bist du okay?«

Sie brauchte nicht einmal darüber nachzudenken. »Ja«, gab sie zurück, »mir geht's gut.«

Jack nickte mit einem Lächeln. Stella wurde bewusst, wie viel ausgeglichener er wirkte.

Amy erschien am Gartentor. »Wie geht es denn jetzt weiter?«, rief sie und kam auf ihre Schwester zu.

»Ich weiß es nicht.« Stella schüttelte den Kopf und sah, wie Gus Amy in einigem Abstand folgte. Als er zu ihrem Vater hinüberschaute, wirkte er besorgt.

»Vielleicht sollten wir einfach alle zum Zeltplatz zurückfahren?«, schlug Amy vor. »Daddy, möchtest du mitkommen? Da gibt es einen schönen Strand, und ich glaube, ich habe eine Ankündigung für eine Vollmondparty gesehen.«

Ihr Vater schaute skeptisch drein.

»Das wird bestimmt lustig.« Langsam ging Amy zu ihm hinüber und fügte flüsternd hinzu: »Und du musst nett zu Gus sein, in Ordnung?«

Ein wenig verwirrt nickte Graham.

Moira betrachtete die Szene mit den Händen in den Hüften.

Graham wandte sich an sie, um das Ganze abzuklären.

438

»Wäre das in Ordnung für dich?«, wollte er wissen.

Moira zuckte die Schultern. »Mich betrifft das alles nicht wirklich. Ich werde meine Yogakurse absolvieren.«

»Komm schon, Grandpa, du musst einfach mit!«, bettelte Sonny und berührte seinen Großvater mit der Schulter.

Graham legte Sonny die Hand auf den Kopf. »Also gut, in Ordnung.«

Sonny brach in Jubel aus.

Amy hakte sich bei ihrem Vater unter. Zusammen gingen sie los, direkt neben Gus, der mit den Händen in den Hosentaschen dastand.

Graham musterte ihn gründlich. »Also, Gus, was machen Sie denn beruflich?«

Gus schluckte. »Ich, äh, ich arbeite für das Verteidigungsministerium.«

Amy runzelte die Stirn. »Nein, das stimmt nicht. Du hast gesagt, du machst was mit Computern.«

»Ich mache beim Verteidigungsministerium was mit Computern«, erwiderte Gus.

»Ach, tatsächlich?« Graham war beeindruckt.

»Du lügst doch«, sagte Amy. »Was denn genau?«

»Darüber darf ich leider keine Auskunft geben«, erwiderte Gus, und in seinen Augen zeigte sich ein Lächeln.

»Das Militär hat mich eigentlich auch immer gereizt«, meinte Graham. »Wenn das mit dem Schwimmen nicht geklappt hätte.«

Moira musste schallend lachen. »Seit wann das denn?«

Graham stammelte irgendetwas und marschierte dann weiter, während er Gus förmlich ins Kreuzverhör nahm, um von Moiras Heiterkeitsausbruch abzulenken.

Amy blieb ein wenig zurück und ging neben Stella und ihrer Mutter her.

»Darf ich fragen, ob ihr beide euch versöhnt habt?«, erkundigte sich Moira.

»Ja, das darfst du«, gab Amy zurück. »Und ja, das haben wir, danke.«

»Gut.« Moira nickte.

Vor ihnen entriegelte Jack die Autotüren, und die Kinder kletterten in den Wagen. »Willst du mit uns hinten sitzen, Grandpa?«, fragte Sonny.

»Nein, ich glaube, ich nehme mein eigenes Auto«, sagte er und deutete auf einen schicken roten Sportwagen. »Gus, würden Sie vielleicht mit mir fahren wollen?«

Amy stieß ihre Schwester grinsend in die Rippen, und beide mussten ein Lächeln unterdrücken, als sie sahen, wie Gus die Schultern straffte und leicht ins Stottern geriet, als er erwiderte: »Ja, Sir, sehr gerne.«

»Du brauchst ihn doch nicht Sir zu nennen«, rief ihm Amy zu.

»Wenn er möchte, darf er mich auch Sir nennen«, gab Graham zurück und öffnete seinen schicken Mietwagen.

Gus wandte sich um, und in seinem Blick lag die flehentliche Bitte, man möge ihm zu Hilfe kommen.

Amy nickte ihm einfach zu. »Viel Spaß.«

Stella schüttelte den Kopf. »Du bist so gemein.«

Moira sah sich das Ganze mit einiger Besorgnis an. »Ich hoffe, das geht gut.«

»Gus kommt schon zurecht«, kommentierte Amy. »Er gibt doch immer damit an, wie viel Charme er besitzt.« Dann schwieg sie kurz. »Stella, wusstest du eigentlich, dass

Mum ihr Emma-Bridgewater-Porzellan überhaupt nicht mag?«

»Das ist nicht dein Ernst«, japste Stella.

Moira seufzte tief. »Ach, ich wusste, irgendwann fängst du wieder davon an. Ich habe nicht gesagt, dass ich es nicht mag. Ich habe nur ...«

Amy kicherte. »Mum, es ist uns ganz egal, ob du's magst oder nicht. Wir machen doch bloß Spaß! Aber in Zukunft sagst du uns das einfach, ja?« Sie schüttelte grinsend ihre Frisur auf. »Und bitte entschuldige wegen gestern. Ich weiß, dass du eine eigenständige Person bist und so«, fügte sie hinzu, bevor sie ins Auto stieg.

Stella stand neben ihrer Mutter. »Wenn es nur bei jeder Entschuldigung so einfach ginge.«

Moira lachte.

Grahams roter Sportwagen sauste davon.

»Er liebt dich wirklich, Stella«, sagte Moira.

Stella zuckte lediglich die Schultern, als wollte sie sagen, wer kann das schon wissen.

»Wirklich.« Moira nickte und schaute Stella an. »Du hast das heute sehr gut gemacht. Wie du es gesagt hast. Für mich war es schlimm, das alles zu hören, aber es musste mal gesagt werden.« Sie schwieg kurz. Amy klopfte von innen gegen die Autoscheibe, damit sie sich beeilten. Moira sagte: »Es tut mir leid, dass ich nicht für dich da war, Stella.«

Stella schluckte. »Mir tut es leid, dass wir dich so oft ausgeschlossen haben.«

Moira wirkte überrascht. »Aber ihr habt mich doch nicht ...« Dann unterbrach sie sich, als würde sie sich selbst eingestehen, dass die beiden das sehr wohl getan hatten. »Na ja, das ist alles Schnee von gestern, oder?«

Amy klopfte noch einmal von innen an die Scheibe.

Moira zögerte kurz, dann beugte sie sich vor und zog Stella in eine Umarmung. Vor lauter Schreck wäre Stella fast zurückgewichen, aber dafür hielt Moira sie zu fest, hüllte sie in eine Wolke aus rotem Haar und Estée Lauder. »Wirklich, du warst großartig heute. Einfach großartig«, sagte sie.

Mit großen Augen sah sich Amy durch die Scheibe an, wie ihre Mutter und ihre Schwester einander umarmten.

Moira trat einen Schritt zurück und hielt Stella an den Schultern fest. »Vorhin wäre ich fast in den Pool gesprungen und hätte ihn zurückgehalten, aber ich dachte, du würdest dann vielleicht wütend, wegen der Fairness.«

Stella lachte.

»Das alles war ganz schön dramatisch, oder? Ich glaube, wir haben es gut hingekriegt.«

»Ich finde auch, dass wir es gut hingekriegt haben.« Stella nickte.

Ihre Mutter lächelte, öffnete dann die Autotür und sagte: »Jetzt aber los. Ich brauche ganz dringend einen Gin Tonic.«

41. Kapitel

Den restlichen Tag verbrachten sie an dem einfachen, wilden Strand des Campingplatzes. Als sie auf dem Parkplatz ankamen und Rosie Gus mit sich zog, damit sie ein ganzes Sandburgendorf bauen konnten, war Gus' Erleichterung geradezu spürbar gewesen. Jack und Sonny alberten auf irgendeinem Skimboard aus dem Supermarkt herum, warfen es in die Brandung und sprangen darauf, und statt im flachen Wasser entlangzugleiten, fielen beide immer wieder herunter. Amy zeigte ihrem Vater das gesamte Gelände, und währenddessen saßen Stella und Moira bei einem Drink in der Strandbar.

»Schön hier, oder, Liebes?«, meinte Moira und wandte sich ihrer Tochter zu. Die Meeresbrise blähte die Markise auf. Die schwere warme Luft und die Ereignisse des Morgens machten sie träge und entspannt. »Ich weiß gar nicht, ob wir jemals auswärts etwas zusammen getrunken haben.«

»Nein, ich glaube nicht.« Stella schüttelte den Kopf und hob das Glas, um langsam daran zu nippen.

Moira sah auf ihre Armbanduhr. »Ich sollte jetzt eigentlich beim Yoga sein.«

Bei der Erwähnung dieses Wortes runzelte Stella die Stirn. »Mum?«

»Ja, Stella?« Moira widmete sich dem Rest ihres Gin Tonic.

»Wie willst du das mit Mitch regeln? Meinst du nicht, es wird ein bisschen peinlich, wenn er und Dad sich begegnen?«

»Mitch ist doch schon nicht mehr hier, Liebes. Heute Morgen ist er abgereist. Er will in ein anderes Yoga Retreat nördlich von Lissabon«, berichtete Moira. »Auf dem Rückweg werde ich da vorbeischauen, aber nicht für lange. Ich will nach Hause, wegen dem Hund.«

»Ach so«, gab Stella überrascht zurück. Sie ließ den letzten Schluck ihres Drinks im Glas kreisen. »Mum?«, setzte sie dann zögernd an.

»Ja, Stella?«

»Habt ihr eine Beziehung, du und Mitch?«

»Warum seid ihr Mädchen nur so wild darauf, allem einen Namen zu geben?« Moira runzelte die Stirn. Mit dem Finger fuhr sie über den Rand ihres leeren Glases. »Lass es mich so formulieren – ich halte ihn mir warm. Das habe ich mit deinem Vater nie gemacht.« Bei diesen Worten lächelte sie verschmitzt.

Stella verdrehte die Augen. Nachdem sie den letzten Schluck getrunken hatte, fragte sie: »Noch einen?«, und deutete auf Moiras leeres Glas.

»Ich sollte jetzt wirklich beim Yoga sein«, wiederholte Moira, doch dann schien sie noch bewusster wahrzunehmen, dass sie hier mit Stella saß, und sie entschied sich um. »Also gut, was soll's«, verkündete sie und legte die Beine auf den Stuhl ihr gegenüber.

Gerade als Stella mit der nächsten Runde von der Bar zurückkam, erschienen Graham und Amy; sie strahlten förmlich von der brennend heißen Sonne.

Beim Anblick der beiden schaute Moira auf die Uhr und erhob sich. »Ich muss jetzt wirklich los. Mein Yoga fängt in einer Minute an.«

»Aber ich habe dir doch gerade etwas zu trinken geholt«, protestierte Stella und hielt den Gin Tonic hoch. »Du kannst jetzt nicht gehen.« Graham und Amy kamen auf den Tisch zu. »Und für euch?«, erkundigte sich Stella.

Graham schaute ein wenig perplex zu Moira hinüber, weil er begriff, dass sie seinetwegen gehen wollte. »Wenn du hierbleiben möchtest, gehe ich«, meinte er.

Moira machte ein unwilliges Geräusch. »Nun sei doch nicht albern«, gab sie zurück und entschied sich ganz eindeutig dafür, das Gesicht nicht zu verlieren, indem sie davonlief. »Wir bleiben einfach alle.«

»Okay.« Graham sah Stella an. »Gern. Für mich ein Bier.«

Amy hatte sich eben in ihrem Stuhl niedergelassen, als sich Stella an sie wandte: »Hilf mir doch mal, Amy.«

»Was? Ich habe mich gerade hingesetzt.«

»Amy!« Mit weit aufgerissenen Augen schaute Stella ihre Schwester eindringlich an.

Diese begriff, worum es ging, und sprang wieder auf.

Ein weiteres Mal machte Moira ein missbilligendes Geräusch und seufzte, weil ihre Töchter auf so wenig subtile Weise dafür sorgten, dass sie allein mit ihrem Mann zurückblieb.

Graham spielte mit einem Bierdeckel herum. »So«, sagte er.

»So«, gab Moira zurück.

»Ich gehe mal davon aus, dass du ihn heiraten willst«, sagte Graham. »Diesen Mitch.«

»Also weißt du.« Moira lehnte sich in ihren Stuhl zurück und verschränkte die Arme vor der Brust. »Ist es wirklich das, was dich umtreibt? Graham, ich bin fünfundsechzig, natürlich werde ich ihn verdammt noch mal *nicht* heiraten. Ich werde einfach ein bisschen *leben*.«

Graham zupfte am Kragen seines T-Shirts herum. Es war nicht zu übersehen, dass er sich unbehaglich fühlte.

Moira schüttelte den Kopf. »Graham, wir hatten ein paar ganz wunderbare Jahre zusammen, aber wir lieben uns nicht mehr und sind nur noch aus Bequemlichkeit zusammen. Überleg doch mal – wann haben wir zuletzt etwas gemeinsam unternommen? Wann waren wir zuletzt zusammen im Urlaub? Oder haben uns überhaupt normal unterhalten?«

»Ich kann mich ändern«, sagte er.

»Ja«, gab sie zurück und beugte sich zu ihm hin, »das hoffe ich sehr.« Sie musterte ihn eingehend, entdeckte in seinem Gesicht eine Spur des attraktiven, charmanten Mannes, der er einmal gewesen war, aber da gab es immer noch das vertraute Betteln in seinen Augen, als er sie ansah – eine träge Hilflosigkeit, die ihr signalisierte, er hoffte, sie werde sich wieder um ihn kümmern. Doch das würde sie nicht tun. Sie sah ihn an, wie er dort saß, ein kleiner Junge und zugleich ein alter Mann, und sie fühlte sich befreit, als ihr bewusst wurde, dass es nicht in ihrer Verantwortung lag, sich um ihn zu kümmern. Moiras Angst davor, wieder in ihre alte Routine zu verfallen, verstummte vor ihrer ständig wachsenden inneren Stärke, und diese Stärke half ihr, für ihre Überzeugungen einzustehen, verlieh ihr den Mut, nicht nur für das einzustehen, was sie wollte, sondern auch für das, von dem sie wusste, dass es richtig war. Diese Stärke sagte ihr: *Bloß weil er wieder aufgetaucht ist, bedeutet das noch lange nicht, dass du ihn zurücknehmen musst.* Wenn sie selbst sich zurechtfinden konnte, war er alt genug, um es auch zu schaffen.

»Was soll ich denn nun machen?«, erkundigte sich ihr Mann.

Moiras Lachen klang wie ein Schnauben. »Ach, Graham, das ist doch nicht meine Sache.« Sie nahm einen Schluck von ihrem Gin Tonic und sah zu ihm auf. Stellte fest, dass er auf eine weitere Antwort wartete. »Du musst einfach noch ein paar mehr Dinge tun, die neu und schwierig für dich sind.« Moira nahm die Limette aus ihrem Glas und presste sie aus, dann rührte sie mit einem Teelöffel aus dem Besteckblumentopf in der Tischmitte ihren Drink um. »Such dir einfach ein paar neue Vereine.«

Er schnitt eine Grimasse. »Ich mag keine neuen Vereine.«

Moira zuckte die Schultern. »Dann bleib eben einsam«, meinte sie und nahm einen letzten großen Schluck, bevor sie sich erhob. »Jetzt muss ich aber wirklich zu meiner Yogastunde.« Sie nahm noch einen allerletzten Schluck und wollte gerade gehen, hielt aber kurz inne. »Alles liegt in deiner Hand, Graham. Überleg doch mal, nach Portugal hast du es auch geschafft. Den ersten Schritt hast du schon gemacht.«

Er schaute ein wenig verloren drein.

Sie zeigte auf Jack und Sonny mit ihrem albernen Board. »Da gibt es etwas Neues, was du sicher auch mal ausprobieren könntest«, schlug sie mit einem frechen kleinen Grinsen vor. Sie sah ihm noch einen kurzen Moment in die Augen, dann verließ sie erhobenen Hauptes die Bar, high vor neu entdeckter Tapferkeit und neuem Mut.

42. Kapitel

Als sich die Sonne langsam dem Horizont näherte, kehrten auch die anderen zu der Strandbar mit ihren kleinen weißen Glühbirnen zurück, deren Schein sich vom Abendhimmel abhob. Zu den Sardinen, die auf dem Grill brutzelten. Alle außer Amy, sogar Graham, probierten im flachen Wasser das Supermarktboard aus. Und alle fielen herunter. Rosie kam noch am besten damit klar. Inzwischen hatten sich Leute am Strand zusammengefunden, die ein Lagerfeuer für die Vollmondparty errichteten. Musik trieb vom Sand herüber und wurde vom melodischen Rauschen der Wellen untermalt. Auf dem Hügel endete der letzte Yogakurs, und alle Teilnehmer hoben sich wie hoch aufgerichtete Baumsilhouetten vom abendlichen Himmel ab.

Gus und Amy saßen an der Bar. Sonny spielte Flipper. Jack, Stella und Graham unterhielten sich.

Graham lehnte sich in seinem Stuhl zurück. Er gewöhnte sich langsam daran, Zeit mit der Familie zu verbringen. Er legte einen Fußknöchel übers Knie, und seine ergrauenden Locken waren ein bisschen zerrauft vom Meersalz. »Du weißt ja, dass die Pemberton-Farm zum Verkauf steht«, sagte er zu Jack. »Vielleicht steht dir ja der Sinn nach einem Berufswechsel?«

Gus kam heran und stellte ein Tablett mit Bierflaschen

auf den Tisch. »Lass lieber die Finger davon. So ein Bauernhof ist ein Albtraum.«

»Ich glaube, das würde mir liegen«, sagte Jack. Während er sich alles vorstellte, ließ er die Schultern kreisen. »Ich würde mir einen Hund anschaffen. Und Traktoren mag ich auch.«

Stella runzelte die Stirn, hörte jedoch schweigend zu.

Rosie hing bei ihrem Bruder am Flipperkasten herum, hopste aufgeregt auf und ab und wartete darauf, dass sie an die Reihe kam.

»Mit so einem Bauernhof ist man total angebunden«, fügte Gus hinzu und nahm sich ein Bier. »Die ganze Zeit muss man vor Ort sein und sicherstellen, dass alles richtig läuft. Und man muss um vier Uhr aufstehen.«

»Ach nein, das wäre nichts für mich«, ruderte Jack zurück.

Stella musste ein Lächeln unterdrücken. Dann erschien Amy mit ihrem Tomatensaft und einer kleinen bunten Schale mit Oliven.

»Wie wäre es denn mit einem Pub?«, fragte Graham.

In diesem Augenblick stieß Moira zu ihnen. Sie kam die Holzstufen hinunter, noch ganz frisch vom Yoga und ein wenig aufgestylt in einer weißen Jeans und einem schulterfreien Streifentop. »Das Coach and Horses steht zum Verkauf«, verkündete sie und schaltete sich damit in das Gespräch ein, als sie an den Tisch trat.

»Das wollte ich auch gerade sagen«, ergänzte ihr Mann, der sofort aufstand, um ihr einen Stuhl zu besorgen. Ganz offensichtlich wollte er sich von seiner besten Seite zeigen.

Wie ein Filmstar ließ sich Moira auf ihrem Platz nieder und genoss die Aufmerksamkeit.

»Ein Pub!« Jack setzte sich aufrecht hin. »Das würde mir gefallen.«

»Aber Stella zieht doch nie in ein Pub!«, meinte Amy lachend und steckte sich eine Olive in den Mund.

Stella saß schulterzuckend und mit unbeweglicher Miene da. Sie nahm einen Schluck Bier. »Ich denke darüber nach«, sagte sie, während in ihrem Inneren alles schrie: »Das ist doch einfach lächerlich!« Aber sie hatte sich geschworen, nicht wieder die Kontrolle zu übernehmen und Jack irgendeine seiner Ideen madigzumachen.

»Das wäre doch was«, meinte Jack. »Wir hätten das Meer in der Nähe, die Kinder könnten im Dorf zur Schule gehen, es wäre einfach perfekt.«

Voller Entsetzen wandte sich Sonny vom Flipperkasten ab. »Ich will aber nicht auf die Dorfschule gehen. Ich mag meine Schule. Mum, mach Dad bitte klar, dass ich nicht auf die Dorfschule gehe!«

Alle schauten zu Stella hin, die damit beschäftigt war, das Etikett von ihrer Bierflasche zu pulen. »Ich mache gar nichts klar. Er kann tun und lassen, was er möchte. Allerdings ...« Sie hielt kurz inne, weil sie es doch nicht schaffte, sich ganz aus der Sache herauszuhalten, sosehr sie es auch versuchte. »Ich bin mir nicht sicher, ob ich aufs Land ziehen möchte. Ich lebe gern in der Stadt.«

Jack sah sie an, die Bierflasche an den Lippen. Zuerst war er überrascht, dass sie so nachgiebig reagierte. Dann lächelte er. »Ich auch«, verkündete er.

»Ich auch!«, rief Sonny erleichtert.

Jack seufzte. »Was soll ich dann aber machen?«

»Weißt du, zuallererst könntest du mir einen Gin Tonic bestellen«, mischte sich Moira ein, die immer noch in perfekt aufrechter Haltung in ihrem Stuhl saß. »Wenn das okay ist.«

Jack runzelte die Stirn, als hätte er auf eine andere Antwort gehofft.

Moira hob die Augenbrauen. »Immerhin wolltest du vor ein paar Minuten noch ein Pub betreiben.«

Graham brach in Gelächter aus. Moira schaute äußerst selbstzufrieden drein.

Jack hievte sich aus seinem Stuhl und ging missmutig mit seinem Bier an die Bar.

Stella folgte ihm, sodass Amy und Gus, die verlegene Blicke tauschten, mit den Eltern am Tisch zurückblieben.

Die Sonne ging unter, die Wellen waren wie ein weißer Streifen am flammend roten Horizont zu sehen, der Himmel darüber erstrahlte noch in einem herrlichen Blau. Immer mehr Leute hatten sich am Wasser zusammengefunden und schleppten getrocknetes Holz für das Lagerfeuer heran.

Stella saß neben Jack auf einem Barhocker, und ihre Knie berührten sich. Sie steckte sich die Haarsträhnen hinter die Ohren. »Jack, rebellieren bedeutet nicht, dass du dich ganz und gar ändern musst. Sieh das Ganze doch als Pause, während der du herausfinden kannst, was dir wirklich Spaß macht.«

Jack sah sie an. »Aber was macht mir denn wirklich Spaß?«, wollte er wissen.

»Darüber musst du eben nachdenken, statt dich an irgendwelchen seltsamen Ideen festzuhalten, mit denen mein Vater ankommt. Hab einfach Spaß dabei. Such dir eine Arbeit, die du gern machst.«

Er nickte.

Stella schaute zu dem Tisch zurück, wo der Kellner gerade Kerzen aufstellte, sodass alle Gesichter vom Flackern der Flammen erleuchtet wurden.

Ihre Eltern lachten über etwas, das Gus sagte. Amy gestikulierte wild. Rosie schnorrte alle Anwesenden um einen Euro für den Flipperkasten an. Schließlich wühlte ihr Großvater in seiner Tasche und reichte ihr ein wenig Kleingeld.

Stella schüttelte den Kopf. »Was den Ehe-TÜV betrifft, bin ich mir nicht ganz sicher, aber das mit dem Familien-TÜV hat hundertprozentig funktioniert.«

Jack folgte ihrem Blick und wandte sich dann wieder ihr zu. »Was meinst du denn damit? Ich finde, wir haben uns mit unserem Ehe-TÜV wacker geschlagen. Schau uns doch an, alles so gut wie neu. Und wir haben festgestellt, dass die Bremsbeläge noch in Ordnung sind.«

»Jack, bitte hör auf!« Stella schüttelte den Kopf wegen der grässlichen Analogie.

»Was stand denn als Nächstes auf der Liste?«, erkundigte er sich.

»Als Nächstes muss ich so tun, als wäre ich deine Affäre.«

Jack verschluckte sich fast. »Ist das dein Ernst? Wie aufregend.«

»Vergiss es lieber gleich wieder, dazu wird es nie kommen«, stoppte ihn Stella. »Ich glaube, ich werde ganz einfach den kompletten Artikel erfinden. Das ist leichter.«

Jack runzelte die Stirn. »Aber auch sehr schade.« Der Kellner brachte den Gin Tonic. Jack wollte gerade aufstehen, als er innehielt und fragte: »Was müsste ich denn machen, damit du so tust, als wärst du meine Affäre?«

»Fragst du das jetzt allen Ernstes?«

»Ja.«

»Wenn du mit mir in diesem Feld Sex hast, werde ich so tun, als wäre ich deine Affäre.«

Jack krümmte sich förmlich.

Stella grinste. »Na?«

»Was? Du willst das echt durchziehen?«, fragte er etwas schockiert zurück.

Stella verdrehte die Augen. »Du lieber Himmel, Jack.«

»Ach so. Wow.« Ein wenig entsetzt starrte Jack den Drink vor sich an. Dann schien er sich für die Idee zu erwärmen. »Okay, lass es uns tun. Wenn schon rebellieren, dann richtig.«

Jetzt schaute Stella ihrerseits schockiert drein. »Wirklich?«

Jack kniff die Augen zusammen. »Du willst gar nicht.«

»Doch, ich will.«

Er lachte. »Nein, willst du nicht.«

»Okay, vielleicht lassen wir das mit dem Sex im Feld lieber. Ich glaube, ich wollte einfach, dass du mit mir Sex in einem Feld haben *willst*.«

Jack war verwirrt. »Stella, wenn du Sex in einem Feld haben willst, werde ich mit dir Sex in einem Feld haben«, erklärte er. »Aber ehrlich gesagt wäre mir ein schickes Hotel auf dem Land lieber.«

»So richtig rebellisch ist das aber nicht, oder?«

»Stella«, sagte Jack und legte seiner Frau beide Hände auf die Schultern, »wen willst du eigentlich beeindrucken? Rebellisch sind wir doch nie gewesen. Daran haben auch zehn Jahre Ehe nichts geändert.« Lachend schüttelte er den Kopf über sie und stand dann mit dem Drink auf. »Schau, die Sache mit dem Ehe-TÜV war gut. Wir haben wieder zueinandergefunden. Aber ich muss dir leider sagen, dass ich stolz darauf bin, nie Sex in einem Feld gehabt zu haben und das auch nicht in Erwägung zu ziehen.«

Stella nickte. Sie musste ihm zustimmen.

Jack ging davon, kam jedoch ganz plötzlich zurück. »Aber wenn du es wirklich willst, tue ich es. Wenn es dich glücklich macht.«

Stella schüttelte den Kopf. »Nein, ist schon in Ordnung.«

»Ach!« Jack wischte sich mit einer übertriebenen Geste den Schweiß von der Stirn, bevor er zu den anderen ging und Moira ihren Drink brachte.

Stella saß noch eine Weile länger an der Bar. Sie nippte an ihrem Bier, sah zu, wie die letzten Sonnenstrahlen das Wasser mit einem Muster überzogen, betrachtete die Wellen, wie sie sich schäumend am Ufer brachen.

Auf einmal war Jack wieder neben ihr. »Ich komme mir vor wie ein richtiger alter Spießer«, erklärte er. »Komm mal mit.« Er nahm sie bei der Hand und zerrte sie förmlich aus der Bar, von ihrer Familie weg und auf den dunklen Strand.

»Was hast du denn vor?«, fragte Stella ein wenig atemlos.

»Na, was meinst du? Wir beide werden jetzt Sex am Strand haben.«

»Oh Gott!« Stella musste lachen, als Jack sie hinter ein paar Felsen lotste. »Wen willst du damit eigentlich beeindrucken, Jack?«

»Dich, Stella«, gab er zurück. »Sonst niemanden.«

43. Kapitel

Im weiteren Verlauf des Abends verdunkelte sich der Himmel und die Sterne leuchteten heller. In der Bar wurde es immer voller. Der Grill rauchte. Stella und Jack tauchten wieder auf, vor sich hin lachend und voller Sand. Man besorgte sich noch mehr zu trinken. Es wurde weiter Flipper gespielt. Nach dem Essen schlief Rosie auf zwei zusammengeschobenen Stühlen fast ein, doch dann bat Vasco alle, herunter an den Strand zu kommen. »Wir machen jetzt das Feuer an.«

Sofort öffnete Rosie die Augen, und schnell sprang sie von ihren Stühlen.

Alle versammelten sich am Strand. Fackeln berührten die trockenen Zweige, und den Rest erledigte der Wind: Helles Licht und Funken schossen in den Himmel. Explosionen aus strahlendem Orange knackten und platzten, glänzten auf dem Wasser wie Benzin.

Wie gebannt schauten alle zu. Vasco holte seine Gitarre heraus, eine der Yogafrauen sang dazu. Man brachte Getränke aus dem Restaurant. Die Leute tanzten barfuß im Sand.

Das Feuer tobte. Der Mond leuchtete hell. Stella fragte Jack, ob er mit ihr in der dunklen schwarzen See schwimmen wolle. Er stimmte zu.

Rosie zwang ihren Bruder zu tanzen, tobte mit der Yogagruppe herum. Amy versuchte auch Gus zum Tanzen zu bewegen, jedoch vergeblich. Moira und Graham saßen nebeneinander am Tisch, vor sich halb ausgetrunkene Gläser. Sie schauten auf das Wasser und auf das Feuer, das sich im Meer spiegelte.

»Also, was willst du jetzt machen?«, erkundigte sich Moira.

Graham sog hörbar die Luft ein. »Ich weiß es noch nicht genau.« Er sah sie an. »Du hattest recht. Ich muss mehr unternehmen.«

»Ja.«

»Ich dachte, vielleicht bleibe ich noch eine Weile im Ausland – ich könnte nach Spanien fahren. Die Reise hat mir Spaß gemacht. Aber was ich anstellen soll, wenn ich wiederkomme ...«

Moira nahm einen Schluck von ihrem Drink. »Es gibt sehr viel, worauf du dich freuen kannst, Graham«, meinte sie und deutete zum Strand.

Sie schauten zu, wie Jack Stella beim Schwimmen nass spritzte. Und da waren Sonny, Rosie und Amy, die Gus auf die sandige Tanzfläche zerrten, auch wenn dieser sich nur widerwillig fügte.

Das Feuer zischte, als jemand neue Zweige auf die sterbenden Flammen warf.

Graham nahm schnell, fast schon nervös einen Schluck von seinem Bier, bevor er fragte: »Wenn ich wieder da bin, Moira, willst du dann vielleicht mit mir ausgehen? Zum Abendessen?«

Moira umfasste mit einer Hand ihr Glas und strich sich mit der anderen das Haar zurück. »Ich werde in nächster

Zeit auch nicht viel zu Hause sein. Erst fahre ich in ein anderes Yoga Retreat nach Lissabon, und dann mache ich einen Malurlaub in der Toskana.«

»Ach so«, sagte er und schaute enttäuscht auf die Bierflasche vor sich auf dem Tisch, »da hast du ja so einiges vor.«

»Stimmt.«

»Ich wusste gar nicht, dass du malst.«

Moira lachte. »Sei nicht albern. Solche Reisen macht doch niemand, weil er malen will.«

Graham schaute verwirrt drein.

»Ich werde sicher den einen oder anderen Baum malen, aber eigentlich geht es bei so was um den Wein und den Austausch mit anderen«, erklärte Moira und kam sich überlegen vor, weil sie sich schon so gut mit neuen Freizeitaktivitäten auskannte. »Du wirst herausfinden, Graham, dass die Hälfte des Reizes bei diesen Kursen darin besteht, sie ein paarmal zu schwänzen.«

»Aha«, sagte Graham, und es war ihm deutlich anzusehen, dass er ein wenig Bammel hatte, was künftig wohl so alles auf ihn zukommen könnte.

»Das kriegst du schon hin.« Seine Frau schlug ihm ans Bein. »Es wird dir guttun.«

Nach einem weiteren Schluck fügte sie hinzu: »Zum Abendessen, hast du gesagt?«

Graham nickte. Das Feuer am Strand zischte und knackte.

»Vielleicht«, sagte Moira. »Vielleicht, wenn ich wieder zurück bin.«

44. Kapitel

Es war Mitternacht, als sich alle auf dem Parkplatz versammelten. Bereit zum Abschied, wie die Kinder der Trapp-Familie in *The Sound of Music*.

In der Luft war noch die Wärme des Tages zu spüren. Der Wind hatte sich gelegt. Am Himmel funkelten die Sterne.

Amy trat als Erste vor und umarmte ihren Vater. »Du kommst doch zurück, oder? Du verschwindest nicht einfach wieder?«

Graham schüttelte den Kopf, und der Gedanke daran, dass er überhaupt abgehauen war, schien ihm fast peinlich zu sein. »Nein.«

Amy schniefte. »Das solltest du auch schön bleiben lassen, schließlich ist jetzt noch ein Enkelkind unterwegs!«

Graham nickte, als würde er sich aus genau diesem Grund nie wieder aus dem Staub machen.

Dann streckte er Gus die Hand entgegen. »Versau es nicht«, befahl er, als Gus vortrat und ihm Graham einen so festen Händedruck verpasste, dass man förmlich die Knochen knacken hörte.

Gus wurde blass. Graham schnaubte vor Lachen. »Ich dachte, du bist in der Armee?«

»Genau genommen ja nicht in der Armee…«, setzte Gus an, aber Graham hatte sich schon der Nächsten in der Reihe zugewandt.

Stella.

Stumm standen sie einander gegenüber. Der Wind fuhr durch die riesigen Palmen und ließ die Glockenspiele erklingen.

»Du bist gut geschwommen heute«, meinte Graham.

»Du aber auch«, gab Stella zurück. »Wenn du zurückkommst, solltest du wieder Leute trainieren. Im Schwimmbad. Pete ist schlimmer als jemals zuvor.«

Graham fasste sich an die Stirn. »Ich dachte, damals fandest du, dass *ich* schlimm war.«

Sie zuckte die Schultern. »Aber das brauchst du ja nicht zu sein.«

Er räusperte sich und fuhr sich mit der Hand am Kragen seines T-Shirts entlang. Daraufhin nickte er, wobei er sich fragte, ob sie damit ihren Abschied wohl erledigt hatten.

Stella kräuselte die Lippen. Dann lächelte sie.

Und auch auf dem Gesicht ihres Vaters erschien so etwas wie ein Lächeln. Er beugte sich vor und küsste sie auf die Wange. Weil seine Nähe sie überraschte, legte sie ihm die Hand auf den Arm. Er roch wie ihr Dad.

»Ich gebe zu, dass ich einen Teil der Verantwortung trage«, flüsterte er ihr ins Ohr, so leise, dass sie ihn fast gebeten hätte, es zu wiederholen. Doch dann begriff sie, was er gerade gesagt hatte.

Völlig verblüfft stand sie da, während er sich an Sonny wandte.

»Du musst viel für die Schule tun und auf deine Mutter hören. Klar?«, bellte er.

Sonny nickte kleinlaut. Graham fuhr ihm liebevoll durchs Haar. »Und den Blog richtest du ein?«

»Ja.«

Neugierig schob Amy den Kopf vor. »Was denn für einen Blog?«

»Sonny wird einen Blog für mich einrichten«, erklärte Graham und legte seinem Enkel stolz die Hand auf die Schulter. »Dann kann ich über meine ganzen Abenteuer schreiben. Und ihr könnt alles lesen. Der Blog soll *Gone-Dad* heißen.«

Alle Anwesenden verdrehten die Augen.

»Das ist doch ein toller Name!«, meinte Graham selbstzufrieden.

Sonny sagte: »Auf Instagram habe ich das schon geändert. Und nicht vergessen, zweimal Tippen für Like, das Quadrat in der Mitte ist zum Laden und die kleine Sprechblase für Kommentare.«

Sein Großvater salutierte langsam. Sonny grinste.

Danach wandte sich Graham an Jack, der die schlafende Rosie auf dem Arm hatte. Sie gaben einander die Hand.

»Such dir einen neuen Job«, forderte ihn Graham auf.

Jack nickte. »Werde ich tun.«

Die Letzte am Ende der Reihe war Moira. Die beiden lächelten einander an. »Viel Glück, Graham«, sagte sie.

»Danke«, erwiderte er.

Zurückhaltend küssten sie einander auf die Wange.

Er holte tief Atem, schloss die Augen und trat dann einen Schritt zurück. »Bleibt es bei unserem Abendessen?«

Stella und Amy schauten ihre Mutter hinter seinem Rücken mit weit aufgerissenen Augen an.

»Wenn du Glück hast«, gab sie zurück.

»Dann können wir darüber sprechen, ob wir das Haus

verkaufen«, sagte er, als würde er die Einladung damit attraktiver machen.

Am anderen Ende der Reihe jaulte Amy kurz auf, bezwang sich dann aber, weil es ihr einen Blick von Gus eintrug.

Moira nickte.

Graham winkte noch einmal allen zu und ging dann zu seinem schicken Sportwagen. »Bis bald«, rief er, bevor er den Motor aufheulen ließ und in einer Staubwolke verschwand.

Alle blickten ihm nach. Stella stellte sich neben ihre Mutter. »Abendessen?«, erkundigte sie sich.

Moira kniff die Augen zusammen, während das Auto den Ausgang zum Campingplatz passierte. »Das werden wir dann sehen«, meinte sie und schaute ihre Tochter an. »Man muss sie sich warmhalten, die Männer.«

45. Kapitel

Alle gingen zu den Hütten. Alle außer Amy, die zurückblieb.

Gus hatte mit Sonny und Rosie bereits die Hälfte des Hügels erreicht, bevor er bemerkte, dass Amy nicht bei ihnen war.

Er blieb stehen und sah sich um. Sie stand mitten auf dem Weg. Er rannte zu ihr. »Was machst du denn? Was ist passiert?«

Amy runzelte heftig die Stirn. »Ich glaube, ich bin eifersüchtig auf diese Hipster-Freundin.«

»Wie bitte?«, fragte Gus lachend.

»Ich bin eifersüchtig auf diese Hipster-Freundin«, wiederholte Amy. »Ich muss ständig an sie denken, und ich hasse sie. Ich hasse ihre Secondhand-Klamotten und ihre hässlichen flachen Schuhe.«

Gus sah Amy völlig verblüfft an.

Amy scharrte mit ihrem Flip-Flop über den Boden. »Ich will nicht, dass du mit ihr ausgehst. Und ich will nicht, dass du ihre Hand hältst.«

»Amy, diese Hipster-Freundin gibt es doch gar nicht.«

»Ich weiß, aber es *wird* sie geben. Und dann sitze ich mit meinem Athleten dir gegenüber am Tisch, und da ist deine blöde Freundin mit dem stumpfen Ponyschnitt, und ich bin eifersüchtig.«

»Du weißt wirklich schon, wie sie aussieht, was?«

»Ja, und ich will nicht, dass es sie gibt. Ich will nicht, dass sie dich bekommt.« Amy sah auf. »Glaub mir, selbst will ich dich auch nicht, aber so sieht es eben aus.« Sie machte eine verzweifelte Geste. »Ich will dich nicht wollen, Gus.«

»Das war jetzt aber sehr schmeichelhaft, Amy.«

Amy kniff die Augen zusammen. »Ich weiß, du willst nicht in einer aussichtslosen Beziehung gefangen sein, nur wegen des Babys. Aber was, wenn die Beziehung gar nicht so schrecklich wird? Ich meine, wäre es nicht gut für das Baby, wenn wir beide mehr sein könnten als Freunde? Ist doch egal, wenn wir uns irgendwann doch wieder trennen sollten. Passiert das nicht ganz vielen Paaren mit Kindern sowieso?«

Gus sagte nichts, sondern schaute sie bloß ein wenig verblüfft an.

»Na?«, sagte sie energisch.

»Da hast du wohl recht.«

»Siehst du«, sagte sie.

»Was, siehst du?«

»Ich meine, siehst du, deine Argumente stimmen nicht.«

»Gut.« Gus holte tief Luft und verschränkte die Arme vor der Brust.

»Also?«, wollte Amy wissen und starrte ihm direkt ins Gesicht.

»Was, also?« Gus runzelte die Stirn. »Ich weiß es nicht. Irgendwie habe ich ein bisschen Angst vor dir.«

»Wieso?«

»Weil ich vermute, in deiner Idealvorstellung würde ich

mich jetzt vor dir auf die Knie werfen und dir einen Heiratsantrag machen.«

»Nein, Quatsch.« Sie schüttelte den Kopf. Dann sagte sie erst einmal gar nichts, weil er sie erwischt hatte.

Gus lachte.

Plötzlich fühlte sich Amy, als wüsste er ganz genau, was sie dachte. Sie strich sich das Haar aus dem Gesicht, schüttelte sich den Sand von den Füßen, und ihr wurde klar, dass sie davon ausgegangen war, in dieser Phase des Gesprächs würden sie sich bereits küssen. Sie hob beide Hände an die Wangen. »Du willst nichts von mir, oder?«

Schweigend schaute Gus auf den sandigen Pfad unter seinen Füßen.

Amy schloss fest die Augen und lehnte sich gegen eine der dicken Palmen. »Mein Gott, ich bin eine solche Idiotin.« Sie machte ein Auge auf. »Ich hätte das gar nicht sagen sollen.« Dann öffnete sie beide Augen und ließ sich gegen den wettergegerbten Stamm der Palme sinken. »Es ist nur ...« Sie seufzte. »Neulich abends habe ich wirklich gehofft, du würdest mich küssen. Ehrlich. Nicht nur, weil ich Angst vor dem Alleinsein hatte. Ich bin jetzt zwei Jahre lang allein gewesen. Ich glaube, ich weiß, wie das geht. Eigentlich kann ich es sogar ziemlich gut.«

Sie biss sich auf die Unterlippe, beugte sich vor und nahm einen der herabhängenden Palmwedel in die Hand. »Und ich weiß, ich habe gerade eben gesagt, dass ich dich nicht wollen will, und das war nicht besonders nett von mir, aber das liegt daran, dass es so peinlich gewesen wäre, wenn ich gesagt hätte, was ich wirklich empfinde. Wenn ich ehrlich bin, muss ich die ganze Zeit an dich denken.

Ich mag dich lieber, als ich das jemals für möglich gehalten hätte. Die Dinge, die ich ganz schlimm an dir fand, finde ich inzwischen anziehend. Mir gefällt, dass du Rosie magst. Dass du dich um Sonny gekümmert hast. Wenn du Stella zum Lachen bringst, macht mich das irgendwie stolz. Total albern ist das. Und es wäre mir sogar egal, wenn das Baby deine Nase erbt, denn inzwischen denke ich, es wird auch deine Güte und deinen Sinn für Humor erben. Deine dämliche Logik und dein Lachen.«

Sie stieß sich vom Stamm ab. »Aber das ist ja nun alles egal, weil du nicht mal etwas von mir willst, aber ich glaube, das wusste ich sowieso schon.« Sie wandte sich ab. »Und jetzt geh zu deiner blöden Hipster-Freundin.«

Gus lief neben ihr her, die Hände in den Hosentaschen.

Vor ihnen bewegten sich die riesigen Eukalyptusbäume im Wind. Die Wolken verdunkelten den Mond. Die Flammen des Lagerfeuers waren gerade so am Horizont erkennbar.

»Du gefällst mir aber«, sagte Gus.

Amy schaute ihn an. »Wirklich?« Sie runzelte die Stirn. »Warum hast du das dann nicht gleich gesagt?«

Er zuckte die Schultern. »Weil ich wollte, dass du dich ein bisschen mehr anstrengst.«

»Oh, du Arsch. Damit ich all diese Dinge sage.«

»Stimmt genau.«

Sie versetzte ihm einen Schlag in die Magengrube.

Er krümmte sich lachend. »Ein bisschen Romantik gefällt jedem, Amy. Das ist bei mir nicht anders als bei anderen.«

»Und was ist mit mir?«, erkundigte sie sich. »Wo bleibt *meine* Romantik?«

»Die bekommst du schon noch, mach dir da mal keine Sorgen.«

»Das glaubst du ja wohl selbst nicht. Du sagst dann einfach: Hör zu, Amy, ewiges Glück ist für dich nicht drin.«

»Du musst endlich aufhören, meine Stimme so nachzumachen. Ich spreche doch überhaupt nicht so.«

Sie lachte. »Doch.«

»Stimmt gar nicht.«

Er beugte sich vor und griff nach ihrem Arm. Sie blieb stehen. Dann zog er sie an sich. »Amy«, sagte er, »ewiges Glück kann ich dir nicht versprechen, weil es das nicht gibt. Ich kann dir nur das bieten, was wir gerade haben.«

Amy spürte seine Hand auf ihrem Arm, war ihm nahe genug, um ihn riechen zu können, das Weiß seiner Augen im Dunkeln zu erkennen. Sie sah, wie das Mondlicht auf den Eukalyptusblättern tanzte, wie das Feuer in der Ferne flackerte, wie die wilden Wellen durch die Bäume hindurch glänzten, und sie wusste nicht, worum sie sonst noch hätte bitten sollen. Deshalb nickte sie, zuerst vorsichtig und dann richtig, mit Nachdruck, und mit einem breiten Lächeln. »Das reicht mir schon«, erklärte sie. »Das Hier und Jetzt.«

Gus grinste. Er umfasste mit beiden Händen ihr Gesicht, hob ihren Kopf ganz leicht an, und als er sie gerade küssen wollte, sprang sie auf die Zehenspitzen, sodass ihre zu einem Kichern verzogenen Lippen seine zuerst berührten.

46. Kapitel

Die Nacht endete an dem kleinen runden Tisch hinter den Hütten. Als Amy und Gus Hand in Hand erschienen, trug ihnen das amüsierte Blicke ein. Und Rosie klatschte begeistert Beifall. »Sie *ist* deine Freundin. Ich wusste es doch.« Eine Flasche mit eiskaltem portugiesischem Mateus Rosé wurde in die zusammengewürfelten Zeltplatzgläser gegossen. Alle unterhielten sich weiter, schauten verträumt in die schönen Bäume, und Amy kicherte, als sie sich Wort für Wort Stellas Ausbruch am Pool wiedergeben ließ. »Ihr Gesicht war ganz rot, und sie hat richtig gebrüllt!«, erzählte Rosie. Dann wurden alle still und lauschten dem Knistern und Knacken des langsam verglühenden Lagerfeuers. Amy wühlte in ihrer Tasche und hielt eine kleine Tasse mit weißen Blumen hoch. »Für dich, Mum, für deine neue Sammlung. Aus Portugal.«

»Ach, Amy.« Moira war gerührt. »Wo hast du die denn her?«

»An der Bar mitgehen lassen.«

»Das ist doch wohl nicht wahr, Amy?«

»Natürlich habe ich sie nicht geklaut.« Amy grinste. »Das hat Gus für mich erledigt.«

»Amy! Du hast doch gesagt, du verrätst nichts.«

Moira wirkte zugleich entsetzt und ganz angetan darüber, dass ihr zu Ehren eine solche Aktion stattgefunden hatte.

Dann wandte sich Gus an Sonny: »Hey, Mann! Letzte Nacht habe ich's in deinem Spiel ins nächste Level geschafft.«

»Echt jetzt?« Sonny konnte es gar nicht glauben.

»Ja, echt jetzt.« Zum Beweis holte Gus sein Handy hervor.

Amy fragte: »Kann mir mal jemand zeigen, wie dieses Spiel funktioniert?«

»Das mache ich«, bot Stella an.

»Ich will auch«, meldete sich Jack.

»Und was ist mit mir?«, fragte Moira.

»Das willst du gar nicht spielen, Granny«, meinte Rosie. »Das ist total langweilig.«

»Es ist überhaupt nicht langweilig«, schrie ihr Bruder. »Du kriegst es nur einfach nicht gebacken.«

»Wohl!«

»Na, dann mach mal.«

Und so klang der Abend aus. Alle beugten sich über ihre Handys, gefesselt von Sonnys Spiel. Als ihre Namen mit jedem Versuch im Highscore aufstiegen oder nach unten rutschten, brach ein richtiger Wettbewerb aus. Alle lachten. Brüllten laut. Hämmerten frustriert auf die Tischplatte ein. Zusammen. Und die ganze Zeit glitten Wolken über den Mond, alle Blätter bewegten sich im Wind, und die Krähe beobachtete alles von ihrem Ast aus.

Dann, nachdem alle ins Bett gegangen waren, setzte sich Stella hin und schrieb ihren Artikel. Über alles zwischen Jack und ihr in der Zeit, während ihr Vater verschwunden war. Nicht unter dem Pseudonym »Stella mit dem Schandmaul«, sondern unter ihrem eigenen Namen.

Deswegen bin ich zu dem Schluss gekommen, dass Folgendes zusätzlich zu dem ganzen Extrasex, dem Sprechen über Probleme, den Dates, dem Affäre-Spiel, den Time-outs, während denen man sich ehrlich und ohne zu urteilen äußert, in jeder Beziehung das Wichtigste ist: Die Leute waren einmal auch ohne einander ganz zufrieden. Sie sind eigenständige Menschen. Nicht einfach nur Silhouetten voller vorhersagbarer Reaktionen, die neben einem herlaufen. Seien Sie nett zueinander. Seien Sie offen für Überraschungen. Für Veränderungen. Für Auseinandersetzungen und Entschuldigungen. Aber vor allem: Verschmelzen Sie nicht zu einer einzigen Person. Verlieren Sie nicht die Seite an sich, die Sie ausmacht, und nur Sie allein.

Unser Ehe-TÜV lief eigentlich darauf hinaus, das Auto gegen zwei Fahrräder einzutauschen. Und dabei haben wir begriffen, dass man zur Hochzeit nicht das automatische Recht bekommt, völlig eins zu sein. Es ist eher wie eine Einladung, einander hin und wieder zu besuchen. Bei unserem Ehe-TÜV haben wir vielleicht bloß ein Befriedigend bekommen. Aber unsere Fahrräder sind funkelnagelneu.

Kommentare bitte an @StellaWrites. Stella mit dem Schandmaul ist gerade verreist.

Als sie fertig war, schickte Stella den Artikel an ihren Herausgeber, kuschelte sich unter das Bettlaken und schlief sofort ein.

47. Kapitel

»Autsch! Was machst du denn?« Stella öffnete die Augen. Sie fühlte sich desorientiert. Jack stieß ihr in die Schulter, damit sie aufwachte. Es fühlte sich an wie mitten in der Nacht. »Was ist denn los? Ist was mit den Kindern?«

»Nein, mit den Kindern ist alles okay. Mach dir keine Sorgen, es ist nichts passiert.« Neben ihr saß Jack aufrecht im Bett, in einem zerknitterten T-Shirt.

»Wie spät ist es?«

»Vier Uhr.«

Stella zuckte zusammen.

»Ich weiß jetzt, was ich machen will«, verkündete Jack mit einem Grinsen, voller Eifer. »Ich werde Skateparks entwerfen! Ist das nicht eine großartige Idee?« Er stupste sie an, weil er eine Antwort wollte. »Bis ich bei meinem bin, muss ich meilenweit fahren. Es sollte mehr davon geben – kein Wunder, dass die Teenager immer nur zu Hause hocken, es gibt ja auch gar nichts zu tun. Das möchte ich jedenfalls machen. Was meinst du?«

Stella blinzelte immer noch ins frühe Morgenlicht. Ihre Augen brannten, der ganze Körper tat ihr weh. »Deswegen weckst du mich mitten in der Nacht?«

Sofort legte sich Jacks freudige Aufregung. »Ich wollte es dir direkt sagen. Ich dachte, du würdest es spannend finden.«

Stella rieb sich die Augen. »Ich finde es auch spannend. Aber könntest du mir solche Dinge vielleicht zwischen acht Uhr morgens und zehn Uhr abends direkt sagen?«

Jack musste lachen. Und kannst *du* mir trotzdem sagen, was du davon hältst? Von meiner Idee.«

»Klingt großartig. Das ist echt eine tolle Idee. Darf ich jetzt weiterschlafen«?«

»Ja.«

Stella gähnte, legte sich wieder hin und schloss die Augen. Fast war sie wieder eingeschlafen, als sie Jack noch einmal anstieß.

»Was denn?«

»Findest du wirklich, unsere Ehe verdient nur ein Befriedigend?«

Stella riss die Augen auf. »Hast du etwa gerade meinen Artikel gelesen?«

»Schon möglich.«

Mit einem Seufzer zog sie ihr Kissen zurecht. »Nein«, gab sie zurück, »ich finde, unser Ergebnis war eine glatte Eins, aber eine Drei macht sich bei den Lesern besser. Und jetzt will ich weiterschlafen.«

Sie schloss die Augen.

Wieder stieß Jack sie an. »Meinst du wirklich, wir hätten eine Eins verdient?«

Stöhnend öffnete Stella die Augen ein wenig. »Nein, wahrscheinlich eher eine Zwei plus.«

Jack lächelte. »Ja, das habe ich mir auch überlegt.«

Stella bedeckte ihren Kopf mit dem Kissen.

Jack konnte nicht schlafen. Er stand auf und ging nach draußen.

Nebel lag über dem gesamten Campingplatz, trieb mit der würzigen frischen Luft herein, und die aufgehende Sonne machte daraus Glitzer auf Zuckerwatte.

Plötzlich sagte eine Stimme: »Was tust du denn hier?«

Erschrocken fuhr Jack hoch. Er schaute zur anderen Hütte hinüber, wo sich Gus über das Balkongeländer beugte. »Ich will Skateparks bauen«, verkündete er und ging zu Gus hinüber.

»Finde ich gut.«

»Und du? Warum bist du schon auf?«

»Amy schnarcht.«

»Wirklich?«, fragte Jack überrascht.

Gus nickte. »Sie sägt den ganzen Wald ab.«

Jack musste laut lachen.

Amy wachte auf und schaute aus dem Fenster. Draußen auf der Veranda standen Gus und Jack. Jack lachte laut. Sie fragte sich, was wohl so lustig war. Dann sah sie, wie ihre Mutter vorbeiging, ausgeschlafen und bereit für die erste Yogastunde. Sie winkte den beiden Männern zu. Und da kam Stella aus der Hütte geschlurft, noch im Halbschlaf. »Warum seid ihr denn alle schon wach?«

Hinter ihnen ging gerade die Sonne auf: groß, rund und rot über dem Nebel. Rasch nahm sich Amy ihr Handy, machte vom Fenster aus ein Foto.

Sie dachte über eine gute Bildunterschrift nach. »Und so beginnt ein neuer Tag...«

Aber das verwarf sie wieder.

Stattdessen schrieb sie: »Die Sonne sieht aus wie ein Strepsil.«

Anschließend verkroch sie sich wieder in die Laken, die nach Schlaf und Sonnencreme rochen.

Stella stapfte in ihre Hütte zurück.

Gus fragte Jack, ob er vielleicht Lust auf Yoga hätte.

Wieder lachte Jack laut.

Und auf dem Display von Amys Handy erschien ein Herz.

»GoneDad gefällt dein Foto.«

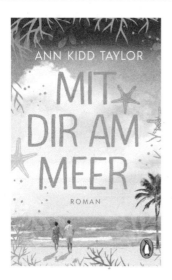

So ewig wie das Meer.
So unvergesslich wie der erste Kuss.

Das Meer ist Maeves große Leidenschaft. Mit ihrem
Job als Meeresbiologin und Haiforscherin hat sie sich
einen Traum verwirklicht, doch ein anderer wird für
immer unerfüllt bleiben: mit Daniel, ihrer großen Liebe,
eine Familie zu gründen. Je weiter ihr Beruf sie von ihrer
Heimatinsel Calusa an der Küste Floridas fortführt, umso
besser gelingt es ihr, die Erinnerungen fernzuhalten: an
Daniel und die schönsten Momente ihres Lebens. Aber
auch daran, wie er ihr Herz brach. Doch als Maeve an
ihrem dreißigsten Geburtstag nach Calusa kommt und
ihm wiederbegegnet, wird ihr klar, dass sie nicht ewig
vor der Vergangenheit fliehen kann. Und dass die große
Liebe manchmal eine zweite Chance verdient.

PENGUIN VERLAG

![Buchcover: Holly Hepburn – Heute Abend in der Eisdiele am Meer, Roman]

Sonne, Cornwall und köstliches Eis

Ihre Sehnsucht nach den goldgelben Sandstränden
Cornwalls hat Gina nie verlassen: Hier hat sie bei ihren
Großeltern viele glückliche Sommer verbracht, und
hier hat sie ihre erste große Liebe kennengelernt.
Als ihr Großvater seine berühmte Eisdiele nicht mehr
allein führen kann, lässt Gina in London alles stehen
und liegen – doch kaum trifft sie in Cornwall ein, ist sie
bestürzt: Der Eissalon ist heruntergekommen, die Gäste
bleiben schon lange aus. Gina ist fest entschlossen, ihn
zu retten. Ihr Plan: köstliche neue Eissorten zu kreieren,
deren fruchtige Süße ein Lächeln in die Gesichter
zaubert. Unterstützung bekommt sie von ihrer Jugend-
liebe Ben, doch als alte Gefühle langsam wieder
aufflammen, reist Ginas Verlobter aus London an …

 PENGUIN VERLAG